GW00673702

Discours
de la servitude volontaire

●

PRÉSENTATION
ÉDITION DU TEXTE
par Simone Goyard-Fabre

DOSSIER
par Raphaël Ehrsam

Bibliographie et chronologie par Laurent Gerbier ;
annotation lexicale du texte du *Discours*
enrichie par Michaël Boulet.

GF Flammarion

© Flammarion, Paris, 1983.
Édition revue et augmentée en 2015 puis 2016.
ISBN : 978-2-0813-7501-7
N° d'édition : L.01EHPN000743.C002
Dépôt légal : juin 2016

« Nous ne sommes pas nés seulement en possession de notre franchise, mais avec affectation de la défendre. »

La Boétie,
Discours de la servitude volontaire

« La liberté est le sacré temporel des hommes. »

Raymond Polin,
La Liberté de notre temps

LA VIE D'ÉTIENNE DE LA BOÉTIE (1530-1563)

Le nom de La Boétie est souvent lié à celui de Montaigne. Les deux hommes, en effet, furent unis de cette amitié célèbre que l'auteur des *Essais* explique le plus simplement du monde : « parce que c'était lui, parce que c'était moi ».

De vingt-sept mois plus âgé que Montaigne, Étienne de La Boétie est né le mardi 1er novembre 1530, à Sarlat, petite ville située sur la Cuze, non loin de Périgueux. Les belles maisons du XVIe siècle que l'on peut, aujourd'hui encore, admirer au long des rues pittoresques de la vieille ville disent assez que ce bourg périgourdin, évêché et bailliage, connut, au temps de la Renaissance, le calme et la prospérité.

La Boétie appartenait à un milieu aisé et cultivé. Son père était lieutenant particulier du sénéchal de Périgord ; il mourut prématurément. Un de ses oncles, qui était aussi son parrain – le sieur de Bouilhonas –, se chargea de son éducation. C'était un ecclésiastique féru de droit, de lettres classiques et de théologie. Dès l'âge de dix ans, le jeune Étienne, dont l'intelligence s'éveillait de façon exceptionnelle, fut élevé dans le culte de l'Antiquité grecque et romaine. Cette première formation, déjà, l'emporta dans le vaste mouvement de la Renaissance, particulièrement chaleureux à Sarlat, sous l'impulsion du cardinal Niccolò Gaddi, évêque de la petite ville. Cousin des Médicis, cet homme hors du commun possédait une vaste érudition, tout empreinte de l'humanisme italien. Il rêvait de faire de son diocèse une « Athènes périgourdine », où domineraient l'art et la philosophie. Dans ce milieu privilégié où l'avait introduit son oncle, le jeune La Boétie ne cachait pas sa joie à l'étude. On ignore si le collège de Guyenne le compta parmi ses élèves, et même s'il poursuivit ses études à Bordeaux ou à Bourges. Ce qui, en revanche, est sûr, c'est que les premiers maîtres de La Boétie, conscients des promesses qu'il portait en lui, l'orientèrent de bonne heure vers l'Université… Les registres de l'Université d'Orléans révèlent en effet qu'Étienne de La Boétie vint y prendre ses grades de droit afin de se préparer, quel que fût son amour des belles lettres, à la magistrature.

À cette époque, le droit connaît en France un développement brillant. Il existe alors une pléiade de jurisconsultes qui, nourris de littérature ancienne, s'attachent à l'étude de la jurisprudence romaine dont on s'accorde généralement à penser qu'elle peut servir aux jeunes États [1] pour parfaire leur législation. L'Université d'Orléans est non seulement la seconde Université de France, après Paris, mais elle est l'une des plus célèbres écoles de droit de l'époque. Elle est plus brillante que celles de Bourges et de Poitiers et sa réputation dépasse largement celles de Tours et d'Angers [2]. Sa notoriété la place sans doute après celle de Bologne, où, depuis Irnerius [3],

---

1. Le début du XVIe siècle est en effet l'époque où éclate, en Europe, ce que l'on a pu appeler « la nébuleuse chrétienne ». Au rêve médiéval de la *Republica christiana* succède la naissance de l'État moderne qui incarne le pouvoir souverain et se définit comme siège de l'autorité politique. C'est ce que Machiavel a admirablement compris.

2. Machiavel, dans son *Rapport sur les choses de la France*, qui date de 1510, écrit : « Les premières Universités sont quatre : Paris, Orléans, Bourges et Poitiers ; ensuite viennent Tours et Angers, mais elles valent peu » (Machiavel, *Œuvres complètes*, Gallimard, coll. « Bibliothèque de la Pléiade », 1952, p. 145).

3. Irnerius, jurisconsulte italien (v. 1050-v. 1130), avait fondé à Bologne, vers 1084, une école de droit dite « l'École des glossateurs »

les « maîtres ès arts » cultivaient à la fois le droit romain et la philosophie – et même après celle, plus récente, de Padoue, où les glossateurs savaient allier le souci pratique à la science théorique. Néanmoins, l'Université d'Orléans s'illustre, dès la fin du XVe siècle, par des maîtres brillants qui, mettant à profit les méthodes de travail de Lorenzo Valla [1], d'Ange Politien [2] ou d'Alciat [3], appliquent la philologie et la connaissance de l'Antiquité à l'étude de la jurisprudence. Ils savent également l'importance du droit dans la société civile. Grâce à eux, l'Université d'Orléans est l'un des lieux où souffle un esprit nouveau. En suivant les modèles latins, elle réagit vivement contre les routines et les dogmes de la scolastique, qui, par l'oubli des sources, avaient arraché la jurisprudence à ses voies naturelles. Les professeurs Anne du Bourg [4] et Charles Dumoulin [5] font autorité en pratiquant déjà, dans la voie ouverte par François Connan [6] et Grégoire de Toulouse [7], l'exégèse juridique par laquelle ils commentent

---

qui est demeurée célèbre par ses travaux de haute érudition et s'est attachée à la rénovation du droit romain.

1. Lorenzo Valla (1407-1457) est surtout connu par sa critique d'Aristote et par un naturalisme dans lequel le fait est érigé en norme. L'important est, pour lui, de s'attacher à « ce qui est », non à « ce qui doit être ».

2. Ange Politien (1454-1494) est un érudit soucieux de droit public.

3. André Alciat (1492-1550) fut professeur de droit romain à Avignon et à Bourges avant de dispenser son enseignement dans les Universités italiennes de Pavie, Bologne et Ferrare. Ses célèbres *Paradoxes*, publiés en 1518, ont beaucoup fait pour le renouveau des études de droit à la Renaissance.

4. Anne du Bourg, professeur à l'Université d'Orléans et conseiller au Parlement de Paris, était protestant. En présence du roi Henri II, il osa blâmer les persécutions contre les huguenots. Il fut pendu et brûlé en 1559. Son influence sur La Boétie fut certainement très grande ; il est fort probable que le *Discours de la servitude volontaire* porte la marque de certaines de ses idées.

5. Charles Dumoulin (1500-1566) est celui d'entre les jurisconsultes de cette époque qui a préparé l'unification du droit avec le plus de force.

6. François Connan, mort en 1551, a écrit des *Commentaires de droit civil* qui firent autorité.

7. Grégoire de Toulouse, mort en 1597, manifesta un esprit de synthèse remarquable dans son *Syntagma juris universi*.

les divers titres du Code et des Pandectes [1]. Malgré quelques rivalités, ils participent au renouveau juridique qui conduira un jurisconsulte comme Cujas [2] à composer des traités synthétiques de droit dont, un peu plus tard, Jean Bodin portera la méthode à sa perfection [3].

La Boétie, qui, à Orléans, eut pour condisciples F. Hotman, H. Doneau, F. Pithou, fut l'un des plus brillants étudiants. Sa connaissance des lettres latines, et, en particulier, de Cicéron, faisait merveille. Aussi obtint-il, le 23 septembre 1553, le grade de licencié. À cette date, il a déjà écrit le *Discours de la servitude volontaire* – ce qui prouve d'ailleurs que ses études juridiques n'occupaient pas toute son activité intellectuelle ; la philosophie, l'histoire, la philologie, la poésie... faisaient partie, tout autant que le droit, de ces humanités qui l'attiraient avec tant de force. Quoi qu'il en soit, le roi Henri II lui accorda, avant l'âge légal – qui était alors de vingt-cinq ans –, les lettres patentes qui, en date du 13 octobre 1553, l'autorisaient à acheter la charge de Conseiller [4] laissée vacante par Guillaume de Lur au Parlement de Bordeaux. Comme La Boétie était le neveu du Président de Calvimont et que, par son mariage tout

---

1. La méthode exégétique mise en œuvre ne se borne pas à traiter de différents points de doctrine et d'érudition. L'interprétation grammaticale des locutions juridiques, l'analyse sémantique des mots, l'explication des difficultés archéologiques sont autant de procédés utilisés dans les commentaires. La réflexion philosophique, l'examen critique des textes et des idées, la recherche du fondement des lois, la confiance dans le raisonnement sont activement mis en œuvre pour la plus grande joie intellectuelle des étudiants et de leurs maîtres.

2. Le grand mérite du jurisconsulte Jacques Cujas (1522-1590) sera, à l'époque de La Boétie, de restituer au droit romain le sens qu'il possédait dans la société même où il s'était formé. Cette conjonction du droit et de l'histoire est une idée qui sera chère à La Boétie.

3. Il faut surtout se reporter ici à la *Juris universi distributio*, qui fut publiée deux ans après *Les Six Livres de la République*. Toutefois, dès 1576, donc l'année même de la parution de *La République*, le plan de la *Juris universi distributio* était établi et imprimé.

4. François Ier, toujours à court d'argent dans son royaume, avait établi la vénalité des charges en matière de judicature.

récent, il se trouvait allié au Président Pierre de Carle, son entrée dans le monde parlementaire fut aisée. Le 17 mai 1554, il fut donc admis, avec dispense et après examen, à prendre ses fonctions. Il prêta serment devant toutes les chambres assemblées. C'est à la Cour de Bordeaux qu'il se liera d'une amitié célèbre avec Michel de Montaigne [1], qui devint, lui aussi, conseiller à la Cour en 1557 [2]. Cette amitié, que seule explique, confie Montaigne [3], l'« âme très belle » qui se cachait sous des traits dépourvus de séduction, fut extraordinaire.

Le Parlement de Guyenne, que l'on appelait communément le Parlement de Bordeaux [4] bien que sa juridiction s'étendît de Bayonne à Limoges, était, dans la France d'alors, le quatrième par ordre d'ancienneté, après ceux de Paris, Rouen et Toulouse ; il avait été fondé en 1462 par le roi Louis XI, précédant de peu celui du Dauphiné [5]. Il était composé de plusieurs Chambres – Enquêtes, Requêtes, Grand Chambre, Tournelle – et, outre ses Présidents à mortier [6], comptait plusieurs dizaines de conseillers [7]. Tous les ordres y avaient accès.

---

1. Rappelons que Montaigne, né en 1533 – donc un peu plus jeune que La Boétie –, vivra jusqu'en 1592.

2. Montaigne demeura conseiller à la Cour jusqu'en 1570 ; après quoi, il se retira sur la terre de Guyenne où il était né.

3. Montaigne, *Les Essais*, livre III, chap. XII.

4. Ce Parlement, après une rivalité assez tapageuse avec la Cour des aides de Périgueux, dut sa préséance d'abord à Pierre Eyquem de Montaigne, élu maire de Bordeaux en 1554, qui défendit toujours les prérogatives de sa ville ; puis, à la suite des protestations répétées des Présidents de Bordeaux et de Montpellier, à l'arrêt de mai 1557 qui supprimait la Cour de Périgueux. Michel de Montaigne, qui, lors de l'élection de son père à la mairie de Bordeaux, lui avait succédé dans sa charge de conseiller à la Cour des aides de Périgueux, fut, en 1557, transféré au Parlement de Bordeaux avec les autres magistrats périgourdins.

5. Voir A. Communay, *Le Parlement de Bordeaux*, Bordeaux, Olivier-Louis Favraud, 1886.

6. Montesquieu, par héritage de son oncle paternel, sera l'un d'eux en 1716.

7. À la veille de la Révolution, le Parlement de Bordeaux comptait quatre-vingt-onze conseillers.

Institution vénérable, il avait charge, en vertu d'une délégation du souverain, de dispenser la justice royale, au criminel et au civil, d'enregistrer les ordonnances du roi, de faire régner l'ordre dans la province. Son office principal était de siéger comme Cour de justice souveraine, fonction particulièrement complexe à Bordeaux, où la juridiction en appelait non seulement au droit français et au droit romain, mais aussi aux systèmes coutumiers du sud de la France. Le rôle de conseiller, quoique délicat et parfois fort compliqué, n'y était pas de premier ordre et cela explique que, jusqu'en 1560, La Boétie, si brillant qu'il se montrât, n'ait point rempli de mission éclatante. Pour lui comme pour Montaigne, on ne sait pas quels cas d'espèces il eut à résoudre, peut-être parce que, volontairement, il tenait à ne pas partager la superbe de nombre de ses collègues.

Cependant, au XVIᵉ siècle, les Parlements commençaient à s'arroger un rôle politique assez spectaculaire pour que Machiavel y soit sensible. D'ores et déjà, ils se voulaient, comme le dira plus tard Montesquieu, dépositaires des lois fondamentales du royaume et gardiens des lois [1]. Ainsi le Parlement de Bordeaux fut entraîné, comme malgré lui, au fil des drames religieux qui secouaient le Midi aquitain, où la Réforme s'étendait rapidement, à adopter une attitude en laquelle se confondaient le loyalisme monarchique et l'orthodoxie catholique. Ainsi, après avoir condamné à mort un prédicateur réformé, Bernard de Borda, et envoyé au bûcher deux jeunes hommes accusés d'hérésie, Jean de Caze et Arnaud Monnier, il en vint, en 1559, à vouer aux flammes un marchand de Bordeaux soupçonné d'avoir été l'instigateur de la mutilation des statues de la Vierge et de Jésus ; en 1560, appliquant un édit royal qui interdisait aux huguenots de former des rassemblements, il exerça une répression féroce, sous prétexte de faire régner l'ordre.

---

1. Montesquieu, *De l'esprit des lois*, livre V, chap. X.

Dans ce climat où les méthodes de persécution exaspéraient les passions, La Boétie, en décembre 1560, se vit chargé d'une mission délicate auprès du roi et de son Conseil[1]. Il s'agissait officiellement de résoudre la question des émoluments des magistrats bordelais qui s'étaient fait beaucoup d'ennemis parmi les autorités municipales. Mais il semble bien que, sous ce prétexte, se soit caché un problème politique dans lequel la question religieuse, qui devenait de jour en jour plus brûlante, ait tenu une place non négligeable[2]. En effet, le jeune Charles IX était un enfant de dix ans et la reine mère, Catherine de Médicis, qui avait la passion du pouvoir, s'était emparée de la régence en écartant de la succession au trône le premier prince du sang, Antoine de Bourbon. Cette Italienne, que Brantôme présente comme extrêmement superstitieuse et toujours prête à consulter le célèbre astrologue Côme Ruggieri, n'avait pas de convictions religieuses. Comme elle redoutait, chez les catholiques aussi bien que chez les protestants, les débordements et les violences des passions religieuses, elle inclina vers une politique d'apaisement en laquelle elle écoutait volontiers les leçons de tolérance et de bienveillance du chancelier Michel de L'Hospital, à qui, précisément, La Boétie rendit visite lors de sa mission à Paris. Malgré la différence d'âge[3], les deux hommes étaient faits pour s'entendre. L'un et l'autre étaient férus de science juridique[4] ; ils avaient la même ferveur pour

---

1. À cette date, Charles IX, le deuxième fils d'Henri II – celui-ci avait été tué en juillet 1559, lors d'un tournoi au mariage de sa fille avec Philippe II d'Espagne, veuf de Marie Tudor –, vient juste d'accéder au trône après la mort de son frère aîné, François II, emporté en quinze jours par une brusque maladie.

2. Anne du Bourg avait été condamné au bûcher en 1559 ; la conjuration d'Amboise, en mars 1560, avait donné lieu à un affreux massacre.

3. En 1560, La Boétie avait trente ans ; Michel de L'Hospital avait cinquante-cinq ans.

4. Michel de L'Hospital avait été étudiant, puis professeur de droit civil à l'Université de Padoue.

l'humanisme renaissant ; ils avaient aussi les mêmes exigences de droiture morale, la même aversion du formalisme de la justice, le même patriotisme. La Boétie appréciait fort le *Traité de la réformation de la justice* du chancelier ; il admirait le courage et la sagesse avec lesquels il avait osé condamner officiellement, lors des états généraux d'Orléans, le 13 décembre 1560, à la fois la sédition des huguenots et l'intransigeance des catholiques. Les deux hommes se lièrent donc d'amitié. Et La Boétie fut chargé par Michel de L'Hospital d'expliquer au Parlement de Bordeaux, plutôt favorable au catholicisme des Guise, le sens de la politique de large tolérance dont il exposait les grandes lignes dans l'ordonnance du 31 janvier 1561 promulguée lors de la clôture des états d'Orléans. La tâche était délicate. La Boétie s'en tira brillamment, convaincu en effet de ne pas plaider en faveur d'une diplomatie habile et rouée, mais pour un idéal de justice et de dignité. Il annonça qu'un colloque national se réunirait bientôt à Poissy, auquel seraient conviés, afin de préparer la réconciliation au sein de l'Église chrétienne, évêques catholiques et pasteurs protestants : ainsi devaient se retrouver côte à côte le cardinal de Lorraine, archevêque de Reims et frère de François de Guise et Théodore de Bèze, ami de Calvin. Par l'accomplissement de sa mission, La Boétie montra combien il croyait, à l'instar du chancelier Michel de L'Hospital, à la valeur éthique de la tolérance. Avec la même confiance, les deux hommes s'accordaient à penser qu'il était possible de l'institutionnaliser.

Le problème de la tolérance n'était pas alors un problème nouveau puisque, un siècle plus tôt, Nicolas de Cues, dans *De pace fidei*, avait déjà abordé la question de manière explicite. Dans son *Utopia*, qui date de 1516, Thomas More disait ouvertement l'importance de cette vertu. Et lorsque Locke, à la fin du XVIIe siècle, écrivit sa *Lettre sur la tolérance*, il répertoria de nombreux textes du siècle précédent qui, tels les *Conclusiones* de Pic de la Mirandole, les *Stratagemata Satanae* de Giacomo Aconcio ou le *Contra Calvinum de hueretizis coercendis* de Sébastien Castellion [1], avaient examiné ce brûlant problème. Tous les auteurs du temps s'accordaient d'ailleurs à relever dans les Saintes Écritures de multiples remarques en faveur de la tolérance et contre la contrainte en matière de foi. Il est difficile de déterminer avec exactitude les sources auxquelles ont pu puiser Michel de L'Hospital et La Boétie. Il est tout simplement probable que le moralisme chrétien dont ils étaient l'un et l'autre nourris suffit à expliquer leur commune volonté de tolérance en quoi se reflètent non seulement une conception du Bien et du Beau, mais, plus profondément, une image de l'Homme. À la différence de Luther, qui décelait en l'homme déchu le désespoir de n'être point Dieu, et très proches de Montaigne, qui sait les limites de l'homme mais aussi sa capacité d'effort, La Boétie et le chancelier de L'Hospital estimaient que la douceur des mœurs et « la gentille charité », par leur contraste avec l'intolérance et la raideur de tous les dogmatismes, donnent tout son prix à l'humaine condition.

Aussi bien, lorsqu'en septembre 1561 des troubles religieux éclatèrent en Agenais, La Boétie et le lieutenant du roi, M. de Burie, tentèrent-ils non seulement de faire entendre aux factions adverses les vertus apaisantes de la tolérance, mais de mettre en pratique la politique de conciliation voulue par Michel de L'Hospital afin d'enrayer les brutalités et de rétablir l'ordre. Par souci d'équité, ils déclarèrent que chaque confession avait droit à son église ; en conséquence de quoi, M. de Burie, à l'instigation de La Boétie, obligea les protestants à restituer aux Jacobins d'Agen leur couvent et leurs églises ; dans le même temps, il ordonna aux catholiques de laisser les huguenots célébrer leur culte à l'église Sainte-Foy. Dans les petites localités alentour, où il n'y avait qu'un seul édifice religieux, celui-ci devait servir tour à tour aux

---

1. Sur ce point, se reporter à la préface de R. Klibansky à l'édition de la *Lettre sur la tolérance* de John Locke (PUF, 1965, p. XXIV).

offices des catholiques et à ceux des protestants. Cependant, La Boétie, en qui la clairvoyance et le réalisme défiaient toute tentation utopiste, comprit très vite que la politique de tolérance courait à l'échec. Les faits parlaient d'eux-mêmes. Les calvinistes, dans le Midi, continuaient à employer la force contre les catholiques : en octobre 1561, ils saccagèrent la cathédrale de Montpellier et la fermèrent après avoir tué une quinzaine de personnes. Les catholiques n'avaient pas davantage de mansuétude et, partout, persécutaient les « hérétiques ». Les vexations réciproques étaient permanentes. Les rixes tragiques se multipliaient. Pourtant, lorsque, le 17 janvier 1562, la régente, en parfait accord avec son chancelier, signa l'édit de janvier, qui devait soustraire les huguenots à la vindicte des catholiques, La Boétie en donna un commentaire où s'exprimait tout l'espoir qu'il mettait dans les idées de Michel de L'Hospital. Dans ses *Essais*, Montaigne signale le *Mémoire* de La Boétie. Ce texte, longtemps considéré comme perdu, a été retrouvé en 1917[1]. Non seulement La Boétie y exposait avec une perspicacité exemplaire les conséquences politiques funestes qu'entraînent les querelles religieuses mais, soulignant la vanité d'une répression sanglante qui aggrave les troubles au lieu de les apaiser et qui, par la guerre civile, prive un État de ses plus belles intelligences – La Boétie pensait à son maître Anne du Bourg, mort sur le bûcher –, il proposait des réformes qui, alliant la miséricorde et la justice, permettraient au roi d'user de son autorité pour que la paix civile règne en son royaume. L'aversion qu'éprouvait La Boétie pour les fanatismes et leur cortège de comportements extrémistes est patente dans ce texte.

Le loyalisme de La Boétie à l'égard d'un monarque sage et raisonnable ne faisait aucun doute. Mais les événements sanglants se précipitaient : le massacre de Vassy,

---

1. Ce texte a été publié par Paul Bonnefon (*Discours de la servitude volontaire, suivi du Mémoire touchant l'édit de janvier 1562 et d'une Lettre de M. le Conseiller de Montaigne*, éditions Bossard, 1922).

le 1er mars 1562, en fit voir toute l'horreur [1] ; en Guyenne même, l'agitation était intense [2]. Malgré cela, la confiance de La Boétie n'était pas ébranlée : le roi a raison, pensait-il, de prôner une politique d'apaisement ; il faut lui obéir. Cette détermination loyaliste explique que la résistance entêtée de certains magistrats catholiques du Parlement de Bordeaux, qui refusaient, malgré l'autorité du président Benoist de Largebaton, d'observer les consignes de pacification, ait si fort irrité La Boétie et son ami Montaigne. Outré par les divisions intestines des membres de la Cour, La Boétie n'hésita donc pas dans son *Mémoire sur l'édit de janvier 1562*, tout en prenant parti pour le catholicisme comme religion d'État, à militer pour « un catholicisme réformé » en quoi pourraient enfin se réconcilier catholiques et protestants. Moins que jamais, on ne pouvait le suspecter de vouloir s'opposer aux ordres du monarque. D'ailleurs, tandis que son ami Montaigne était chargé de mission à la Cour, La Boétie fut désigné en décembre 1562 comme l'un des douze conseillers du Parlement de Bordeaux qui devaient faire partie d'une mission militaire de mille deux cents hommes chargée d'arrêter une troupe huguenote avançant vers Bordeaux. Dans cette mission encore, La Boétie devait apparaître comme le défenseur de la politique d'apaisement voulue par le monarque et qui correspondait si bien à l'exigence de tolérance qu'il avait toujours manifestée.

Tandis que la carrière de Montaigne se poursuivait au Parlement – non sans cette amertume qui distille peu à peu son scepticisme et le conduira à de franches critiques

---

1. Le 1er mars 1562, le duc de Guise passait à Vassy. Quelques gens de son escorte se prirent de querelle avec des calvinistes qui célébraient leur culte dans une grange. Les choses s'envenimèrent rapidement et la bagarre se solda par un véritable massacre chez les protestants, qui eurent plus de cent tués et blessés.

2. L'agitation oppose Blaise de Monluc, à la tête des troupes royales, aux bandes protestantes omniprésentes dans les campagnes du Bordelais.

de ce foisonnement législatif qui embrouille la justice –, La Boétie tomba brusquement malade. Peut-être fut-il atteint de dysenterie, « un flux du ventre avec des tranchées », dit Montaigne ; peut-être fut-il victime de l'épidémie de peste qui sévissait alors en Agenais. Il demanda qu'on le transportât en Médoc, sur l'une des terres de sa femme. Mais il ne put faire le voyage ; il voulut s'arrêter, à quelques kilomètres de Bordeaux, chez le conseiller Richard de Lestonnac, beau-frère de Montaigne. Le 14 août, il se sut perdu. Plein de sérénité et de piété, il rédigea son testament. Le 18 août, Montaigne, à son chevet, recueillit son dernier soupir.

« La Boétie, écrira-t-il à M. de Mesmes, [était] le plus grand homme, à mon avis, de notre siècle [1]. »

L'ŒUVRE DE LA BOÉTIE

La vie de La Boétie fut si brève et il mit tant de conscience dans l'accomplissement de ses tâches professionnelles et de ses missions qu'il n'eut pas le temps de publier ses écrits. Il laissait pourtant dans sa « bibliothèque » des manuscrits que l'amitié de Montaigne a pieusement recueillis : « Il me laissa d'une si amoureuse recommandation, la mort entre les dents, par son testament, héritier de sa bibliothèque et de ses papiers », écrit Montaigne dans le chapitre des *Essais* qu'il consacre à l'amitié [2]. La minute du testament d'Étienne de La Boétie, conservée aux archives départementales de la Gironde [3], contient en effet, au folio 39, ce passage :

---

1. Montaigne, « À Monsieur de Mesmes, 30 avril 1570 », dédicace de l'édition de la traduction faite par La Boétie des *Règles de mariage* de Plutarque (La Boétie, *Œuvres complètes*, éd. P. Bonnefon, Bordeaux, Gounouilhou, et Paris, Rouam, 1892, chap. LXXXV, p. 161).

2. Montaigne, *Les Essais, Œuvres complètes*, éd. A. Thibaudet et M. Rat, Gallimard, coll. « Bibliothèque de la Pléiade », 1963, livre I, chap. XXVIII, p. 182.

3. Notaire J. Raymond, 1563, n° 447-I.

Ledit testateur prie Monsieur Maistre Michel de Montaigne, Conseiller du Roy en la Cour du Parlement de Bordeaux, son inthime frère et inviolable amy, de recueillir pour un gage d'amitié ses livres qu'il a à Bordeaux ; desquels lui fait présent, excepté de quelques-uns de droict qui sont à son cousin, fils légitime et héritier du feu seigneur Président Calvymont.

Dès 1570, dans une admirable communion spirituelle avec son ami, Montaigne publia une partie des œuvres de La Boétie, en prenant soin toutefois de laisser inédits les textes qui touchaient à la politique. Il leur trouvait, confesse-t-il, « la façon trop délicate et mignarde pour les abandonner au grossier et pesant air d'une si malfaisante saison ». Il est vrai que, par bien des aspects, les œuvres de La Boétie font problème : d'abord, le *Discours de la servitude volontaire* est un écrit politique qui côtoie des œuvres poétiques et philologiques ; ensuite, les dates de composition et de publication du *Discours* s'entourent d'un flou qu'il n'est pas toujours possible de dissiper ; enfin, l'insertion de ce texte insolite dans le contexte historique et intellectuel de son temps aussi bien que l'usage que l'on en a toujours fait aux périodes agitées de l'histoire de France requièrent des éclaircissements. Nous essaierons de scruter tour à tour ces trois zones d'ombre qui enveloppent l'œuvre de La Boétie avant de nous attacher à l'étude du *Discours de la servitude volontaire*.

Les manuscrits publiés par Montaigne révèlent en La Boétie un parfait humaniste renaissant. Traducteur de *La Ménagerie* de Xénophon, de plusieurs écrits de Plutarque – *Les Règles de mariage* et *La Lettre de consolation* que Plutarque écrivit à sa femme après la mort de leur fille –, des six premiers chapitres des *Économiques*, que l'on attribuait en ce temps-là à Aristote, La Boétie révèle non seulement l'intérêt qu'il porte à l'éthique domestique, mais aussi son amour pour les lettres classiques. Cela n'a rien d'étonnant : elles tiennent une place éminente chez les érudits du XVIe siècle à l'école desquels il a été formé de si bonne heure. Faut-il rappeler, par exemple, l'attachement qu'Érasme vouait, au début du siècle, à Cicéron et à Sénèque, le soin qu'apportait Lefèvre d'Étaples à la traduction de *La Politique* d'Aristote en 1511, la ferveur avec laquelle Marsile Ficin commentait, en 1546, *Le Banquet* de Platon, ou le talent que déployait Amyot pour traduire les *Vies* de Plutarque en 1559... ? Toutefois, c'est un double trait de caractère et de culture qui perce à travers le travail patient par lequel les humanistes de ce temps restituent dans leur intégralité des textes parfois mutilés ou déformés par les copistes. De cette probité intellectuelle, de cette exigence de rigueur, La Boétie ne manque pas. Ce sont là les qualités dont, à l'instar d'un Érasme [1], pour qui il concevait une grande admiration, il fait preuve dans les notes philologiques écrites en 1557 en marge des *Opuscules moraux* de Plutarque. Bien qu'il ait travaillé sur l'édition défectueuse donnée par Froben à Bâle, La Boétie multiplia, à l'égard de ce texte, les remarques étymologiques et syntaxiques, il établit de multiples comparaisons entre les locutions grecques et latines, il étudia les jeux de mots... Paul Bonnefon rapporte qu'Arnaud du Perron, qui avait entrepris la traduction latine de ces *Opuscules*, demandait souvent conseil à La Boétie et disait de lui qu'il était « le second Budé de son siècle [2] ».

Montaigne a d'autre part inséré dans ses *Essais* – du moins dans les cinq éditions publiées de son vivant entre 1580 et 1588 – vingt-neuf sonnets [3] composés par La Boétie. Ce n'était là, en vérité, qu'une partie des œuvres poétiques de son ami qui, outre vingt-huit poèmes latins, avait également donné une adaptation en « 28 sonnets écrits en français » du trente-deuxième chant du *Roland furieux* de l'Arioste. Ces poèmes, au dire

1. Voir D. Harth, *La Philologie pratique d'Érasme*, Munich, 1970.
2. P. Bonnefon, *Montaigne et ses amis*, A. Colin, 1898, t. I, p. 177.
3. Si l'édition posthume de 1593 comporte encore ces *Sonnets*, il faut noter qu'ils ont été supprimés dans l'édition de 1595.

de Montaigne, « ont quelque chose de vif et de bouillant » ; en vérité, ils expriment surtout les élans d'une jeunesse amoureuse de la mythologie antique et sont souvent encore embarrassés de souvenirs livresques. Quoi qu'il en soit, La Boétie manifeste en eux sa manière à lui d'être l'un de ces « anti-barbares » dont parlait Érasme. Et, lors même que ses poèmes possèdent parfois une structure et un verbe impersonnels et figés – ce sont les poèmes d'un jeune homme de seize ou dix-sept ans –, ils laissent deviner, en leurs ciselures trop compliquées, la passion de leur auteur pour la condition humaine. C'est un signe à quoi Montaigne ne se trompa pas.

Pourtant, le renom de La Boétie s'attache à un écrit d'un tout autre genre, qu'il aurait composé, d'après Montaigne, à seize [1] ou dix-huit ans [2] – c'est-à-dire en 1546 ou 1548 – et qu'il aurait fort probablement corrigé quelques années plus tard lorsqu'il était étudiant à l'Université d'Orléans. « C'est un discours, dit Montaigne, auquel il donna le nom de *La Servitude volontaire*, mais ceux qui l'ont ignoré l'ont bien proprement depuis rebaptisé *Le Contr'Un*. Il l'écrivit par manière d'essai en sa première jeunesse, à l'honneur de la liberté contre les tyrans [3]. » Ce texte, dont Montaigne prétend qu'il fut traité « par manière d'exercitation, seulement comme sujet vulgaire et tracassé en mille endroits des livres [4] », demeura en sa forme manuscrite du vivant de La Boétie. Toutefois, il en avait adressé une copie à Montaigne. Cette dissertation scolaire fut même la première occasion de leur communion intellectuelle et la source de leur amitié [5].

---

1. *Les Essais*, édition de 1593, d'après une correction autographe de Montaigne.
2. *Les Essais*, éditions de 1580 et 1588.
3. Montaigne, *Les Essais, op. cit.*, p. 182.
4. *Ibid.*, p. 193.
5. Dans la première édition des *Essais* (livre I, chap. XXVIII), Montaigne confiera : « Je suis obligé particulièrement à cette pièce, d'autant qu'elle a servi de moyen à notre première accointance. Car elle me fut montrée longue pièce avant que j'eusse vu La Boétie et me donna là la première connaissance de son nom. »

Néanmoins, dans la première édition des *Essais*, qui parut en 1580 – dix-sept ans, donc, après la mort de son ami –, Montaigne ne publia pas l'essai de La Boétie [1]. Il semble d'ailleurs que le manuscrit original qui lui avait été confié ait alors été perdu. Était-il besoin de livrer cet écrit au public puisque, déjà, « il courait pieça [2] ès mains des gens d'entendement [3] » ? En effet, à la faveur des événements politiques qui secouèrent le royaume de France après la mort de La Boétie, le *Discours* avait connu une fortune singulière que son auteur, à l'heure où il s'appliquait à la parfaite rhétorique d'un exercice scolaire en quoi il exprimait ses enthousiasmes de jeunesse, n'avait ni recherchée ni même soupçonnée. Malgré lui, La Boétie était très rapidement devenu un philosophe politique, dont l'engagement exemplaire devait lui procurer une notoriété qui dure encore de nos jours.

Que Montaigne se soit refusé à publier les pages composées par son jeune ami « à l'honneur de la liberté contre les tyrans » peut trouver une justification dans la prudence qu'exigeait, à l'entour des années 1570, le climat d'insécurité qui régnait en France. Montaigne s'en explique clairement : « Parce que j'ai trouvé que cet ouvrage a été depuis mis en lumière, et à mauvaise fin, par ceux qui cherchent à troubler l'état de notre police, sans se soucier s'ils l'amenderont, qu'ils ont mêlé à d'autres écrits de leur farine, je me suis dédit de le loger ici [4]. » En effet, en 1574, avait paru à Bâle, puis à Édimbourg, successivement en latin et en français, un pamphlet « sous forme de dialogues » qui, sous le nom d'Eusèbe Philadelphe Cosmopolite, portait un titre provocant : *Le Réveille-matin des Français et de leurs*

---

1. Notons qu'il ne publia pas non plus le *Mémoire touchant l'édit de janvier 1562*.
2. *Pieça* : depuis longtemps.
3. Montaigne, *Les Essais, op. cit.*, p. 182.
4. *Ibid.*, p. 193.

voisins [1]. Publié quelques mois après la Saint-Barthélemy, le libelle est violent et l'auteur veut faire comprendre aux peuples d'Europe [2] la gravité des événements de France. Que les dernières pages du *Second Dialogue* soient constituées par un fragment, quelque peu remanié, du texte de La Boétie indique clairement le dessein de ceux qui l'ont composé. Le ton du libelle, dirigé à la fois contre le roi de France et contre sa mère, est extrêmement violent. La véhémence des auteurs dépasse de beaucoup les accents hardis de la *Franco-Gallia* de F. Hotman [3] et même l'indignation que manifesteront les *Vindiciae contra tyrannos* [4]. Les prises de position hostiles au Prince sont sans aménité. En adjoignant à leur philippique certains passages de la dissertation de La Boétie, les auteurs veulent, sans le nommer, le faire passer pour l'instigateur des idées d'opposition et de subversion politiques. Par leur fait, le *Discours de la servitude volontaire* s'inscrit dans un contexte polémique et militant. En 1576, c'est avec une intention analogue que le pasteur protestant Simon Goulart fait paraître les *Mémoires de l'État de France sous Charles Neuvième* [5], dont le tome III cite, cette

---

1. En vérité, l'ouvrage est une composition collective comme le sera plus tard la *Satire Ménippée*. Il disserte sur les questions brûlantes du moment. Signalons la réédition de l'édition d'Édimbourg (EDHIS, 1977).

2. L'ouvrage est dédié à la reine d'Angleterre ; l'édition latine, tout particulièrement, s'adressait au peuple de Pologne.

3. La traduction française de la *Franco-Gallia* parut à Cologne en 1574 (rééd. EDHIS, 1977).

4. Les *Vindiciae contra tyrannos* datent de 1579 ; la traduction française du texte latin paru sous le nom de Junius Brutus date de 1581.

5. Le titre complet est *Mémoires de l'État de France sous Charles Neuvième, contenant les choses plus notables, faites et publiées tant par les catholiques que par ceux de la religion, depuis le troisième édit de pacification fait au mois d'août 1570, jusqu'au règne de Henri troisième*. Une seconde édition parut à Genève en 1578, une troisième et une quatrième en 1579. Voir Leonard Chester Jones, *Simon Goulart, sa vie et son œuvre, 1543-1628*, Genève, Kündig, 1916.

fois plus longuement, quoique non intégralement, l'essai de La Boétie [1]. L'auteur n'est pas nommé. Néanmoins, par cette publication, la composition de La Boétie était devenue, comme les libelles protestants ou catholiques qu'elle semblait destinée à côtoyer désormais, un texte militant. Une note anonyme manuscrite, datée du 22 février 1602, et encore lisible sur l'exemplaire conservé à la Bibliothèque nationale, indique assez bien la signification qu'on prêtait alors au texte de La Boétie : « séditieux contre la monarchie ». La volonté polémique des éditeurs est si forte et si évidente que le *Discours de la servitude volontaire* est, comme le rappelle Montaigne dans ses *Essais*, « proprement rebaptisé *Le Contr'Un* [2] ». Aussi bien La Boétie ne tardera-t-il pas à passer pour l'un de ces auteurs que bientôt, à cause de leur prosélytisme dressé contre le pouvoir absolu des rois, W. Barclay appellera les « monarchomaques ».

Ainsi, pour la postérité, le *Discours* de La Boétie devait, périodiquement, sembler dominé par un tourment politique aux conséquences graves. La question est de savoir si la volonté d'opposition que l'on prête si souvent à La Boétie correspond exactement aux intentions que le jeune étudiant glissait dans cette dissertation où le culte des héros antiques transparaît à la faveur d'une rhétorique recherchée. La Boétie eut-il un projet politique au service duquel il mit une parfaite rhétorique ? Ou ne rencontra-t-il les problèmes politiques qu'en humaniste ? Son humanisme était-il fait de l'amour des auteurs anciens ou de l'amour de l'homme ?... Ces questions sont délicates, non seulement parce qu'elles mettent en cause l'herméneutique à laquelle se sont livrés la plupart des éditeurs du *Discours*, mais parce qu'elles renvoient au propos d'un auteur qui aurait pu dire : *Larvatus prodeo...* Elles ne pourront donc être tranchées

---

1. La première édition du tome III date de 1577 ; le texte de La Boétie est contenu du f° 83 verso au f° 99 verso.
2. Montaigne, *Les Essais*, *op. cit.*, p. 182.

que si une lecture attentive du texte permet, sous la lettre, d'en découvrir l'esprit.

COMPOSITION ET DIFFUSION DU *DISCOURS*

Quelle qu'ait été, en son temps et dans les temps ultérieurs, la fortune du *Discours de la servitude volontaire*, le texte de La Boétie ne va pas sans poser tant de problèmes que l'on a pu parler de « l'énigme du *Contr'Un* [1] ». Avant donc de l'interroger en son sens philosophique et en sa portée politique, nous ne saurions écarter la double question de chronologie qui porte, d'une part, sur la date de sa composition, d'autre part, sur les étapes de sa diffusion. Sur ces deux points, tout a été sujet de controverse.

COMPOSITION

La date de composition du *Discours* demeure, aujourd'hui encore, incertaine. La question est si complexe qu'elle a suscité de nombreux travaux de recherche et déclenché chez les érudits des controverses aussi âpres que troublantes.

Sur ce problème, on peut assurément entendre le témoignage de Montaigne. Dans les éditions des *Essais* de 1580 et de 1588, il déclare, parlant de l'opuscule de La Boétie : « Il l'écrivit par manière d'essai, en sa première jeunesse, n'ayant pas atteint le dix-huitième an de son âge » ; et, dans les éditions ultérieures qui tiennent compte des corrections autographes de l'« exemplaire de Bordeaux », on peut lire : « Mais oyons un peu parler ce garçon de seize ans [2] »... À s'en tenir à ces renseignements, on peut admettre que La Boétie aurait rédigé le

---

1. L'expression est le sous-titre de l'ouvrage du Dr Armaingaud, *Montaigne pamphlétaire, L'énigme du Contr'Un*, Hachette, 1910. Ed. Lablénie intitule ainsi son étude « L'énigme de la *Servitude volontaire* » (in *Revue du XVIᵉ siècle*, 1930, t. XVII).
2. Montaigne, *Les Essais, op. cit.*, p. 193.

Discours de la servitude volontaire en 1546 ou 1548. À deux ans près, La Boétie aurait traité son sujet « en son enfance » et les variations de Montaigne sur ce point ne sont pas de très grande importance[1].

Elles ont cependant fait naître une polémique qui n'est peut-être pas seulement une querelle d'érudition. Cette controverse est motivée par des raisons d'ordre psychologique, évidemment conjoncturelles, mais qui, faisant fond sur la critique interne du texte, ne sont pas sans portée. En effet, quelle qu'ait été la précocité de La Boétie, on a pu remarquer que « la masse d'observations, d'anecdotes, d'idées » qui se trouve rassemblée dans le *Discours* suppose « plus d'âge », « plus de maturité et d'expérience » que n'en peut avoir un tout jeune homme de seize ou même dix-huit ans[2]. Ne faudrait-il pas admettre alors, suggère F. Combes, que La Boétie pouvait n'avoir que seize ou dix-huit ans lorsque germa en son esprit l'idée de son essai, qu'il en traça alors quelque ébauche, « mais que très certainement il avait l'âge d'homme quand il y mit la dernière main[3] » ?

L'idée est d'autant plus intéressante qu'elle oblige à examiner la thèse de Jacques Auguste de Thou, qui fut un ami de Montaigne et connut les liens qui l'unissaient à La Boétie. Cette thèse nous renvoie à l'année 1548, où les Bordelais s'étaient révoltés contre les impôts trop lourds qui les écrasaient. L'historien apporte, dans l'*Histoire de son temps*[4], de précieux renseignements sur « la

---

1. Voir F. Demeure, « Montaigne et La Boétie », *Mercure de France*, 1er juillet 1933.

2. « Ce n'est pas à l'âge de seize ans et pas toujours à l'âge de dix-huit ans que l'on a une *dame de ses pensées*… qu'on parle d'*autrefois*, du temps passé de sa vie » ou que l'on évoque « des rimes composées *naguère* », remarque F. Combes (*Essai sur les idées politiques de Montaigne et La Boétie*, Bordeaux, Duthu, 1882, p. 21-22).

3. F. Combes, *ibid.*, p. 25.

4. De Thou est né en 1553. Il a commencé à écrire l'*Histoire de son temps* en 1581. L'ouvrage fut publié à Paris en 1604 sous le titre *J. A. Thuani Historiarum sui temporis* ; une traduction parut à Londres sous le titre *Histoire universelle* en 1734.

révolte des gabelles [1] », qui, à cette époque, souleva de manière particulièrement violente tout le sud-ouest de la France, déjà fort turbulent depuis deux siècles. Les troubles avaient éclaté à La Rochelle, où les habitants avaient très mal accepté que le sel de pêche, jusqu'alors exempt de taxes, fût imposé. Elle s'étendit rapidement du pays maritime au pays agricole. La question des franchises devint vite un prétexte et la révolte, de fiscale, devint sociale. Elle toucha les Charentes et le Bordelais. Les paysans formèrent des milices qui avaient mission non seulement d'assassiner les receveurs des gabelles, mais, plus encore, de partout s'opposer aux nobles et aux riches. En août 1548, les paysans en colère entrèrent dans Bordeaux. La municipalité de la ville, que l'on appelait « la jurande », était composée de bourgeois peu favorables aux paysans, dont ils avaient plutôt peur. Elle en appela au roi Henri II, qui, du Piémont où il se trouvait alors, fit dépêcher en Aquitaine dix mille hommes de troupe. Sous le commandement du connétable de Montmorency, l'armée avait charge de châtier les rebelles. Montmorency supprima toutes les franchises et décréta la dissolution des corps constitués de la ville. Comme les révoltés avaient tué le lieutenant du roi Moneins, parent de Montmorency, et l'avaient jeté dans une fosse sans sépulture, le connétable les obligea à le déterrer avec les mains et punit de mort « cent cinquante petites gens ».

Il n'est pas certain du tout que La Boétie ait été le témoin oculaire de ces événements. Mais tout ce qui touchait le Périgord ou le Bordelais lui tenait à cœur. Il serait tout à fait plausible que les procès et les condamnations l'aient profondément indigné et que l'enchaînement inexorable de la révolte et de la vengeance engendrant de nouveaux soulèvements l'ait conduit à rapprocher l'actualité de son temps de faits historiques dont sa culture l'avait nourri. Cependant, le *Discours de*

---

1. Sur la révolte de la gabelle, voir S. Gigon, *La Révolte de la gabelle en Guyenne*, Champion, 1906.

la servitude volontaire ne contient aucune mention de la révolte des gabelles ; on n'y trouve même pas d'allusion voilée à des événements précis du temps. Quant à Montaigne, il n'en dit mot. Le témoignage de de Thou nous conduirait donc tout au plus à penser que La Boétie, assurément ébranlé par une sédition qu'il ne pouvait pas ignorer, aurait situé l'événement dans un contexte plus large de disharmonie politique et sociale dont il aurait cherché à comprendre les raisons. À dix-huit ans, il aurait pu – c'est ce que suggère Léon Feugère en suivant de Thou et le chroniqueur bordelais de Lurbe [1] – tracer sous le coup de l'émotion la première esquisse d'un essai que, plus tard, vers 1553-1555, lorsqu'il était étudiant à Orléans, il aurait remanié et précisé en se servant de la jeune science de publiciste qu'il venait d'acquérir en suivant tout particulièrement les cours du recteur de l'Université, Anne du Bourg.

Cette hypothèse, à tout prendre raisonnable, doit-elle nous entraîner plus loin et faire accepter les allégations du Dr Armaingaud affirmant, en 1910 [2], que Montaigne lui-même serait en majeure partie l'auteur du *Contr'Un* ? Dès 1906, le même auteur, dans deux articles de la *Revue politique et parlementaire*, soutenait la thèse selon laquelle Montaigne aurait, sous le nom de son ami, écrit le *Discours de la servitude volontaire*. Il avançait pour preuve que ce texte fait état « d'événements postérieurs à la mort de La Boétie [3] » et constitue une attaque contre la tyrannie d'Henri III, cet « hommeau » qui régna de 1574 à 1589 et que, donc, La Boétie ne put pas connaître.

1. L. Feugère, *Étienne de La Boétie, ami de Montaigne ; étude sur sa vie et ses ouvrages, précédée d'un coup d'œil sur les origines de la littérature française*, Labitte, 1845. Feugère a édité également, pour la première fois et avec des notes, les *Œuvres complètes* de La Boétie (Paris, 1846).

2. Dr Armaingaud, *Montaigne pamphlétaire, op. cit.*

3. *Revue politique et parlementaire*, Bordeaux, Delmas, 1906, p. IX.

Nous ne pouvons entrer ici dans le détail de la controverse [1] qui a suscité maints rebondissements [2]. Bornons-nous à mentionner que P. Villey et P. Bonnefon ont réfuté, semble-t-il de façon définitive, la thèse du Dr Armaingaud, bien que celui-ci soit demeuré sur ses positions. Néanmoins, il n'est pas impossible que Montaigne ait inséré dans le manuscrit de son ami des interpolations non négligeables ; et, ainsi que le remarque P. Villey [3], il n'est pas impensable que Montaigne, lisant et relisant l'essai de La Boétie, ait apporté – ou ait laissé apporter avec une certaine « complicité » – quelques corrections au manuscrit original du *Discours*. Celles-ci seraient nées de sa propre réflexion sur les événements de la Saint-Barthélemy, que La Boétie n'avait pu connaître mais dont il avait pressenti le caractère dramatique dans le climat d'intolérance que, si souvent, avec Michel de L'Hospital, il avait déploré. En tout état de cause, un érudit italien, Jacopo Corbinelli, rapporte, dans une

---

1. Sur cette controverse, voir J. Plattard, *État présent des études sur Montaigne*, Les Belles Lettres, 1935, p. 16 *sq.*

2. Citons quelques-uns des auteurs qui s'opposèrent à la thèse du Dr Armaingaud : P. Bonnefon (in *Revue politique et parlementaire*, Bordeaux, Delmas, janvier 1907) ; P. Villey (in *Revue d'histoire littéraire de la France*, oct.-déc. 1906, paru en fév. 1907) ; F. Strowski (in *Revue philomathique*, Bordeaux, Gounouilhou, février 1907). Ajoutons également R. Dezeimeris (« Sur l'objectif réel du discours d'Étienne de La Boétie : *De la servitude volontaire* », in *Actes de l'Académie des sciences, belles-lettres et arts de Bordeaux*, 1907), H. Barckhausen (in *Revue historique de Bordeaux et du département de la Gironde*, Bordeaux, Féret, mars-avril 1909), Ed. Lablénie (in *Revue du XVIᵉ siècle*, 1930). Le Dr Armaingaud répondit à ses contradicteurs : « Réponse à M. R. Dezeimeris » (in *Revue philomathique*, 1907), « Réponse à M. P. Bonnefon » (in *Revue politique et parlementaire*, 1907), « Réponse à M. P. Villey et Réplique à M. Bonnefon » (in *Revue d'histoire littéraire de la France*, A. Colin, avril-juin 1909), « Réponse à M. H. Barckhausen » (in *Revue historique de Bordeaux*, Bordeaux et Paris, mai-juin 1909).

3. P. Villey, in *Revue d'histoire littéraire de la France*, oct.-déc. 1906, p. 729.

lettre adressée à Pinelli, qu'il a vu en 1570 un manuscrit du *Discours* de La Boétie [1], ce qui écarte l'hypothèse d'une rédaction ultérieure faite par Montaigne. D'ailleurs, que Montaigne ait, sous le nom de son ami, publié un texte politiquement dangereux, constitue une telle indélicatesse que cela est difficilement crédible.

Lors même que le *Discours de la servitude volontaire* conserve en soi quelque secret, mieux vaut donc admettre que l'œuvre de La Boétie est bien de lui, qu'elle a été conçue dans sa prime jeunesse, qu'il l'a amendée plus tard [2] et que Montaigne, dans son souci d'amitié ineffaçable, n'a apporté que de très minimes corrections qui n'atteignent en rien l'indépendance intellectuelle de La Boétie.

DIFFUSION

Tous les problèmes de chronologie relatifs au *Discours* ne sont pas pour autant résolus, car non seulement la date de la composition du texte demeure entachée d'incertitude, mais la publication de l'œuvre est entourée d'un halo de flou.

Certes, on peut ici rappeler que Montaigne, dépositaire en 1563, par voie testamentaire, des œuvres de son jeune ami, en ajourna toute publication parce que, tout particulièrement, le *Discours* s'est trouvé mêlé à des écrits tendancieux d'auteurs qui cherchaient à troubler l'ordre

---

1. Rita Calderini De-Marchi, *Jacopo Corbinelli et les érudits français, d'après la correspondance inédite Corbinelli-Pinelli (1566-1587)*, Milan, Hoepli, 1914.

2. L'allusion au roi de France, dans ces conditions, ne se rapporterait pas à Henri III, comme le soutient le Dr Armaingaud, mais à Charles IX. En outre, l'ouvrage contient des remarques relatives aux œuvres et aux projets des poètes de la Pléiade qui n'étaient pas encore connus en 1546 ni même en 1548 : les *Odes* de Ronsard, celles de Du Bellay et les *Amours* de Baïf qui n'apparaissent qu'après 1550, voire 1552. Il faut donc admettre que La Boétie n'a pu rédiger au moins le passage qui se rapporte à la poésie française qu'à l'époque où il était étudiant en droit à l'Université d'Orléans.

public. En effet, en 1570, Montaigne, ayant renoncé à sa
charge de magistrat, décida, au mois d'août, d'emporter
à Paris les manuscrits de son ami et de les y faire imprimer chez Frédéric Morel. Toutefois, dans son projet,
deux écrits font exception : le *Discours de la servitude
volontaire* et *Quelques mémoires de nos troubles sur l'édit
de janvier 1562*, qu'il estime peu raisonnable de publier
en « une si malplaisante saison [1] ». L'Avertissement qui
ouvre le volume des *Œuvres complètes* de La Boétie
apprend bien au lecteur l'existence du *Discours* ; et
lorsque de Thou, à son tour, mentionnera ce texte, il tiendra l'information de Montaigne. Mais l'essai de
La Boétie, effectivement, ne figure ni dans le recueil des
Vers français de feu Étienne de La Boétie ni dans le recueil
de traductions qui le précède [2], parus l'un et l'autre en
1571. En 1580, dans la première édition des *Essais*, où,
pourtant, le *Discours* de La Boétie devait être comme le
foyer de la méditation, il ne trouve pas place non plus.
Qualifié là, de manière péjorative a-t-on prétendu, de
déclamation rhétorique, il est remplacé par vingt-neuf
sonnets de La Boétie.

Pourtant, à cette date, le *Discours de la servitude volontaire* a acquis forte réputation et « court pieça ès mains
des gens d'entendement [3] ». En effet, des publicistes protestants avaient eu connaissance et probablement communication du texte, peut-être, nous le verrons plus loin,

---

1. Cette remarque se trouve dans l'Avertissement qui, en date du
10 août 1570, ouvre le volume des *Œuvres complètes* de La Boétie
(*op. cit.*, éd. P. Bonnefon, 1892).
2. *Vers français de feu Étienne de La Boétie, Conseiller du roi en sa
cour de Parlement à Bordeaux*, Frédéric Morel, imprimeur du roi,
MDLXXI, avec privilège. Ce cahier de dix-neuf feuillets est ajouté à
un autre volume qui contient les traductions de La Boétie (*La Ménagerie* de Xénophon, *Les Règles de mariage* de Plutarque, *La Lettre de
consolation* de Plutarque à sa femme). Ces feuillets contiennent vingt-
cinq sonnets, la *Chanson* et la traduction de l'*Orlando furioso* ; le recueil
commence par une lettre de Montaigne à M. de Foix en date du 1er septembre 1570.
3. Montaigne, *Les Essais, op. cit.*, p. 182.

par l'intermédiaire d'un condisciple de La Boétie. Celui-ci fut inséré, du moins partiellement, dans les dernières pages du *Réveille-matin* et, en 1576, le calviniste genevois Simon Goulart en avait donné une version plus complète et plus ou moins véridique dans les *Mémoires de l'État de France sous Charles Neuvième*. C'est là que le titre du *Contr'Un* apparut pour la première fois. L'ouvrage était un recueil de libelles. Il connut un fort retentissement puisque, publié d'abord à Genève, il fut réédité en 1577 et 1578 aux Pays-Bas, à Middelburg, ce qui procurait au texte de La Boétie une assez large diffusion. Il serait évidemment intéressant de savoir comment les huguenots sont entrés en possession du *Discours* puisque le manuscrit avait été confié à Montaigne. Sur ce point, P. Bonnefon avance une hypothèse [1]. Un condisciple de La Boétie, Lambert Daneau, aurait, vers 1553, reçu de son ami, au cours des discussions qui les réunissaient chez son oncle dans les jardins fleuris du bord de Loire, des confidences touchant la rédaction du *Discours*. Les deux jeunes gens étaient les étudiants d'Anne du Bourg, dont nous avons déjà signalé l'ascendant sur ses élèves de l'Université d'Orléans. Daneau, ayant après l'exécution d'Anne du Bourg embrassé la religion réformée, aurait révélé à ses amis calvinistes le contenu de l'essai de La Boétie. De la sorte, le texte aurait pu trouver place, plus ou moins exact, plus ou moins complet, dans les manifestes politiques qui virent le jour après le massacre de la Saint-Barthélemy. L'hypothèse de P. Bonnefon a été mise en doute par le Dr Armaingaud [2] et la lumière, sur ce point, est bien difficile à faire. Ce qui est sûr, c'est qu'en 1580 – Montaigne a parfaitement raison de le signaler – le *Discours de la servitude volontaire* a déjà connu une audience incontestable.

---

1. P. Bonnefon, *Étienne de La Boétie. Sa vie, ses ouvrages et ses relations avec Montaigne*, Bordeaux. P. Chollet, 1888 ; rééd. Slatkine, 1970, p. 58.
2. Dr Armaingaud, *Montaigne pamphlétaire*, *op. cit.*, p. 48-49.

En outre, le manuscrit original que possédait Montaigne semble avoir été recopié, au moins deux fois et pratiquement sans variantes, par ses amis Henri de Mesmes et Claude Dupuy. L'érudit Corbinelli aurait vu l'une de ces copies en 1570. On ignore toutefois ce qu'il advint au XVIe siècle et de l'original et des copies. Le manuscrit original semble définitivement perdu. Quant à elles, les deux copies ont été retrouvées au XIXe siècle, et celle que l'on appelle généralement « le manuscrit de Mesmes [1] » fut éditée en 1853 par J. F. Payen [2].

Jusqu'à cette date, l'essai de La Boétie connut une fortune diverse. La renommée du *Discours de la servitude volontaire*, dit justement P. Bonnefon, « née avec les troubles, grandit avec eux et passa comme eux ». Le XVIIe siècle ne paraît pas lui avoir accordé beaucoup d'importance : il est vrai qu'alors l'absolutisme de Richelieu et de Louis XIV triomphe ; la doctrine, de Loyseau à Bossuet, en passant par Cardin Le Bret et Richelieu ou en se développant, dans la lignée de Grotius, chez les jurisconsultes du droit naturel, défend toujours, nonobstant des nuances, la thèse de l'omnipotence royale. Aussi bien le *Discours* est-il un texte rare, recherché seulement des bibliophiles ou des esprits curieux. En 1665 parut bien à Paris, sous l'anonymat, un écrit dans lequel vibrent des accents proches de ceux de La Boétie. Il s'agit de *La Conjuration du comte Jean-Louis de Fiesque*, texte rédigé en fait en 1633 par Jean-François Paul de Gondi, cardinal de Retz [3]. Dans cet écrit virulent, où grondent la passion et l'ambition, ce conspirateur-né se montre, a-t-on dit, « prophète de lui-même » et court à sa perte. Il

---

1. Elle se trouve au fonds français de la Bibliothèque nationale et porte le n° 811.

2. *Notice bio-bibliographique sur La Boétie, l'ami de Montaigne, suivie de La Servitude volontaire, donnée pour la première fois selon le vrai texte de l'auteur, d'après un manuscrit contemporain et authentique*, Firmin-Didot, 1853.

3. *La Conjuration du comte de Fiesque* est publiée à la suite des *Mémoires* du cardinal de Retz (Gallimard, coll. « Bibliothèque de la Pléiade », 1968).

est vrai que, chez ce politique insidieux, l'impudence doit
être prise au sérieux : « Il y a des temps, déclarait-il, où
il faut souvent changer de parti si l'on veut rester fidèle
à ses opinions. » Le ton du *Contr'Un*, évidemment,
n'était pas pour lui déplaire et la plume alerte de Paul de
Gondi ne redoutait pas le mélange de Tacite, de Machiavel et de La Boétie. Il reste que ce texte de jeunesse, beaucoup moins connu que les célèbres *Mémoires* du
Cardinal, ne suffit pas à stimuler la curiosité à l'égard du
Discours de la servitude volontaire. Tallement des Réaux
raconte même dans ses *Historiettes* qu'à l'époque où
Paul de Gondi rédigea la *Conjuration du comte de
Fiesque*, Richelieu dut acheter fort cher à un rusé libraire
l'opuscule devenu introuvable de La Boétie.

En revanche, la réédition des *Essais* de Montaigne, en
1727, par Pierre Coste [1], contient, à la suite des *Vingt-
Neuf Sonnets* de La Boétie (t. V, p. 55-73), le *Discours de
la servitude volontaire ou Contr'Un* (p. 74-136). Le texte
du *Discours* est celui des *Mémoires de l'État de France*.
Il se présente comme un épiphénomène de l'œuvre de
Montaigne et semble bien ne jouir d'aucune indépendance littéraire et *a fortiori* politique. L'ouvrage, en cette
même année 1727, est réédité à Genève, puis, en 1739 et
en 1745 à Londres ; il en existe même, à Paris, en 1740,
une autre édition qui, justement, à cause du *Discours*,
fut publiée sans l'autorisation des censeurs royaux. Ces
multiples éditions contribuent à la diffusion du texte de
La Boétie, dont une traduction anglaise avait même paru
à Londres en 1735 [2].

Il faut cependant attendre la période révolutionnaire
pour voir de nouveau resurgir l'écrit de La Boétie ou, du
moins, pour voir se manifester l'inspiration qui,
estimait-on, y avait présidé. La réputation bien établie
qu'on prête à ce texte peut s'expliquer par les affinités

---

1. Cette édition qui comporte cinq volumes in-12 parut à La Haye.
2. Un exemplaire de cet ouvrage très rare se trouve au British
Museum.

qui, par-dessus le classicisme rationnel du XVIIe siècle, s'établissent entre la pensée du XVIIIe siècle et celle du XVIe siècle. On voit en lui un manifeste politique, véritablement « séditieux contre la monarchie ». Aussi bien réapparaît-il à trois reprises, de manière plus ou moins explicite, entre 1789 et 1792. En 1789, il est publié à la suite d'un texte anonyme, mollement antimonarchiste et, en tout cas, de très piètre valeur, qui, dédié aux mânes de Chevert, porte le titre suivant : *Discours de Marius, plébéien et consul, traduit en prose et en vers français du latin de Salluste ; suivi du Discours d'Étienne de La Boétie, ami de Montaigne et conseiller au Parlement de Bordeaux, sur La Servitude volontaire, traduit du français de son temps en français d'aujourd'hui. Par l'Ingénu, Soldat dans le régiment de Navarre* [1]. La préface déclarait péremptoirement : « Le *Discours* de La Boétie ne convient que dans ces cas où il y a de grandes injustices. » En 1791, certains passages de l'opuscule de La Boétie, à la demande, prétendit-on, de Sylvain Maréchal (mais cette allégation est douteuse), furent insérés dans *L'Ami de la Révolution ou Philippiques dédiées aux représentants de la nation, aux gardes nationales et à tous les Français* [2]. Ils constituent, de la page 137 à la page 183, un « supplément à la huitième philippique ». En 1792 enfin, Marat donna à Paris une nouvelle édition d'un texte intitulé *Les Chaînes de l'esclavage* [3] qu'il avait publié à Londres en 1774. De nombreuses pages semblent venir tout droit du

---

1. L'auteur pourrait être un certain Lafite. L'ouvrage paraît en 1789, sans indication de lieu ; c'est un in-8° de 144 pages. Le texte du *Discours* et le commentaire sur La Boétie se trouvent p. 61-139.

2. Cette publication, faite par Champigny, à Paris, rassemble 57 numéros in-8°, datés de 1790 et 1791.

3. Le titre exact est : *The Chains of Slavery, a work wherein the Clandestine and Villainous Attempts of Princes to ruin Liberty are pointed out, and the Dreadful Scenes of Despotism Disclosed, to Which is prefixed, an Address to the Electors of Great Britain, in order to Draw their Timely Attention to the Choice of Proper Representatives in the Next Parliament.* Signalons l'édition française de ce texte, 10/18, 1972.

Discours de la servitude volontaire, au point que l'on a parlé de plagiat. En fait, Marat s'opposait surtout aux gens de Cour. On confondit plus ou moins certains chapitres, en particulier celui intitulé « Le peuple forge ses fers », avec les propos tenus dans son journal *L'Ami du peuple* (qu'il fonda en septembre 1789) et on lui prêta un amour exclusif des classes populaires dont on a prétendu qu'il réitérait celui que leur vouait La Boétie. Il est fort possible que Marat ait connu le *Discours de la servitude volontaire*. Mais sa défense de la liberté et sa théorie de la légitimité du pouvoir insurrectionnel ont surtout trouvé nombre d'arguments dans l'exemple de l'antique Sparte et dans le modèle constitutionnel anglais [1]. Son tempérament fougueux et la véhémence de sa plume ont fait le reste. À tout le moins peut-on remarquer que Marat et La Boétie ne se font pas du « peuple » la même idée, peut-être tout simplement parce qu'ils n'appartiennent pas à la même époque. La Boétie attache encore à ce vocable un sens péjoratif qui demeure très en deçà de la signification juridique dont Hotman et Duplessis-Mornay lesteront ce terme [2]. L'auteur du *Discours de la servitude volontaire* ne reconnaît pas encore de dignité civique et juridique au peuple. Pour lui, le peuple est le « gros populas » ; il se confond avec la masse, lourde et informe, de cette multitude d'hommes qui, essentiellement par leur faute, sont dans les fers. Le journaliste révolutionnaire qu'est Marat voit les choses d'un autre regard. Dans *L'Ami du peuple*, il considère que la république est l'affaire du peuple souverain. Sans doute

---

1. Ayant séjourné en Angleterre, où, à partir de 1765, il avait exercé la médecine à Londres et à Newcastle, il connaissait bien ce régime. Il ne se fixa à Paris qu'en 1777.
2. Voir sur ce point dans les *Cahiers de philosophie politique et juridique de l'Université de Caen*, notre article « Au tournant de l'idée de démocratie : l'influence des Monarchomaques » (nᵒ 1, 1982, p. 27-48) et le texte de notre communication au colloque « Philosophie et Démocratie » (26 et 27 mai 1982 ; nᵒ 2, p. 68-89) : « Le "peuple" et le droit d'opposition ».

pense-t-il, comme La Boétie, que les gouvernants sont toujours prêts à « endormir le peuple [1] » ; mais, en ce jugement, il est certainement beaucoup plus marqué par ses lectures du *Contrat social* que par une familiarité avec le *Discours de la servitude volontaire*. L'épigraphe des *Chaînes de l'esclavage* est la devise même de Rousseau : *Vitam impendere vero* [2] ; l'affirmation initiale de l'ouvrage fait écho à la phrase de Rousseau : « L'homme est né libre et partout il est dans les fers » ; Marat écrit en effet : « Il semble que ce soit le sort inévitable de l'homme de ne pouvoir être libre nulle part : partout les princes marchent au despotisme, et les peuples à la servitude. » Aussi bien les grandes polémiques de *L'Ami du peuple* ont-elles pour but, dans la ligne dessinée par *Les Chaînes de l'esclavage*, de montrer qu'il convient de défendre, par la sédition et l'insurrection violentes, les « droits » de ce peuple qui forme le corps souverain de la nation. La Boétie, quelle qu'ait été la réputation qui, dès la parution du texte du *Discours*, s'était attachée à son nom, ne parlait pas le langage de l'agitation révolutionnaire.

Tout se passera pourtant désormais comme si le *Discours de la servitude volontaire*, portant en soi une sorte de valeur symbolique, était le modèle du manifeste politique d'opposition au pouvoir gouvernemental. Dorénavant vont se conjoindre en effet le problème de la publication du texte et la question de sa signification politique.

L'insertion par Coste, en 1727, du *Discours de la servitude volontaire* dans les *Essais* constitue, en fait, la seconde édition intégrale de la dissertation de La Boétie. C'est la première fois aussi – La Boétie est mort depuis cent soixante-quatre ans – que le nom de l'auteur est ajouté au texte. Pourtant, celui-ci est comme absorbé par l'œuvre même de Montaigne.

---

1. Le 7 août 1789, Marat rédige pour son journal un pamphlet intitulé « Projet dévoilé d'endormir le peuple ».

2. « Consacrer sa vie à la vérité. »

C'est un siècle plus tard seulement que l'abbé Félicité de Lamennais (1782-1854) entreprit de donner au *Discours* une autonomie qu'il n'avait naguère possédée qu'à titre de manuscrit scolaire. En 1835, lorsqu'il publie, avec les notes de Pierre Coste et une importante préface, l'œuvre de La Boétie [1], son engagement dans la vie politique a déjà fait de lui un polémiste violent que l'on prend parfois pour un révolutionnaire exalté. Tourmenté par le problème de la liberté de conscience du chrétien, il est emporté, plus loin certainement qu'il ne l'avait voulu, dans des débats religieux au cours desquels il n'a de cesse – surtout après les événements qui virent se soulever contre le tsar, en 1831, le peuple catholique de Pologne – de dénoncer les compromissions du clergé romain avec le pouvoir temporel. À ses yeux de chrétien épris d'idéal et de pureté, la crise que traverse son temps est indissolublement religieuse et politique, comme elle le fut naguère, au XVIᵉ siècle, bien qu'elle ait pris d'autres formes et ait eu d'autres motifs. Avant toutes choses, ainsi que l'indique l'épitaphe célèbre « Dieu et la Liberté » de son journal *L'Avenir* [2], Lamennais réclame pour les hommes la liberté sans laquelle ils ne pourront jamais se comprendre. On ne peut oublier non plus qu'en 1835, l'agitation sociale, à Paris d'abord, puis dans des villes ouvrières comme Lyon, a dressé les ouvriers contre l'État. L'heure a sonné, semble-t-il, où les hommes ne veulent « ni Dieu ni maîtres ». La logique de Lamennais est alors sans faille. Il dirige son édition du *Discours* de La Boétie contre quelque moderne Tibère : « La Terreur

---

1. L'ouvrage paraît chez Daubrée et Cailleux, en 1835, à Paris. C'est un in-8° de 149 pages ; la même année paraîtront une deuxième et une troisième éditions. En 1836, une contrefaçon faite à Bruxelles par Laurent verra le jour. La préface de Lamennais se trouve dans ses *Œuvres complètes* (Pagnerre, 1844, t. IX, p. 319-340).

2. *L'Avenir* fut fondé lors de la révolution de 1830, avec l'abbé Gerbet, Lacordaire et Montalembert, au lendemain des Trois Glorieuses. Il ne vécut qu'un an mais demeure réputé comme l'organe du « catholicisme libéral ».

a régné en Europe il y a quarante ans : il serait curieux, écrit-il, de voir aujourd'hui sur une couronne le bonnet rouge de Marat. » En 1837, dans *Le Livre du peuple*, en 1839, dans la brochure intitulée *De l'esclavage moderne*, et même dans l'*Esquisse d'une philosophie*, commencée en 1840, et reprenant les thèses de l'*Essai d'un système de philosophie catholique* écrit en 1827, Lamennais démontre que la conscience droite doit pouvoir, au nom de la liberté, refuser d'obéir à une puissance tyrannique, qu'elle soit spirituelle ou temporelle, voire étatique ou économique. Cette même inspiration présidait, en 1835, à la publication du *Discours* de La Boétie, que la préface présente comme apportant la condamnation sans réserve de toute domination.

On a dit qu'il s'agissait là d'une lecture « militante [1] », au fil de laquelle, « d'une mise en question radicale de la domination, l'interprète extraira un plaidoyer pour la démocratie ». En fait, la tendance romantique l'emporte de beaucoup, chez Lamennais, sur le souci démocratique. Il est même fort douteux que la pensée de la démocratie ait motivé la méditation de Lamennais. Il reste que, d'un bout à l'autre de la préface qui introduit le *Discours* de La Boétie, Lamennais exalte « le sentiment de la liberté » qui, dit-il, se développait « à une époque où, récemment sortis de la longue enfance du Moyen Âge et bouillonnant de l'ardeur d'une jeunesse vigoureuse, les peuples s'essayaient, comme l'aiglon dans son aire, à prendre leur vol ». Il salue chez La Boétie « les deux sentiments » qui le meuvent constamment : « l'amour de la justice et l'amour des hommes ». Sa haine du despotisme, ajoute-t-il, « n'est encore que cet amour même ». Il plaît à Lamennais, après avoir brièvement résumé le *Discours de la servitude volontaire*, d'en souligner l'actualité, ou plutôt la pérennité. « C'est, en quelques pages, écrit-il, l'histoire complète de la tyrannie ; car si les noms et les

---

1. M. Abensour et M. Gauchet (présentation du *Discours de la servitude volontaire*, Payot, coll. « Critique de la politique », 1976, p. XII).

formes changent, le fonds ne change point ; il se représente invariablement le même à toutes les époques, dans
tous les pays. » Il songe tout particulièrement aux événements de Pologne suscités par « le culte dû à l'Auto-
crate », c'est-à-dire au tsar Nicolas. Puis il examine l'effet
que produiraient dans l'Europe du XIXe siècle les moyens
dont La Boétie a si bien montré qu'ils sont ceux dont,
toujours, usent les tyrans pour tromper et intimider les
consciences : l'isolement, le silence, la corruption, une
fausse idée du devoir religieux... De tous ces procédés
que l'histoire, venant confirmer les dires de La Boétie,
enseigne bien être les armes mêmes du despotisme, ceux
qui relèvent de la religion sont les plus dangereux. En
effet, le christianisme est essentiellement une religion
affranchissante, qui, comme telle, est favorable à tous les
progrès. Or, se servir de lui pour arrêter la marche en
avant des peuples est une contradiction funeste. Heureusement, ajoute Lamennais, la Providence tirera de là « un
immense bien » en séparant « le principe pur chrétien de
ce qui l'altérait momentanément ». En définitive,
conclut-il, « ce qui perd toutes les tyrannies, ce qui les
perdrait en ce temps plus vite qu'en aucun autre, c'est
l'impossibilité où elles sont de s'arrêter dans leurs voies.
Quelque chose de fatal les entraîne ; une nécessité en
engendre une autre, de sorte que, forcées d'appesantir
toujours plus l'oppression, de s'enfoncer toujours plus
dans le mal, elles rencontrent enfin une autre nécessité
supérieure à celle qui les pousse, l'invincible nécessité des
lois qui régissent la nature humaine. Arrivées là, nul
moyen d'avancer ni de retourner en arrière ; et le passé
les écrase contre l'avenir ».

Les dernières lignes de la présentation du *Discours*
reflètent beaucoup plus l'idéal chrétien de Lamennais
que les idées de La Boétie. « Pour vous qui avez foi aux
destinées du genre humain, prenez courage, l'avenir ne
vous faillira point. Vous serez persécutés, tourmentés,
mais jamais vaincus. Toute grande cause pour triompher
exige de grands sacrifices. Il est nécessaire que la liberté

ait ses confesseurs, ses martyrs, que pour elle quelques-uns descendent dans les cachots, et que d'autres s'en aillent, pauvres exilés, redire son saint nom aux échos des contrées lointaines. » Et Lamennais de citer Dante évoquant l'exemple de Caton d'Utique :

Libertà va cantando, ch'è sì cara
come sa chi per lei vita rifiuta [1].

La citation de ces deux vers est significative : en donnant une version autonome du *Discours de la servitude volontaire*, Lamennais entendait le présenter comme un hymne à la liberté. Sans doute projeta-t-il ce texte dans un contexte religieux, social et politique dont La Boétie n'avait soupçonné ni les articulations ni les méandres. Mais, dorénavant, le *Discours* de La Boétie ne pouvait plus passer seulement comme un épiphénomène de l'œuvre de Montaigne. L'intérêt éditorial accordé, depuis lors, à ce texte en porte aisément témoignage.

En 1836, un certain Adolphe Rechastelet fait imprimer à Bruxelles et à Paris le traité *De la servitude volontaire ou Le Contr'Un* après l'avoir transcrit en un français moderne accessible à tous. L'auteur du volume s'appelle en fait Charles Teste, dont Rechastelet est l'anagramme. Il s'est servi du texte que contient l'édition de 1727 des *Essais* par Pierre Coste, et y a ajouté quelques *Lettres* de La Boétie [2].

Le branle, manifestement, est donné. En effet, tandis que Léon Feugère publie en 1845 une étude d'ensemble intitulée *La Boétie, ami de Montaigne* [3], il prépare et fait éditer l'année suivante, pour la première fois, des *Œuvres complètes* de La Boétie parmi lesquelles figure le *Discours* [4]

---

1. Notons que Lamennais emploie le mot *cantando* là où Dante écrivait *cercando*. Nous proposons la traduction suivante : « Il va cherchant la liberté, si chère à son cœur qu'il sait que, pour elle, on peut abjurer vie. »

2. L'ouvrage est un in-8° de 162 pages. Hors commerce, le volume a été distribué par ses éditeurs Félix Delhasse et Ch.-A. Teste lui-même.

3. L. Feugère, *Étienne de La Boétie, ami de Montaigne, op. cit.*

4. La Boétie, *Œuvres complètes*, éd. L. Feugère, Delalain, 1846.

assorti de notes. La même année, le Dr J. F. Payen donne au *Bulletin du bibliophile* une *Note bibliographique sur Étienne de La Boétie* [1] qui prélude à la publication, en 1853, d'une *Notice bio-bibliographique sur La Boétie, l'ami de Montaigne, suivie de La Servitude volontaire*. Cette première édition critique du *Discours* utilise le manuscrit Henri de Mesmes. En 1857 paraît à Bruxelles une autre édition du *Discours* qui est l'œuvre d'émigrés républicains chassés de France après le coup d'État de Charles Louis Napoléon Bonaparte [2].

Autrement importante semble être, en 1863, la nouvelle édition du *Discours* qui voit le jour à Paris, préfacée par les soins d'Auguste Vermorel [3]. « Le moment est venu, dit la préface, de mettre en lumière et de populariser les hommes de cœur et de talent, les écrivains trop peu connus, qui ne sont pas seulement les pères de notre langue, mais aussi les ancêtres de notre liberté ; c'est à ce titre que se recommande à nous Étienne de La Boétie qui, à une époque où la langue française commençait à peine à sortir des balbutiements de l'enfance, a fait entendre le premier de mâles paroles, et le premier a mis son talent au service des idées démocratiques et libérales. » Comme Lamennais et contre P. Leroux [4] ou

---

1. J. F. Payen, « Notice bibliographique sur La Boétie », in *Bulletin du bibliophile,* éd. J. Techener, août 1846, n° 20, p. 904-908.

2. Dans le même esprit d'opposition avait paru en 1852, après le coup d'État de décembre, un factum intitulé *Tyrannie, usurpation et servitude volontaire*, qui rassemblait des extraits d'Alfieri, de Benjamin Constant et d'Étienne de La Boétie. Le texte avait été publié par Auguste Poupart à Bruxelles en 1853. La référence à La Boétie se trouve p. 143-170.

3. Le texte du *Discours* est suivi de *Lettres* de Montaigne relatives à La Boétie ; il contient le chapitre des *Essais* « De l'Amitié » et les *Vingt-Neuf Sonnets* de La Boétie (Bibliothèque nationale, Dubuisson, 1863 ; rééd. 1864, 1865, 1866, 1875 et 1915).

4. Pierre Leroux, dans un article de la *Revue sociale* (août-septembre 1847, p. 169-172), attirait l'attention sur l'édition du *Discours* donnée par Lamennais. Mais c'était pour souligner, en en appelant au jugement

Sainte-Beuve [1], Vermorel voit dans le *Discours de la servitude volontaire* tout autre chose qu'une « déclaration de rhétoricien ». Proche de l'historien de Thou, quoique en des termes plus généraux, il présente l'œuvre de La Boétie comme un écrit de circonstance, dont l'inspiration rejoint celle des publicistes de son temps, catholiques de la Ligue ou monarchomaques protestants. Le *Discours*, selon lui, tend donc à défendre l'idée de souveraineté du peuple. Ainsi La Boétie serait de la même veine que Jean Boucher, « curé de Saint-Benoît, qui prêchait que le prince procède du peuple, non par nécessité et par violence, mais par élections libres » ; ou encore, il serait tout proche de ce singulier théocrate que fut Pigenat, curé de Saint-Nicolas-des-Champs, qui enseignait que « la puissance de régner, nonobstant toute succession, vient de Dieu qui, par les clameurs du peuple, déclare celui qu'il veut qui commande comme roi : *Vox populi, vox Dei* ». Ou bien encore, il faudrait rapprocher La Boétie, dit Vermorel, des publicistes démocrates à la tête desquels se placent Hubert Languet et Duplessis-Mornay, auteurs et éditeurs des *Vindiciae contra tyrannos*, et même du radical François Hotman, auteur de la *Franco-Gallia*. En défendant la souveraineté du peuple, La Boétie aurait même « devancé de quelques années ses contemporains ». Poursuivant sur sa lancée, Vermorel décèle chez La Boétie « un amour calme et serein de la

---

de Montaigne, le caractère utopique de « la belle déclamation philosophique et républicaine » prononcée par La Boétie, après tant d'autres, contre « le monarque politique, le roi, celui qu'il appelle le tyran ». En fait, dit l'auteur, La Boétie repousse la solution monarchique du problème politique ; mais « il n'en donne pas d'autre : voilà son grand tort ». La « sympathie » qu'éprouve Lamennais pour l'auteur dont il a publié le texte est belle, assurément, mais comme le *Discours de la servitude volontaire* lui-même, elle est inopérante. Elle n'enseigne pas comment « les hommes peuvent former une société où il n'y aura plus de maîtres ». Le *Contr'Un* de La Boétie n'est pas un vrai « contre un ».

1. C. A. Sainte-Beuve, *Causeries du lundi*, Garnier, 2e éd., t. IX, 1856, p. 112-128 ; rééd. 1926, p. 140-161. Le chapitre consacré à La Boétie avait paru auparavant dans *Le Moniteur* du lundi 14 novembre 1853.

liberté » et une « prévision de la fraternité sociale » qui
sont tout proches des idéaux sociaux du XIXe siècle. Dès
lors, déclare-t-il, La Boétie est « un véritable écrivain
populaire, un véritable classique de la tradition libérale
et démocratique ».

Cette étiquette posée, tout semble dit, et dit d'une
façon si ferme et définitive que l'auteur ne recule devant
aucun anachronisme. On est peu sensible toutefois au
caractère douteux de cette herméneutique ; c'est ainsi
que paraît à Milan, en 1864, la « première » version italienne du *Discours* de La Boétie ; elle est réalisée d'après
l'édition de Vermorel [1].

Heureusement, le factum de La Boétie avait, en 1859,
attiré l'attention d'Anatole Prévost-Paradol, qui, avec
une probité exemplaire, s'était attaché à la lecture du *Discours*. Il en avait donné dans le *Journal des débats* du
19 décembre 1859 une analyse pénétrante et fine qui ne
cherchait pas, coûte que coûte, à embrigader La Boétie
sous la bannière des révolutionnaires. Les pages consacrées à *La Servitude volontaire* furent publiées de nouveau à Périgueux en 1864 et elles trouvèrent place dans
ses *Études sur les moralistes français*, qui parurent à Paris
en 1865 [2]. Ce coup d'œil, assurément trop rapide, laissait
cependant entendre qu'il fallait déchiffrer le *Discours*
avec autant de prudence que de minutie. Il est évidemment impossible de dire si le conseil de Prévost-Paradol
a été vraiment entendu. Quoi qu'il en soit, tandis que

---

1. *Il contr'uno o Della servitù volontaria. Discorso di Stefano de
La Boétie, con la lettera del signor de Montaigne circa alla ultima malat-
tia ed alla morte dell'autore*, prima versione italiana di Pietro Fanfani,
Avvertenza degli editori, Milan, Daelli, 1864. En réalité, une traduction
du *Discours* en italien avait paru à Naples dès 1798, sous le titre *Discorso di Stefano della Boetie della schiavitù volontaria o il Contra uno*.
L'auteur était un prisonnier politique du nom de Cesare Paribelli ; l'un
de ses amis avait profité de l'occupation des armées françaises de la
République pour faire imprimer le texte.
2. L'ouvrage parut chez Hachette. Voir les pages 41 à 78 consacrées
à La Boétie.

D, Jouaust donne à Paris, en 1872, une édition nouvelle du *Discours* en se référant au manuscrit de Mesmes [1], Paul Bonnefon prépare les *Œuvres complètes* de La Boétie qui seront publiées en 1892 [2]. Il établit également le texte du *Discours de la servitude volontaire* d'après le manuscrit de Mesmes de la Bibliothèque nationale [3] ; il lui adjoint non seulement des notes et un index, mais aussi les variantes, ce qui fait de cette édition un précieux instrument de travail. L'édition anonyme qui paraît à Bruxelles en 1899 [4] semble bien s'être inspirée des travaux de P. Bonnefon. En 1922, ce même auteur publiera à nouveau, à la veille de sa mort, le texte du *Discours* à quoi il ajoutera le *Mémoire sur l'édit de janvier 1562* [5], redécouvert peu auparavant à Aix-en-Provence.

Depuis lors, quelques autres éditions du *Discours* de La Boétie ont vu le jour. Elles sont pour la plupart sans grande originalité. Citons par exemple, sans prétention à l'exhaustivité, la publication de ce texte par Ch. Charrier, aux éditions Hatier en 1926 [6] ; une transcription en français moderne due à Ch.-A. Laisant, en 1931 [7] ; une traduction en néerlandais en 1933 [8], une traduction en

---

1. *La Servitude volontaire ou le Contr'Un*, éd. D. Jouaust, Librairie des bibliophiles, coll. « Les petits chefs-d'œuvre », 1872.

2. Les *Œuvres complètes* (*op. cit.*) sont publiées conjointement à Bordeaux et à Paris, respectivement par Gounouilhou et Rouam.

3. Le manuscrit porte à la Bibliothèque nationale le n° 811.

4. Bibliothèque des temps nouveaux, 1899, n° 20, in-16, 63 pages. La préface n'est pas signée.

5. Ce *Mémoire* avait déjà été livré au public par P. Bonnefon en 1917 dans la *Revue d'histoire littéraire de la France*, 24ᵉ année, p. 307-319.

6. Le texte de cet in-16 de 64 pages est peu correct et comporte des lacunes.

7. *De la servitude volontaire ou le Contr'un : transcrit en français moderne*, éd. Ch.-A. Laisant, Groupe de propagande par la brochure, « La Brochure mensuelle », janv. 1931, n° 97.

8. *Verhandeling over de vrijwillige slavernij - Tegen den Eene*, B. de Ligt, La Haye, 1933. Un extrait de cette traduction avait paru à Utrecht en 1932.

langue allemande en 1934[1]. Cependant, les événements
de la Seconde Guerre mondiale constituèrent pour certains éditeurs l'occasion propice à de nouvelles publications du *Discours* de La Boétie[2]. La servitude
qu'imposait l'ennemi, bientôt devenu l'« occupant »,
n'était assurément pas celle à laquelle pensait La Boétie.
Au demeurant, l'esprit de liberté qui inspire ces publications avait bien la même ardeur et recélait la même espérance. L'édition qui parut en 1943 préfacée par Edmond
Gilliard est un chef-d'œuvre pour bibliophile[3] ; la rareté
de deux autres éditions[4] datant de la même période les
rendait, à tous égards, extrêmement précieuses.

Plus près de nous, les publications effectuées par François Hincker[5] en suivant le texte de l'édition de Middelburg (1578) des *Mémoires de l'État de France sous
Charles Neuvième* de Simon Goulart[6] et l'édition du

---

1. La traduction est donnée par Hans Schmidt et publiée à Marburg
sous le titre *Estienne de La Boétie's « Discours de la servitude volontaire » (Le Contr'Un) und seine Beziehungen zu den staatspolitischen
Schriften des 16. Jahrhunderts in Frankreich*, Inaugural Dissertation,
Marburg, 1934.
2. Une plaquette de 72 pages parue en 1939 et due à Hem Day,
Étienne de La Boétie (*Cahiers mensuels de littérature et d'art*, nº CIII),
attira l'attention de la Propaganda Ableitung, d'où sortit, à Bruxelles,
en 1941, un opuscule intitulé *Contre l'excitation à la haine et au
désordre. Liste des ouvrages retirés de la circulation et interdits en Bel-
gique.* La manière dont on comprenait alors La Boétie ne fait aucun
doute.
3. *Discours de la servitude volontaire*, Éditions des Portes de France,
1943, in-16, 93 pages, tiré à 1 016 exemplaires. Le texte, qui suit le
manuscrit de Mesmes, est donné avec l'orthographe et la ponctuation
de l'époque. Il est précédé par une préface de Gilliard et par un Avertissement de l'éditeur. Il contient un lexique.
4. Signalons le *Discours sur la servitude volontaire, ou le Contr'Un*,
éd. du Raisin, 1944, 300 exemplaires, et l'édition de Bruxelles (éd.
La Boétie), 1947.
5. *Œuvres politiques. Discours sur la servitude volontaire* et extraits
du *Mémoire sur l'édit de janvier 1562*, Éditions sociales, 1963. Le livret
comporte une Introduction de 37 pages.
6. L'ouvrage de référence consulté est celui de la bibliothèque de
l'Arsenal, cote 8 H 6191, t. III, p. 84-180.

texte établi par P. Léonard en 1976 [1] d'après le manuscrit de Mesmes sont l'une et l'autre intéressantes par la présentation qu'elles donnent de l'œuvre de La Boétie. Mais il est patent que, si les auteurs entendent obéir à l'exigence de scientificité qui est celle du philosophe et du politologue de notre temps, ils cèdent aussi à une volonté « idéologique » dépourvue d'innocence intellectuelle. Peut-être est-ce inévitable… Mais il n'est pas sûr du tout que le *Discours* de La Boétie signifie le refus quotidien de l'État ; et il est probablement tendancieux de conclure, comme le fait M. Abensour, que La Boétie s'arrête pour jamais « dans "le grand refus" qui force à penser la liberté contre le pouvoir [2] ».

Quoi qu'il en soit, le regard que nous avons jeté sur la longue histoire des publications du *Discours de la servitude volontaire* nous conduit à un constat : la publication de l'œuvre de La Boétie s'est, en tout temps, toujours accompagnée d'intentions militantes, comme si l'essai sécrétait un prosélytisme combatif. En effet, le fait que l'ouvrage resurgisse quand s'amorce une crise sociale ou quand s'aggrave la tourmente politique est un signe éloquent : pour celui qui en établit le texte comme pour celui qui l'édite, le *Discours* semble se jauger à son efficacité praxéologique. De la manière la plus patente se tapit en lui le pouvoir des idées.

Pourtant, sous l'évidence du fait, se dissimule un problème : un problème grave car il ne s'agit de rien de moins que du sens même du *Discours*.

---

1. Le *Discours de la servitude volontaire*, texte établi par P. Léonard, Payot (*op. cit.*). Outre la Présentation de M. Abensour et M. Gauchet, l'ouvrage contient également la préface de Lamennais de 1835, l'article de P. Leroux de 1847, la préface de Vermorel de l'édition de 1863, un extrait de G. Landauer en date de 1907, une page de S. Weil et deux articles de P. Clastres et de C. Lefort.

2. *Op. cit.*, Présentation, p. XXIX.

NATURE DU DISCOURS

L'ŒUVRE D'UN PENSEUR POLITIQUE ?

Augustin Thierry a très pertinemment remarqué que le XVIᵉ siècle est le siècle de la politique [1]. En effet, ainsi que l'a magistralement montré P. Mesnard [2], « l'essor de la philosophie politique » est alors prodigieux. Dès le début du siècle, *La Politique* d'Aristote est remise à l'honneur par Lefèvre d'Étaples ; et, tandis qu'Érasme brosse le portrait du « prince chrétien », Machiavel et Thomas More introduisent, en des styles apparemment bien différents [3], des bouleversements considérables dans la manière de penser le politique. Ni Luther ni Calvin ne peuvent non plus, dans leur volonté de réforme de la religion, éluder le problème politique. À l'heure donc où, politiquement, s'ouvre une ère nouvelle qui correspond à la naissance des jeunes États d'Europe s'amorce une réflexion qui, jointe à l'élan humaniste du temps et au besoin si souvent exprimé d'épurer le christianisme, ne tardera pas à susciter un véritable bouillonnement des idées politiques. Historiquement, l'époque est complexe et trouble ; l'humanisme et la Réforme se servent l'un à l'autre d'instrument ; les soubresauts de la doctrine religieuse, entraînant des persécutions qui commencent dès 1525 [4], préparent des remous politiques qui, d'abord souterrains, se chargeront peu à peu de force explosive.

Le massacre de la Saint-Barthélemy sera, en 1572, un détonateur. Son effet immédiat sera la résistance des

---

1. A. Thierry, *Essai sur l'histoire de la formation et des progrès du Tiers État*, Garnier, s.d., p. 109.
2. P. Mesnard, *L'Essor de la philosophie politique au XVIᵉ siècle*, 1935, 3ᵉ éd., Vrin, 1969.
3. *Le Prince*, rédigé en 1513, ne sera publié qu'en 1532, l'année même de la publication des *Discours sur la première décade de Tite-Live*. L'*Utopie* date de 1516.
4. Voir H. Hauser, « De l'humanisme et de la Réforme en France, 1512-1552 », in *Revue historique*, 1897, p. 24.

huguenots à l'autorité royale. Cette opposition de fait s'accompagnera d'une explosion littéraire à la faveur de laquelle pamphlets et libelles rivaliseront pour fustiger les abus et les détournements de pouvoir commis par les princes. À l'heure où s'exaspèrent les passions politiques, l'extraordinaire popularité acquise par les idées nouvelles – non seulement dans le domaine de la littérature humaniste (les *humaniores*), mais, bientôt après, dans le domaine de la politique, chez les imprimeurs, les libraires ou les relieurs – aide à la diffusion de ces écrits que l'on répute séditieux mais que l'on se dispute avec avidité. Les enlumineurs et jusqu'aux colporteurs apportent leur aide, au prix de leur tranquillité et parfois de leur vie, à cette littérature d'opposition, comme beaucoup l'avaient fait quelques décennies plus tôt, principalement à Lyon [1] et à Paris, pour répandre la foi nouvelle. Des publicistes protestants, qu'on appellera bientôt les « monarchomaques », orchestrent une véritable campagne de presse contre les princes qui deviennent tyrans. On qualifie leurs écrits de « catilinaires de la Réforme ». Parmi ces philippiques amères, citons – ce sont les plus célèbres, mais elles sont très nombreuses – la *Franco-Gallia* (1573) de François Hotman, *Du droit des magistrats* (1574) de Théodore de Bèze et les *Vindiciae contra tyrannos* (1579) attribuées à Duplessis-Mornay. Ces textes violents expriment de manière systématique l'idée de résistance au pouvoir [2].

Ces appels contestataires ne sont toutefois ni spécifiquement protestants ni spécifiquement français. D'une part, en effet, les doctrinaires de la Sainte Ligue, formée en 1576 et dirigée par Henri de Guise, dit « le Balafré »,

---

1. Lyon était alors, en effet, la capitale de l'imprimerie.
2. Signalons par exemple, dès 1573, le *Dialogue* de Nicolas Barnaud, où, déjà, s'exprime la revendication des sujets vis-à-vis des rois ; puis le *De furoribus Gallicis*, qui ouvre le procès de l'arbitraire et de la violence devant l'opinion de l'Europe ; le *Discours merveilleux de la vie, actions et déportements de Catherine de Médicis*, attribué à Henri Estienne, qui accumule les griefs des protestants contre la reine mère.

le plus populaire des catholiques, ont beau appeler à « restaurer le saint service de Dieu et l'obéissance à sa Majesté », ils visent avant tout à limiter le pouvoir royal et à ruiner l'absolutisme. Afin de défendre la liberté des peuples, ils empruntent même aux libelles protestants bon nombre d'arguments. D'autre part, c'est un peu partout en Europe que surgit cette littérature d'opposition : ainsi, Odet de La Noue publie à Bâle, en 1575, il est vrai sous l'anonymat, la *Résolution claire et facile sur la question tant de fois faite de la prise des armes par les inférieurs* ; en Écosse, Buchanan publie en 1579 *De jure regni apud Scotos*, où se trouve affirmée la supériorité des peuples sur les rois ; en Pologne, qu'écrase alors le joug moscovite, mais que tentent l'humanisme et la Réforme, des protestataires tels Modrzewski et Orzechowski proclament tous les deux, malgré bien des différences de doctrine, la nécessité d'un ordre légal pour défendre le peuple contre le despotisme oriental ; aux Pays-Bas, où se sont réfugiés de nombreux protestants français, les libelles se multiplient [1] ; les auteurs font d'amples emprunts aux pamphlets publiés en France ; ils en donnent aussi des versions en langue vulgaire ; c'est ainsi qu'en 1574 et 1575 paraît à Dordrecht le texte du *Réveille-matin*, devenu *Der Francoysen ende haerder nagebueren morghenwecker*. Or, c'est précisément à la suite du *Réveille-matin des Français et de leurs voisins*, composé, dit l'éditeur, par Eusèbe Philadelphe Cosmopolite [2], que, pour la première fois, le texte de La Boétie avait connu, on s'en souvient, une édition partielle (voir *supra*, p. 21). Ainsi que le remarquera Sainte-Beuve, il est clair que les huguenots interprètent l'écrit de La Boétie comme une

---

1. Voir Ch. Mercier, « Les théories politiques des calvinistes dans les Pays-Bas à la fin du XVIᵉ siècle et au début du XVIIᵉ siècle », in *Revue d'histoire ecclésiastique de Louvain*, 1933, p. 25.

2. L'importance de ce « cosmopolitisme » est évidemment de tout premier ordre dans l'histoire des idées.

arme destinée à « remuer et renverser l'État [1] » ; et c'est bien ainsi qu'ils s'en servent.

Cependant, ce vent de résistance et de révolte qui souffle dans beaucoup de pays d'Europe dans le dernier quart du XVIe siècle ne s'est pas levé brusquement. Pour des raisons chronologiques évidentes, La Boétie en ignore l'existence et la puissance. Mais, s'il n'est pas possible de le situer parmi les protestataires d'après 1572, il trouve néanmoins place parmi les pionniers qui ont œuvré à la grande mutation des idées. En effet, depuis plusieurs décennies déjà, une certaine collusion des thèmes humanistes et des idées réformistes avait préparé l'éveil de l'opposition. La persécution des hérétiques, commencée à l'entour des années 1525, avait sensibilisé les esprits aux abus et à la démesure de l'autorité royale. L'affaire des Placards, qui, en octobre 1534, avait conduit au bûcher une quarantaine de « blasphémateurs », réels ou supposés, et en tout cas déclarés hostiles au pape et au clergé romain, avait attiré l'attention sur la pratique de la violence et sur les difficultés d'une réforme pacifique [2]. La peur de la mort, de la torture ou du cachot s'était installée. Mais, si certains lettrés préféraient alors l'atmosphère feutrée de leur cabinet de travail et la compagnie de leurs livres, même si certains notables écoutaient leur intérêt au lieu de rechercher la vérité, nombreux étaient ceux qui, malgré l'Inquisition ou malgré les Parlements, osaient poser ouvertement des questions sur le bien-fondé de l'autorité, qu'elle soit spirituelle ou temporelle. Évidemment, mal en prit à beaucoup : en 1532, Jean de Caturce, à Toulouse, fut brûlé vif ; en 1535, un certain Mathurin Cordier fut, à Paris, condamné pour cause d'hérésie... La liberté de penser, en matière religieuse, se payait fort cher.

Dans le même temps néanmoins, l'humanisme, en pénétrant dans les Universités, avait arraché les lettrés

---

1. Sainte-Beuve, *op. cit.*, rééd. 1926, t. IX, p. 147.
2. H. Hauser, art. cité, p. 3.

aux « boulevards de l'ancienne religion comme de l'ancienne science [1] ». Les écoles d'Orléans, de Toulouse, de Bourges étaient rapidement devenues des bastions avancés des tendances nouvelles. On ne se contentait pas, en effet, de savourer avec délices les œuvres de l'Antiquité grecque ou romaine ; on repensait ces œuvres dans un esprit nouveau. La volonté de libre examen se manifestait. La critique s'exerçait. Contre les différentes formes de dogmatisme, le besoin d'interroger devenait de plus en plus incisif. On posait des questions de méthode et des questions de doctrine. De façon générale, on ne se bornait plus à lancer des plaisanteries ou des railleries à l'adresse des moines comme le faisait Rabelais. On préférait mettre franchement en doute le principe d'autorité et, en la matière, les philosophies antiques constituaient un guide précieux. Que ce nouvel esprit universitaire soit enclin à discuter et à combattre ne signifie pas pour autant qu'il est libertin, à l'instar des habitudes propres à cette secte d'anti-chrétiens dont Étienne Dolet et Bonaventure des Périers sont les chefs de file. Professeurs et étudiants, plus ou moins engagés dans le double mouvement de la Renaissance et de la Réforme – fussent-elles parfois très difficilement conciliables – aimaient une pensée indépendante et maîtresse d'elle-même, apte à débattre des grands sujets qui hantent l'homme. Dans cette idée que « l'homme est à lui tout seul, pour l'homme, un digne sujet d'étude [2] » – et cette idée est l'humanisme même –, la rhétorique et la poésie trouvaient leurs droits, si bien que, très souvent, le combat pour l'esprit nouveau était conduit selon des formes anciennes.

La Boétie vécut dans ce climat intellectuel à l'Université d'Orléans. Sa formation antérieure avait déjà forgé sa sensibilité et l'avait préparé à débattre de tels problèmes. Il était tout à fait prêt à mettre son érudition de jeune humaniste et son amour des lettres classiques au

---

1. *Ibid.*, p. 13.
2. H. Hauser, art. cité, p. 4.

service des audaces d'une pensée novatrice. La dissertation sur *La Servitude volontaire* pouvait donc, en usant d'un style classique, entreprendre la critique de l'autorité despotique. C'est bien ce que dit Montaigne : « Il écrivit [le *Discours*], par manière d'essai, en sa première jeunesse, à l'honneur de la liberté, contre les tyrans. » La question est de savoir si, dans son souffle rhétorique, La Boétie, plus audacieux encore, n'énonce pas, à la lumière de l'esprit nouveau, les prolégomènes d'une philosophie politique inédite.

UN EXERCICE RHÉTORIQUE PARFAIT ?

Nul n'a mieux que Sainte-Beuve défendu la thèse selon laquelle le *Discours de la servitude volontaire* est un parfait exercice scolaire de la classe de rhétorique. Dans ses *Causeries du lundi* [1], il soutient que « le traité de *La Servitude volontaire*, qui, bien lu, n'est à vrai dire qu'une déclamation classique et un chef-d'œuvre de seconde année de rhétorique [...] annonce bien de la fermeté de pensée et du talent d'écrire [2] ». Voilà, dit-il encore, l'« œuvre déclamatoire, toute grecque et romaine, contre les tyrans, et qui provoque à l'aveugle le poignard des Brutus [3] », qui fut « sa tragédie de collège [4] ». Que les auteurs ou les éditeurs d'ouvrages militantistes aient fait de ce texte, aux heures les plus chaudes de l'histoire de France, « un brûlot et un brandon [5] » n'enlève rien à sa facture de dissertation universitaire. C'est l'un de ces « forfaits classiques qui se commettent au sortir de Tite-Live et de Plutarque », fruit de cette « période politique ardente et austère », où l'adolescent vibre d'une « passion stoïque, spartiate, tribunitienne, dans laquelle, selon

---

1. Sainte-Beuve, *Causeries du lundi*, t. IX, rééd. 1926, p. 140-161.
2. *Ibid.*, p. 144.
3. *Ibid.*, p. 147.
4. *Ibid.*, p. 147.
5. *Ibid.*, p. 147.

les temps divers, on invoque les Harmodios, les Caton, les Thraséas, et où de loin les Gracques et les Girondins se confondent [1] ».

À prendre à la lettre ce qu'écrit Sainte-Beuve, il y aurait bien peu d'intentions politiques dans le trop célèbre factum. L'écrit, dit-il, est « étroit » et « simple d'idées ». En revanche, tout, en lui, est affaire de plume : « il y a de fortes pages, des mouvements vigoureux et suivis, d'éloquentes poussées d'indignation, un très beau talent de style [2] ». Dans le *Discours* s'unissent la puissance et la magie du verbe. Voilà donc un ouvrage qui, somme toute, est l'œuvre d'un poète, non d'un penseur politique.

D'ailleurs, poursuit Sainte-Beuve, c'est plus tard, en 1560, lorsque des troubles civils graves déchirèrent la France, que La Boétie se soucia d'être « un bon citoyen » et que, « guéri de sa première fièvre », il se voulut « ami et gardien des lois de son pays [3] ». Il avait vingt-sept ans en effet lorsque, écrivant à ses amis Montaigne et de Bellot, il en vint à déplorer les dissensions et les guerres qui déchiraient la France. « L'extrémité est cruelle, écrit-il à M. de Bellot, et le cœur m'en saigne ; mais j'en ai pris mon parti de dire un long, un éternel adieu à cette terre natale... je n'ai d'autre idée que de fuir... n'importe où, n'importe comment [4]. » Le ton de cette lettre contraste, à l'évidence, avec celui du *Discours de la servitude volontaire*. Il n'est plus question de se dresser contre la tyrannie, mais de « fuir les orages politiques et l'anarchie ».

Il est juste que, selon l'expression de F. Combes, « tout est romain » dans le *Discours* de La Boétie [5]. Qu'il ait été composé par un garçon de seize ou dix-huit ans, par un

---

1. *Ibid.*, p. 149.
2. *Ibid.*, p. 149.
3. *Ibid.*, p. 150.
4. *Ibid.*, p. 151. La lettre est citée par Sainte-Beuve lui-même.
5. F. Combes, *op.cit.*, p. 10.

étudiant amoureux des humanités nouvelles ou par le
jeune magistrat de Bordeaux ne change rien à l'affaire :
le texte est plein de cette éloquence antique qui puise
d'abondance aux sources grecques et latines. Ne débute-
t-il pas, de façon symbolique, par deux vers d'Homère ?
Les citations du vieil aède, celles de Xénophon et d'Aristote s'y multiplient ; elles côtoient celles de Cicéron, de
Virgile, de Salluste ou de Sénèque... À l'heure où commencent à se développer les recherches historiogra-
phiques, l'histoire de Sparte, d'Athènes ou de Rome est
partout présente dans le *Discours* tandis que défilent les
silhouettes de Xerxès, roi de Perse, se préparant à
conquérir la Grèce, de Pisistrate, que finirent par assassiner Harmodios et Aristogiton, de Sylla le dictateur, de
César que, déjà, menacent Brutus et Cassius, de Tibère,
de Claude, de Néron... Ne cherchons pas ici une « philosophie de l'histoire ». Les choses sont plus simples. Ces
maîtres d'antan dont La Boétie parcourt la galerie ne
valent rien et « il ne faut pas s'approcher de l'antre
obscur où logent ces lions ». Pour justifier sa thèse,
La Boétie utilise, par-delà l'histoire de Xénophon ou de
Tite-Live, les légendes, les fables et la mythologie... Qu'y
a-t-il là d'étonnant quand on se souvient qu'au
XVIe siècle on apprenait la langue française en étudiant
le latin et souvent le grec ? Comment oublier que le *De
legibus* de Cicéron était un livre de lecture courante et
que *La Politique* d'Aristote ou *Les Lois* de Platon faisaient les délices des universités ? Il est dans l'ordre des
choses que La Boétie cite tous ces auteurs ; il est
« normal » qu'il sache Plutarque par cœur et puisse lui
emprunter tant d'exemples, ceux de Pyrrhus, de Vespasien, de Commode, d'Antonin... Tous ces personnages
historiques, plus ou moins teintés de légende, sont fami-
liers aux humanistes.

Il ne fait aucun doute que l'inspiration antique est
omniprésente dans le *Discours*. D'une part, il est vrai,
comme dit Montaigne, que le sujet est « tracassé en mille

endroits des livres [1] ». N'entendons point que La Boétie
s'est livré à la compilation. Il a beaucoup trop de fougue
intellectuelle pour cela. Mais « c'est à l'école des Anciens,
tous citoyens de quelque république, d'Athènes, de Thèbes,
de Syracuse ou de Rome… qu'il a puisé sa haine contre les
tyrans », voire, comme le prétend l'auteur de cette
remarque, « ses idées républicaines [2] ». D'ailleurs, certaines
idées modernes qui lui sont venues d'Érasme ou de
Guillaume Budé, parfois aussi d'écrivains moins presti-
gieux comme Jean Ferrault ou Charles de Grassaille,
appartenaient aussi aux Anciens ; alors, il s'est trouvé
affermi en ses croyances profondes. Ce sont bien des pensées antiques que, très souvent, il a, selon le joli mot de
Montaigne, « épousées ». Et, comme il est difficile de
séparer le fond et la forme, ces pensées, tout naturellement,
sont allées de pair avec une recherche littéraire qui révèle
que le latin et la philologie hellénique n'ont point de secrets
pour le jeune érudit [3]. C'est pourquoi La Boétie, parlant du
sujet qui, pour l'homme, est peut-être le plus grave – la
liberté –, se révèle un poète amoureux des images, des anecdotes bien contées, des effets de style et de tous les raffine-
ments de l'expression. Le *Discours*, en un sens, est une
œuvre oratoire en quoi se retrouvent tous les plus beaux
mouvements d'éloquence de Tacite ou de Cicéron.

Peut-être tous ces signes sont-ils, comme on l'a prétendu, le résultat de retouches tardives. Il n'est pas
impensable que le premier jet du *Discours* ait eu, sous la
plume estudiantine, plus de spontanéité, que la recherche
rhétorique – on y retrouve la proposition, la division, la
péroraison chères aux puristes – y ait été moins accusée.
Mais, si corrections il y a eu, est-ce chose à déplorer ?
Que l'idée première d'une pensée en effervescence soit

---

1. *Les Essais, op. cit.*, p. 193.
2. F. Combes, *op. cit.*, p. 19.
3. Voir L. Delaruelle, « L'inspiration antique dans le *Discours de la
servitude volontaire* », in *Revue d'histoire littéraire de la France*, 1910,
p. 34-52.

corrigée, polie et repolie par un homme plus mûr ne peut que lui donner davantage de prix : l'idée initiale, tout en conservant sa force native, acquiert, en s'ajustant, plus de profondeur ; elle devient plus incisive et, si elle sonne mieux, elle frappe mieux aussi.

N'est-ce point admettre alors qu'il y a dans le *Discours de la servitude volontaire* autre chose qu'un pur exercice de rhétorique où l'élégance de l'écriture le dispute à la profusion de l'érudition et aux subtilités du raisonnement ? La Boétie n'est pas seulement un écrivain ; il est un penseur. Le souffle oratoire ne trahit pas la sincérité des accents pathétiques d'un jeune homme qui, parce qu'il aime par-dessus tout l'humanité, voudrait que toutes les promesses dont elle est riche parviennent à s'épanouir et que soient renversés tous les obstacles à cet épanouissement. Il ne s'agit donc nullement de se demander si le *Discours* procède d'« une ruse boétienne » ou s'il enferme quelque « message ésotérique » à décrypter [1]. Il s'agit d'aller au texte et de le lire pour capter, sous le style du jeune érudit renaissant, la philosophie de l'homme qui s'y déploie. Mais il convient auparavant de se demander dans quelle mesure elle est tributaire des événements contemporains.

UN ÉCRIT DE CIRCONSTANCE ?

Chacun est « fils de son temps ». Hegel l'a dit. Mais cela était vrai bien avant Hegel. La Boétie ne fait pas exception. Il est donc important de savoir si les événements qui ont ponctué sa brève existence ont eu sur sa pensée quelque influence et si les doctrines politiques qui commençaient alors à se développer ont marqué sa philosophie.

De même que, par bien des aspects, l'œuvre de Machiavel [2] a trouvé une raison suffisante dans les

---

1. M. Abensour, Présentation du *Discours de la servitude volontaire*, Payot, *op. cit.*, p. XVI.
2. Rappelons que *Le Prince* a été rédigé en 1513.

drames de la vie florentine et dans les remous politiques d'une Italie où le poison et le poignard servaient le plus souvent à trancher les différends ; de même que l'*Utopie* de Thomas More [1] a été écrite pour apporter une thérapeutique aux maux qui déchiraient l'Angleterre du début du siècle ; de même, on peut se demander s'il est possible de rapporter le *Discours* de La Boétie à l'histoire de la France au milieu du XVI\ siècle.

C'est ce que fait l'historien de Thou quand il considère que le traité de La Boétie exprime l'indignation qu'aurait provoquée chez un jeune homme de dix-huit ou dix-neuf ans l'écrasement du soulèvement populaire déclenché par l'affaire de la gabelle (voir *supra*, p. 24). On peut admettre qu'à la faveur de la répression qui s'exerça sans ménagement dans une contrée à laquelle il se sentait profondément enraciné, La Boétie ait senti naître et croître en lui la conscience de liberté dont sa composition exprime la force et les promesses. Néanmoins, il est difficile d'entendre le *Discours de la servitude volontaire* comme un simple écrit de circonstance commandé par la conjoncture historique locale. Une telle lecture prêterait au texte une dimension empirique et, pour tout dire, une platitude que chaque page dément. Il faut d'ailleurs noter que nulle part La Boétie ne fait mention du drame vécu par la Guyenne en 1548. Il est fort probable que, s'il avait voulu dénoncer les duretés de l'événement, il les aurait nommées : une critique et un pamphlet n'ont de portée que s'ils ne se présentent pas avec le sens caché d'une énigme. Or, ce n'est que par une interprétation fort incertaine que l'on pourrait reconnaître Diane de Poitiers dans telle « femmelette », ou Henri II dans l'évocation de tel tournoi, dont d'ailleurs on ne précise pas quel il fut… Ainsi que le remarque P. Bonnefon, La Boétie prend soin d'« écarter de son raisonnement ce qui pourrait faire

---

1. Le livre II de l'*Utopie*, commencé en 1510, fut achevé le premier, en 1516 ; le livre I fut rédigé en quelques mois en 1516.

l'objet d'une application particulière[1] » et, singulièrement, les allusions au gouvernement de la France. Certes, l'affaire de la gabelle a dû ébranler La Boétie. Mais, il n'a pu voir en elle qu'un exemple parmi d'autres de la difficulté d'établir un rapport solide entre l'autorité politique et le peuple : difficulté double puisque d'une part, l'obéissance des gouvernés est fort compromise dès lors que des insurgés ne parlent que de liberté et puisque, d'autre part, les gouvernants sont si facilement enclins à transformer la contrainte du pouvoir en violence ou en châtiment. Aussi bien, sans diminuer la proximité de la réalité historique et de la pensée politique de La Boétie, nous semble-t-il très hasardeux d'admettre que l'auteur du *Discours* ait voulu, en polémiste, répondre à l'événement de l'heure par une intention délibérée de subversion.

En ce point, on ne peut passer sous silence la thèse, déjà mentionnée, du Dr Armaingaud, qui, en 1906, éleva des doutes quant à l'authenticité du *Discours*. Le texte, affirme-t-il, fait allusion à des événements que La Boétie, mort en 1563, n'a pas vécus. Tout particulièrement, le portrait du tyran que dessine l'essai (voir p. 110) – « non pas un Hercule ou un Samson, mais un seul hommeau… le plus lâche et femelin de la nation » – désignerait Henri, duc d'Anjou, qui régna à partir de 1574 sous le nom d'Henri III. Là-dessus, le Dr Armaingaud estime que Montaigne a dû modifier le manuscrit trouvé dans les papiers de son ami en l'adaptant au contexte et aux circonstances. Ainsi, tout en déclarant que l'œuvre était enfantine et sans portée subversive, tout en condamnant l'usage que les protestants en faisaient, Montaigne, selon l'érudit bordelais, aurait pu, de la sorte, apporter son aide à ceux que le roi persécutait.

Nous avons mentionné plus haut la querelle que souleva cette thèse. Tandis que certains exégètes – Edme Champion et Stapfer – donnaient raison à Armaingaud,

---

1. P. Bonnefon, *Étienne de La Boétie. Sa vie, ses ouvrages et ses relations avec Montaigne, op. cit.*, p. 44.

d'autres, comme F. Combes, estimaient que le tyran visé par La Boétie est François II, ou encore, comme Dezeimeris et J. Barrère, Charles VI. P. Villey, P. Bonnefon, H. Barckhausen, beaucoup plus plausiblement, accordaient au portrait du tyran tracé par La Boétie un caractère impersonnel et général. Dès lors, une double conclusion s'imposait : d'une part, La Boétie est bel et bien l'auteur du *Discours de la servitude volontaire* [1] ; d'autre part, le *Discours* ne vise pas à exorciser les ténèbres d'un règne particulier, il n'est pas la dénonciation des malheurs ponctuels d'un moment [2]. Il a une portée générale. Il est tout autre chose qu'une réaction à l'histoire du moment et, fût-ce maladroitement, se propose comme une réflexion philosophique sur l'essence du politique. C'est ainsi seulement, d'ailleurs, que peut s'expliquer l'étonnante rencontre de l'activité loyaliste de La Boétie et de sa parole critique. Il n'eut jamais dessein de jeter le trouble dans son pays et de subvertir le régime dont il demeura un serviteur fidèle sa vie durant ; mais, éclairé par sa formation juridique et son érudition d'humaniste, il chercha à exprimer le statut politique de l'État moderne en train de s'affirmer. Le *Discours* est

---

1. Cette conclusion trouve confirmation dans les analyses stylistiques et syntaxiques patiemment conduites ultérieurement par L. Delaruelle (« L'inspiration antique dans le *Discours de la servitude volontaire* », *op. cit.*) et par Ed. Lablénie, « L'énigme de la *Servitude volontaire* », *op. cit.*, p. 203-227).

2. Si le *Discours* avait obéi à cette intention, comment, en toute logique, aurait-il pu ne pas conclure à la nécessité du tyrannicide ? Hotman ou Buchanan et, plus tard, Milton en appelleront au meurtre du tyran qui, par son arbitraire, ses abus de pouvoir et ses violences, rompt le contrat qui le lie au peuple. Leur raisonnement est parfaitement cohérent. Or, La Boétie, qui sait fort bien que les sophistes, dans l'ancienne Grèce, ont préconisé l'opposition au tyran et sont allés jusqu'à prôner le tyrannicide, ne s'engage pas dans cette voie. Montaigne le présente comme un excellent citoyen, soumis aux lois de son pays et animé d'une profonde volonté de paix. B. Fillon (*La Devise de La Boétie et le juriste fontenaisien Pierre Fouschier*, Fontenay-le-Comte, P. Robuchon, 1872) dit même que la devise de La Boétie était *Pax et Lex*. En tout cas, il refuse l'idée même du tyrannicide.

donc bien moins une diatribe, motivée par l'événement, contre la royauté française qu'un essai de réflexion doctrinale.

Il est vrai que, même ainsi compris, le *Discours de la servitude volontaire* pourrait porter l'empreinte de son siècle [1]. C'est ainsi que J. Barrère a soutenu la thèse selon laquelle La Boétie aurait écrit son *Discours* pour faire diptyque avec *Le Prince* de Machiavel [2]. Le traité de Machiavel, paru à Rome en 1532, cinq ans après sa mort, proposait, dit l'auteur, « la théorie du despotisme » ; quinze ans plus tard, alors que *Le Prince* circulait en France et constituait la lecture de tous les étudiants, La Boétie répondait en rédigeant son essai « à l'honneur de la liberté, contre les tyrans ». Ainsi, il opposait « l'antidote au poison ». Barrère montre que chaque paragraphe de la dissertation de La Boétie est une riposte à telle ou telle page de Machiavel et lui fait contrepoids. Bref, tandis que *Le Prince* codifie la tyrannie, le *Discours* énonce la revendication libérale.

Là encore, la discussion est ouverte, d'une part, parce qu'il n'est pas sûr du tout que Machiavel ait voulu faire l'apologie du tyran, d'autre part, parce que l'explication que donne Barrère est contredite par une phrase de Montaigne : « Ce qui donna peut-être la matière et l'occasion à La Boétie de sa *Servitude volontaire*, c'est ce mot de Plutarque "que les habitants de l'Asie servent à un seul prince pour ne savoir prononcer une syllabe : Non". »

---

1. Nous laissons évidemment de côté la thèse fantaisiste de d'Aubigné, qui, dans son *Histoire universelle* (Amsterdam, 1626, t. I, p. 670), raconte que La Boétie aurait écrit le *Discours* à la suite d'un incident ridicule : un archer de la garde lui aurait laissé tomber sa hallebarde sur le pied alors qu'il voulait voir ce qui se passait dans une salle de bal... d'où sa réaction vengeresse contre tout ce qui, de près ou de loin, touche au pouvoir.

2. J. Barrère, *Étienne de La Boétie contre Nicolas Machiavel. Étude sur les mobiles qui ont déterminé Étienne de La Boétie à écrire le Discours de la servitude volontaire*, Bordeaux, 1908 ; publié aussi dans *La Revue philomathique*, Bordeaux, nov.-déc. 1908, janv.-fév. et juil.-août 1909.

Rien ne permet d'affirmer que La Boétie ait expressément voulu écrire, comme I. Gentillet, un *Anti-Machiavel*. Il semble bien plutôt avoir écouté l'inspiration
ardente de sa jeunesse et il dit avec fougue ce que d'autres
avant lui avaient déjà souligné : que si l'autorité de l'État
est nécessaire aux hommes, le prix de la liberté n'en est
pas moins inestimable. Le ton, certes, est enflammé et
pressant ; la plume de l'essayiste a dû être nerveuse ; elle
a des emportements et des tensions graves. Mais, dans la
passion qui l'anime et qui transparaît jusque dans les
digressions, le message à transmettre déborde largement
la polémique contre un auteur ou un texte.

En toute rigueur, d'ailleurs, si l'on admettait l'idée d'un
La Boétie polémiste, il conviendrait de se demander s'il
n'a pas eu le dessein plus ample de s'opposer aux publicistes qui, en son siècle même, s'efforçaient de théoriser
l'exercice du pouvoir politique et se faisaient les défen-
seurs de la monarchie. Dans cette hypothèse, La Boétie
aurait à coup sûr pris à partie, explicitement ou implicitement, un auteur comme Claude de Seyssel, homme pluri-
dimensionnel comme lui, participant comme lui à la vie
politique et qui, non content de servir, comme lui encore,
son roi et son royaume, avait, en 1519, dans *La
Grand'Monarchie de France*, fait l'éloge de ce que, déjà,
on peut appeler l'absolutisme [1]. Or, La Boétie ne dit mot,
dans son *Discours*, des idées de Claude de Seyssel, pas
davantage que de celles de ses contemporains Érasme,
Luther ou Calvin, sensibilisés pourtant aux problèmes
politiques et soucieux de théorie. Il est muet sur la question des lois fondamentales du royaume – inaliénabilité
du domaine de la Couronne, hérédité et légitimité du

---

1. Claude de Seyssel (1450-1520) publia en 1519 son ouvrage *La
Grand'Monarchie de France* à la demande du roi François Ier. Mais déjà
en 1508 il avait écrit deux opuscules célébrant les mérites du roi
Louis XII : *Histoire singulière de Louis XII* et *Les Louanges de
Louis XII*, dans lesquels se dessinait, par-delà l'image du roi, le statut
juridique de la royauté absolue.

pouvoir royal – qui apparaissent dans *La Grand'Monarchie de France* comme les premiers jalons d'une théorie de la souveraineté qui, quoique diffuse, pose néanmoins les règles du pouvoir centralisé confié au seul monarque. Ainsi s'efface la thèse d'un La Boétie polémiste.

Il semble donc que, nonobstant la proximité de l'événement ou de la doctrine, le sens du *Discours de la servitude volontaire* s'inscrive au-delà de l'un et de l'autre. Dans un verbe encombré de méandres ou d'un excès de réminiscences antiques, les lignes de force d'une philosophie politique se précisent peu à peu, à partir desquelles s'organise, théorique et générale, une conception du pouvoir dans l'État moderne. Et il est remarquable que La Boétie, au seuil de la modernité, ait proposé une réflexion politique assez prégnante pour interpeller encore le lecteur d'aujourd'hui.

Par cette pérennité du sens, le *Discours* de La Boétie dépasse de manière évidente l'actualité de son temps. Est-ce parce que l'amour de la liberté y porte à son acmé l'indignation contre les procédés honteux dont use toute tyrannie ? Sans doute. Pourtant, le *Discours* n'est pas une charge émotive obéissant aux élans d'un cœur généreux. Est-ce alors parce que la méditation, nourrie des souvenirs de la République platonicienne ou des idées stoïciennes, modelée sur l'exemple du maître Anne du Bourg, s'élève à un essai de conceptualisation de la sphère politique ?

Il faut interroger la lettre même du texte afin de saisir, au fil des déclamations érudites, l'intention de La Boétie et la portée de sa réflexion.

DE LA LETTRE À L'ESPRIT : ANALYSE DU *DISCOURS*

Le *Discours de la servitude volontaire* est, comme toute œuvre d'éloquence au XVIᵉ siècle, ce que Pierre Mesnard appelle « un fleuve oratoire [1] ». Il recherche indubitablement les effets d'une belle parole. Il serait donc téméraire

---

1. P. Mesnard, *op. cit.*, p. 392.

de le considérer comme une démonstration progressant rationnellement par la voie de la déduction. Cependant, il serait faux de n'y point chercher de plan d'ensemble. Le *logos* éloquent est aussi un *logos* méthodique.

D'un bout à l'autre du *Discours*, une idée-force porte l'élan du verbe : La Boétie – comme Machiavel devant les désordres de l'Italie ou comme Thomas More devant la misère de l'Angleterre – dénonce la maladie à laquelle s'abandonnent les peuples sous le joug de leurs maîtres et il s'interroge sur la thérapeutique qui ferait cesser de tels maux. Il entreprend donc d'analyser et d'expliquer la servitude des peuples à la fois par les tendances de la nature humaine et par le rôle néfaste des tyrans et de leurs complices. Puis, s'interrogeant sur les remèdes qui enrayeraient le mal endémique qui risque de conduire l'humanité à une mort prochaine, il lance, à l'adresse des peuples qui se laissent asservir et des princes qui se plaisent à les asservir, un appel au bon sens dans lequel vibre le souffle de la liberté.

En suivant le texte même du *Discours*, refaisons le chemin qui peut conduire les peuples de leur servitude à leur liberté.

Des peuples dans l'état de servitude

La Boétie n'a pas besoin de préambule pour déplorer « l'extrême malheur » du sujet asservi à un maître : une citation d'Homère suffit. Mais il ne saurait être question pour lui, explique-t-il, de proposer une typologie des gouvernements – problème classique s'il en est – et de se demander si « les autres façons de république sont meilleures que la monarchie ». D'ailleurs, la monarchie peut-elle avoir rang parmi les républiques ? Entendons : le pouvoir d'un seul, toujours enclin à écouter son intérêt privé et ses volontés particulières, n'est-il pas, par défini-tion, hors du champ de la *res publica* où doivent préva-loir l'intérêt commun et la volonté générale ? Le concept même de monarchie semble une anomalie dans le champ sémantique du politique. Aussi bien – du moins « pour cette heure » – La Boétie n'entend-il point aborder cette question : non pas du tout qu'elle soit sans importance ; bien au contraire, elle mériterait « un traité à part ». Il l'écarte donc, ou bien parce qu'il entrevoit « toutes les disputes politiques » qu'elle ne manquerait pas de soulever dans l'instant, ou bien parce que, déjà, il a prévu de la traiter en « un autre temps ».

Ne voyons là ni une dérobade de l'auteur ni, à mots couverts, un manifeste républicain. D'une part, La Boétie n'est pas de ceux qui reculent devant les difficultés de l'analyse conceptuelle en matière politique ni non plus devant les conséquences possibles d'un débat qui ne manquerait pas d'agiter les passions. D'autre part, le loyalisme monarchique de La Boétie a été si exemplaire qu'il est difficilement conciliable avec une profession de foi républicaine et démocratique.

Le dessein de La Boétie est plus profond. Comme plus tard Rousseau, il constate avec amertume que les peuples sont souvent dans les fers. Alors, parce que la liberté est pour lui ce sentiment vif interne qui est le privilège de l'humaine nature, il veut COMPRENDRE « comme il se peut faire » qu'un peuple entier préfère ployer le joug sous la tyrannie d'un seul homme, acceptant de le souffrir plutôt que de le contredire. Le problème est psychologique. Il renvoie à une dimension énigmatique de la condition humaine si peu en accord avec la nature humaine. La question est si grave qu'on ne peut se borner à constater dans les bourgs, les villes ou les nations mêmes l'assujettissement qu'acceptent tant d'êtres humains ; la déplorer ne suffit pas non plus : il faut *expliquer* cette situation paradoxale, si contradictoire qu'elle est proprement inconcevable. Pourtant, elle existe. Le *Discours* se présente donc d'abord comme un essai de psychologie politique qui, tour à tour, s'attache à l'*étude de la nature humaine* et aux *causes de la servitude* qui caractérise la condition humaine.

• Une théorie de la nature humaine

Comment comprendre qu'« un million de millions d'hommes » servent misérablement, « enchantés et charmés », un seul homme qui, pourtant, est, à leur endroit, « inhumain et sauvage » ? Il y a là un mystère de la nature humaine. Il serait à la rigueur compréhensible qu'un peuple cédât à la force : ce fut naguère le cas d'Athènes, contrainte par les Trente Tyrans. On pourrait admettre aussi que des hommes se laissent envoûter par les soins ou par les promesses de quelque héros glorieux ; le prestige du chef charismatique, le plus fort ou le plus habile, a toujours raison de la lourdeur des masses. Mais « ô bon Dieu ! que peut être cela ? comment dirons-nous que cela s'appelle ? quel malheur est celui-là ? quel vice, ou plutôt quel malheureux vice ? Voir un nombre infini de personnes non pas obéir, mais servir ; non pas être gouvernés, mais tyrannisés ; n'ayant ni biens ni parents, femmes ni enfants, ni leur vie même qui soit à eux ! souffrir les pilleries, les paillardises, les cruautés, non pas d'une armée, non pas d'un camp barbare contre lequel il faudrait défendre son sang et sa vie devant, mais d'un seul ; non pas d'un Hercule ni d'un Samson, mais d'un seul hommeau, et le plus souvent le plus lâche et femelin de la nation ; non pas accoutumé à la poudre des batailles, mais encore à grand peine au sable des tournois ; non pas qui puisse par force commander aux hommes, mais tout empêché de servir vilement à la moindre femmelette ! »

Le problème qu'aborde La Boétie est précis ; il est admirablement posé. S'il est dans l'ordre des choses qu'un peuple obéisse à ceux qui le gouvernent, c'est une *anomalie* monstrueuse de voir un peuple entier ployer sous le joug d'un seul qui n'a ni force ni prestige : d'où vient ce « monstre de vice » ?

Le fait qu'un million d'hommes se laissent, sans réagir, assujettir par « un seul » ne s'explique pas par leur lâcheté ou leur couardise. C'est cette lâcheté et cette couardise qu'il faut expliquer. Car tout se passe comme si les sujets asservis se complaisaient dans leur servitude, puisqu'ils ne font rien pour la refuser. S'ils ne la rejettent pas, c'est qu'ils la veulent, d'où le thème de l'opuscule : *la servitude n'existe que parce qu'elle est volontaire*.

Dès lors, il n'est pas nécessaire de réfléchir beaucoup pour s'apercevoir que cette situation paradoxale contredit ce qu'il y a de plus profond et de plus vrai dans la nature humaine. Et cela est proprement incroyable : comment concevoir que les hommes puissent abandonner leur dignité, renoncer à leur intelligence et que ce vice se retrouve partout et toujours ? Il n'y a qu'une réponse à cela : « c'est le peuple qui s'asservit, qui se coupe la gorge ». Comprenons : il a le choix « ou d'être serf ou d'être libre », « ou de quitter la franchise ou de prendre le joug », « ou bien de consentir à son mal, ou bien de le pourchasser ».

Cette postulation fondamentale permet à La Boétie d'esquisser une théorie de la nature « simple et non altérée » de l'homme, celle qui constitue son fonds même tant que l'incroyable maladie de la servitude volontaire ne le dé-nature point[1].

---

1. Ne demandons assurément pas à La Boétie l'exposé didactique ou systématique de l'idée qu'il se fait de la nature humaine. Un tel propos ne s'accorderait pas au style de l'essai. Ne cherchons pas non plus dans cet essai un avertissement méthodologique : la prose du *Discours* n'a pas la rigueur de la science politique de Hobbes et, dans le tableau qu'il brosse de la nature humaine, La Boétie n'a cure de justifier, comme le feront Rousseau et Kant, la démarche, analytique ou synthétique, qu'il entend adopter. Cependant, le regard que jette La Boétie sur la nature originelle de l'homme évoque déjà la notion d'un « état de nature ». L'expression ne se trouve certes pas dans le *Discours*. Elle n'apparaîtra qu'en 1625, dans le *De jure belli ac pacis* de Grotius. Et c'est plus tard seulement que, chez les jusnaturalistes – ou chez Hobbes, qui, souvent, lui préfère d'ailleurs l'expression « condition naturelle des hommes » –, elle sera appelée à un ample usage. Néanmoins, l'idée d'un état de nature originaire – qu'il ne faut pas confondre avec le thème voisin du bon sauvage, auquel Montaigne, dans le chapitre des *Essais* consacré aux cannibales (livre I, chap. XXXI), donne son premier élan et que développera de façon mythique Jean de Léry, en 1578, dans son *Histoire d'un voyage fait en la terre du Brésil, autrement dite Amérique* – est omniprésente dans le *Discours*. Elle s'assortit d'une conception à

La nature humaine [1], selon La Boétie, obéit à trois grands principes : « il est hors de doute », dit-il, que, « si nous vivions avec les droits que la nature nous a donnés, et avec les enseignements qu'elle nous apprend, nous serions naturellement obéissants aux parents, sujets à la raison, et serfs de personne » (p. 117).

a. L'homme, en sa nature originelle, n'est pas tout ce qu'il est. Les leçons des parents sont indispensables à la formation de tout être humain. Que ce principe reflète l'humanisme auquel La Boétie a lui-même été formé est incontestable ; mais, s'il ne conçoit guère d'institution primordiale de l'homme hors du cadre familial, il est à remarquer que, pour lui, la famille est une société fondamentalement naturelle. C'est donc en suivant les voies tracées par la nature, comme si celle-ci était une mère, que les parents commencent à former les enfants [2]. Aussi bien les naturelles semences de raison ne fleurissent-elles en vertu qu'entretenues par le bon conseil des parents et par la coutume des aînés. Et il est évident que, soumises à mauvaise influence, elles s'étiolent et avortent (p. 118). La conséquence est importante : la forme de l'humaine condition ne saurait, en son universalité, désigner une égalité niveleuse. À raison de leur formation, les hommes sont différents les uns des autres.

---

peine exprimée d'une Nature-providence qui laisse découvrir l'horizon de valeurs sur lequel La Boétie inscrit sa réflexion sur le politique.

1. Il faut noter ici la rencontre de La Boétie et de Montaigne. La nature humaine selon La Boétie correspond à ce que Montaigne appelle « les complexions naturelles » de l'homme : elles sont celles, générales et communes, qui définissent l'espèce à son origine, quand rien encore ne la dévie ou ne la falsifie. Elles sont le fruit de la Nature, qui, pour La Boétie et pour Montaigne, est, selon l'expression de R. Étiemble, « généreuse, surtout de force génitale et génitrice ».

2. La Boétie est trop jeune lorsqu'il compose son *Discours* pour concevoir les principes d'un traité d'éducation comme le fera Montaigne. Il est clair cependant à ses yeux que l'école des parents, parce qu'elle est naturelle, est la première école nécessaire pour mettre l'enfant sur la bonne voie et le faire entrer bien armé dans la vie.

b. Le naturel de l'homme est raisonnable et la raison, universelle. En effet, la nature, « ministre de Dieu » et « gouvernante des hommes » (p. 118), les a tous faits sur le même patron et a mis en leur âme « quelque naturelle semence de raison ». La Boétie ne s'engage pas dans le débat qui, depuis toujours, s'est ouvert entre les philosophes sur le point de savoir si la raison est ou non innée. Sachant, comme tout humaniste de la Renaissance, l'importance de l'éducation, et, singulièrement, de l'éducation primordiale que dispense la famille, il se borne à remarquer que les hommes, quoique faits sur un même patron, présentent des différences. Celles-ci, à tout prendre, font partie de l'ordre naturel des choses. Autrement dit, la nature fait des forts et des faibles ; elle donne à tout un chacun plus ou moins d'esprit. Mais il ne faut pas se méprendre sur le sens de ces différences, donc, sur les desseins de la nature. Elle « n'a pas envoyé ici-bas les plus forts ni les plus avisés, comme des brigands armés dans une forêt, pour y gourmander les plus faibles » (*ibid.*). Elle ne veut ni domination ni sujétion. Il n'y a de vocation naturelle ni au commandement ni à l'allégeance. L'autorité du gouvernant n'est pas plus naturelle que l'obéissance du gouverné. Les inégalités qui différencient les hommes sont le moyen d'une « fraternelle affection » (*ibid.*) en laquelle l'aide et la solidarité nouent des liens solides entre les plus puissants et les moins favorisés. Les différences entraînent complémentarité.

Ainsi la nature qui détermine l'humaine condition est-elle habitée par une téléologie providentielle qui veut que des êtres humains raisonnables soient « compagnons ou frères ». Dans la nature humaine, la diversité des individus est le moyen d'une vaste solidarité faite d'échanges et de complémentarités. C'est pourquoi la parole favorise, par la « mutuelle déclaration de nos pensées, une communion de nos volontés » (p. 119). Les hommes peuvent, entre eux, se reconnaître et s'allier. Comme une « bonne mère », la nature propose aux hommes une sociabilité naturelle en laquelle elle ne veut « pas tant nous faire tous unis que tous uns » (p. 119). Ne regardons pas la société comme un immense organisme qui nécessiterait des subordinations et des dépendances [1]. « Nous sommes tous compagnons » mais « ne peut tomber en l'entendement de personne que nature ait mis aucun en servitude, nous ayant tous mis en compagnie » (*ibid.*). L'association des hommes n'implique pas leur soumission et la société ne signifie pas dépendance des uns par rapport aux autres.

c. De là découle le troisième grand principe qui régit en sa complexion la nature primordiale de l'homme : « il ne faut pas faire doute que nous ne soyons naturellement libres » (*ibid.*). D'une part, l'histoire porte témoignage de « la vaillance que la liberté met dans le cœur de ceux qui la défendent » (p. 113) : faut-il évoquer l'héroïsme dont firent preuve les Grecs et les Romains, non point tant pour triompher de l'ennemi extérieur que pour assurer la victoire de la liberté sur la domination, de « la franchise sur la convoitise » ? Seuls, dit La Boétie, les hommes d'Israël ont préféré – pitoyable destin, mais ô combien mérité – le joug du tyran à la liberté (p. 123). D'autre part et surtout, la liberté se déduit de la raison elle-même. Si la nature de l'homme est raisonnable, elle enveloppe en effet cet attribut essentiel qu'est la liberté puisqu'elle implique pour chacun l'autonomie et la reconnaissance mutuelle et réciproque de l'autre : dans l'interdépendance, il n'y a plus de dépendance.

Davantage : tout ce qui, par grâce de la nature, est doué de vie et de sentiment, est épris de liberté. En cela, La Boétie ne voit point un élan désordonné de la sensibilité, mais l'ordre même de la nature : si les animaux, du

---

1. La Boétie adopte sans ambages l'un des principes essentiels des thèses individualistes qui, bientôt, se développeront : chacun peut reconnaître son prochain et établir avec lui les nœuds serrés d'une alliance sociale qui n'entame en rien son indépendance.

ciron à l'éléphant, avaient entre eux quelque prééminence, ils feraient de leur liberté leur noblesse : « Que veut dire autre chose l'éléphant qui, s'étant défendu jusqu'à n'en pouvoir plus, [...] enfonce ses mâchoires et casse ses dents contre les arbres, sinon que le grand désir qu'il a de demeurer libre, [...] lui fait de l'esprit [...] ? » (p. 120). Les bêtes qui sont au service de l'homme ne se peuvent d'ailleurs accoutumer à être privées de liberté : « Même les bœufs sous le poids du joug geignent, et les oiseaux dans la cage se plaignent » (p. 121). Anthropomorphisme ou sensiblerie ? Ni l'un ni l'autre ; tout simplement, tel est, pour La Boétie, l'ordre naturel des choses. Si donc on demandait à des hommes tout neufs, nés à l'instant en un pur état d'innocence et d'ignorance, de choisir entre vivre francs ou être serfs, « il ne faut pas faire doute qu'ils n'aimassent trop mieux obéir à la raison seulement que servir à un homme » (p. 123).

Donc, dans la nature humaine, raison et liberté vont de compagnie. Et, d'ores et déjà, se précise ce qu'est cette liberté. Elle est bien plus qu'un idéal. Elle n'est pas contemplative et pure. Parce que, sans elle, la vie ne vaut pas d'être vécue, elle est agissante ou n'est pas. Sans doute s'affirme-t-elle comme une exigence, mais c'est une exigence qui commande impérativement : pour elle, l'homme doit savoir combattre et mourir.

Telle est donc la nature originelle de l'homme. Cette esquisse « anthropologique [1] », en quoi se profile l'homme sain et pur tel qu'il apparaît au creuset de la nature, révèle chez La Boétie un souci de l'homme et de

---

1. Même si le mot n'existe pas au XVIᵉ siècle, il nous semble erroné de déclarer, comme le fait M. Foucault (*Les Mots et les Choses*, Gallimard, coll. « Bibliothèque des sciences humaines », 1966, p. 355) – et comme tend à le répéter F. Rangeon dans son ouvrage, *Hobbes. État et droit* (Albin Michel, 1982, chap. préliminaire, p. 38) –, que, au XVIIᵉ siècle (*a fortiori*, au XVIᵉ), « nulle philosophie, nulle option politique ou morale [...], nulle observation des corps humains, nulle analyse de la sensation, de l'imaginaire ou des passions, n'a jamais [...] rencontré quelque chose comme l'homme ; car l'homme n'existait pas ».

son comportement individuel et collectif qui est tout autre chose que la pensée humaniste du XVIᵉ siècle. Avec des accents de modernité, La Boétie entrevoit le rôle fondamental que peut jouer l'homme, à raison de sa nature et de ses attributs essentiels, dans la mutation qui est historiquement en train de s'opérer des *Estats* à l'État. Aussi la problématique du *Discours* prend-elle corps lorsque La Boétie confronte le paradoxe de la servitude volontaire avec l'essence naturelle de l'homme : comment les hommes peuvent-ils se complaire passivement dans les chaînes de l'esclavage alors que leur nature les porte vers l'amour agissant de la liberté ?

Il faut comprendre l'incompréhensible.

• Des causes de la servitude

Comment les hommes peuvent-ils en arriver à nier cela même qu'ils chérissent le plus ? La question trouve sa réponse dans l'analyse psychosociologique que donne La Boétie de leur condition politique. Au fil de sa démarche, parmi de multiples réminiscences littéraires ou historiques, il découvre peu à peu les raisons de leur déraison[1].

Au seuil de l'analyse s'impose un postulat implicite que La Boétie a pu retenir de sa fréquentation d'Aristote et de Cicéron. Cet axiome de base est une définition du politique conçu comme le rapport *spécifique* des gouvernants et des gouvernés. À l'heure de la naissance des États modernes, cette définition sous-jacente prend une force extraordinaire. En effet, la « république » – entendons la *res publica* – doit avoir un caractère « public »,

---

1. Nous ne partageons pas la thèse de P. Bonnefon, selon qui La Boétie « décrit plus volontiers les effets de la servitude qu'il n'en recherche les causes » (La Boétie, *Œuvres complètes, op. cit.*, p. 49). Sous l'éloquence littéraire, la démarche analytique de La Boétie n'est pas seulement descriptive ; l'explication emprunte même de façon très nette la voie du déterminisme causal. Il y a d'ailleurs en cette démarche l'intuition vive, quoique, bien évidemment, innommée, d'une psychologie des foules.

qui est, comme tel, irréductible à des rapports privés comme le sont les rapports domestiques ou les rapports de patronage. Par conséquent, La Boétie, d'entrée de jeu, refuse de penser la catégorie du politique sur le modèle d'une société domestique de type paternaliste ou sur le modèle de la société féodale. C'est pourquoi chercher le rang qu'occupe la monarchie entre les républiques est une entreprise oiseuse : il n'y a rien de public en ce gouvernement où tout relève des intérêts privés d'un seul.

Il importe de mesurer l'implication majeure d'un tel postulat : dans l'État, les rapports d'autorité à obéissance sont irréductibles aux relations personnelles de chef à sujet. C'est toute la différence qui sépare l'État moderne en gestation de la société féodale. D'où il suit que le pouvoir de l'État transcende la volonté individuelle de ceux qui, homme ou assemblée, sont appelés à commander. Cela ne signifie pas que La Boétie se dresse contre le pouvoir de l'État, mais que le pouvoir politique ne se confond pas avec celui qui l'exerce.

En outre, le postulat sur lequel s'appuie La Boétie correspond à une conscience d'humanité que ne pouvaient pas soupçonner les théoriciens de la féodalité. Un tel postulat laisse place en effet à la conscience *politique* des gouvernés : ceux-ci ne sont plus liés, à titre privé, envers un seigneur, par l'engagement vassalique, l'hommage ou le serment de fidélité. Donc, à l'époque même où l'Europe se transforme en sa structure politique, La Boétie laisse entendre que le pouvoir politique n'est pas une maîtrise, que l'autorité de l'État n'est pas une domination. Rien n'est plus faux, et rien n'est plus grave en ses conséquences que d'assimiler la puissance d'un souverain à la suprématie d'un chef.

Sans doute peut-on regretter que la prose de La Boétie n'ait pas, sur ce point, toute la clarté souhaitable et qu'elle s'alourdisse d'une érudition livresque chargée de sous-entendus. Mais le non-dit possède ici une puissance qui donne à l'essai la hardiesse de son souffle : le tyran n'est vilipendé que parce qu'il contredit en tous points l'essence du politique. Par conséquent, le *Discours de la servitude volontaire* n'est pas, comme le croyait Lamennais, une description banale de la tyrannie. Il n'est pas non plus, comme le soutient M. Abensour, « une écriture oblique » s'offrant au décryptage afin que le lecteur y découvre les conditions cachées de la liberté. La Boétie scrute le principe même de l'État. Et, parce que la pathologie enseigne *a contrario* les critères de la normalité, il le scrute à la faveur de cette aberration politique qu'est, sous le tyran, la servitude des peuples.

Cette aberration a deux causes profondes. Un seul et même mot en indique l'anomalie. C'est la *dé-naturation des gouvernés* et la *dé-naturation des gouvernants.*

« Ce sont donc les peuples mêmes qui se laissent ou plutôt se font gourmander » ; « c'est le peuple qui s'asservit, qui se coupe la gorge », dit La Boétie (p. 113). Ou encore : « nature défaut » chez les hommes (p. 115) pour désirer la liberté qui, de concert avec la raison, caractérise le patron de l'humaine condition. Pourtant, il suffirait que les hommes désirent vraiment la liberté pour qu'ils l'aient. Cette carence explique que tous les maux les assaillent à la file ; et les biens mêmes qui subsistent perdent goût et saveur, corrompus qu'ils sont par une telle dénaturation.

C'est que les peuples sont insensés et aveugles. Ils ne font aucun effort pour voir que celui qui les « maîtrise tant n'a que deux yeux, n'a que deux mains, n'a qu'un corps, et n'a autre chose que ce qu'a le moindre homme du grand et infini nombre de nos villes, sinon que l'avantage [qu'ils lui font] pour [les] détruire » (p. 116). Les peuples ne font aucun effort pour comprendre que les yeux dont le maître épie ses sujets, ce sont eux qui les lui baille ; que ces mains dont il les frappe, il ne les prend que d'eux ; que les pieds dont il foule les cités, ce sont ceux mêmes de ses sujets abâtardis... Les hommes dénaturés ont perdu la lucidité et le sens de l'effort qui sont les privilèges de l'esprit. Alors, ils ne s'aperçoivent même pas que le maître n'a pouvoir sur eux que par eux. C'est pourquoi ils sont facilement les complices du « larron »

qui les pille et du « meurtrier » qui les tue. Bref, « traîtres
à eux-mêmes », ils sèment, avec leur propre malheur,
celui de leurs enfants. Tandis qu'ils s'affaiblissent jusqu'à
se nier, ils fortifient le tyran en pleine inconscience. Ce
sont les sujets eux-mêmes qui déclenchent l'affreuse dialectique du zéro et de l'infini, caractéristique de tout
despotisme.

Quelle responsabilité dans cette volonté qui défaille et
cet esprit qui se dénature ! Le vœu de Nature est contredit : les peuples ne sont asservis que parce qu'ils se sont
laissés abâtardir (p. 119) et « abêtir » (p. 136). Qui ne sait,
en effet, que les hommes deviennent ce qu'ils se font ou
laissent faire d'eux ? Lycurgue, « le policier de Sparte »
(p. 126), n'ignorait pas cette malléabilité de la nature
humaine et son talent fut de l'exploiter. Qui ne sait aussi
que, le plus souvent, les hommes « se contentent de vivre
comme ils sont nés, [...] ils prennent pour leur naturel
l'état de leur naissance » (p. 124). Il y a en l'homme une
paresse native qui est comme sa seconde nature : si « la
nature de l'homme est bien d'être franc et de le vouloir
être, mais aussi sa nature est telle que naturellement il
tient le pli que la nourriture lui donne [1] » (p. 130).

Les causes de cette aberration sont complexes. Mais,
parmi elles, la coutume et l'habitude jouent un rôle
funeste (*ibid.*) en substituant à la nature originelle une
seconde nature qui est une dénaturation. Elles distillent
en effet un venin émollient qui endort la raison. Toutes
les semences de bien que la nature a données à l'homme
« se fondent et viennent à rien » (p. 125). En son assou-
pissement, l'homme « tombe si soudain en un tel et si
profond oubli de la franchise, qu'il n'est pas possible qu'il
se réveille pour la ravoir » (p. 124) ; il perd même à jamais
« la souvenance de son premier être » et jusqu'au « désir
de le reprendre » (p. 121). Sous le poids de l'habitude,
l'homme laisse s'éteindre en lui la lumière et la force ;

---

1. *Franc* : libre ; la « nourriture » signifie ici l'habitude.

accoutumé aux ténèbres, il ne désire même plus la lumière ; et, « avec la liberté se perd tout en un coup la vaillance » (p. 134). Il n'a plus ni allégresse au combat ni âpreté. Engourdi et complice de sa torpeur, il a « le cœur bas et mol », il est « incapable de toutes choses grandes » (*ibid.*). Bref, devenu lâche et efféminé (p. 133), il est tout près d'être annihilé. Aussi bien comprend-on que, habitué à son état de servitude, l'homme, par paresse et facilité, perde jusqu'à sa dignité. N'ayant jamais eu la liberté, il n'en a même pas le regret. C'est la déchéance. L'homme asservi n'a plus la nature d'un homme.

L'analyse psychologique de La Boétie se conjoint ici, comme chez Thomas More, avec la réflexion morale. Le portrait de l'homme déchu qui s'abaisse sous le joug sans réagir laisse transparaître une conception morale et axiologique tout imprégnée des valeurs du stoïcisme. La docilité effarante des « gens sujets » est donc une perversion, une chute que La Boétie éprouve comme la honte de l'homme puisqu'elle signifie l'écroulement des valeurs auxquelles l'humanité a naturellement vocation à donner vie. C'est ce qui explique le mépris dans lequel La Boétie tient ce peuple avili.

Il serait facile de placer cette analyse sous le signe de l'idéalisme utopique. Ce serait une erreur. En culpabilisant l'homme, en montrant qu'en un État les sujets ont la condition qu'ils méritent et se trouvent malvenus de geindre sous le poids de la servitude qu'ils se sont, à eux-mêmes, infligée, La Boétie révèle au contraire sa lucidité réaliste. Certes, il ne va pas droit au but ; l'expression dilue la pensée. Mais son réalisme peut se résumer en deux points : la condition politique de l'homme ne se peut comprendre qu'en recourant à l'analyse anthropologique et la politique ne peut se penser en dehors de l'éthique.

La dénaturation des gouvernants est la seconde cause profonde de la servitude des peuples.

La Boétie ne met pas en accusation l'idée de gouvernement. Il sait qu'à raison de sa nature, l'homme, comme dira Kant en une magistrale formule, « a besoin d'un maître ». P. Bonnefon se méprend donc lorsqu'il entrevoit chez La Boétie la nostalgie d'un état de nature où les hommes vivraient, en marge de toute autorité politique, dans un parfait bonheur. Cependant, comment taire le danger inhérent à tout *imperium*, puisqu'il est toujours en la puissance de celui qui commande « d'être mauvais quand il voudra » (p. 108) ? À la différence de F. Hotman, dans la *Franco-Gallia*, et de J. Bodin, dans *Les Six Livres de la République*, qui s'efforceront de distinguer le roi et le tyran[1], La Boétie pense que le roi risque à chaque instant de devenir tyran. Il n'oppose même pas le mauvais tyran au bon roi. Toute monarchie, parce qu'elle est le gouvernement d'un seul, porte en soi le mal politique : en puissance ou en acte, la monarchie est tyrannie. Et, bien sûr, il n'y a pas de bon tyran[2].

Bien des auteurs ont parlé de la tyrannie avant La Boétie et, bien qu'ils ne soient point cités, Platon et Aristote ont dû être les maîtres à penser du jeune écrivain. Mais, à la différence des deux philosophes grecs, La Boétie ne situe pas son analyse dans le cadre d'une typologie des régimes, dont il a expressément déclaré qu'il la réservait « pour un autre temps ». En revanche, le personnage du tyran le fascine et l'obsède. Laissons ici la controverse qui consiste à savoir si le tyran visé est Charles IX ou Henri III. Remarquons seulement qu'Érasme, bien connu de La Boétie, a pu lui fournir les traits du tyran type et nombre d'expressions venues de l'Ancien Testament pour le qualifier. Un idéal type du

---

1. F. Hotman, *La Gaule française*, traduction de la *Franco-Gallia*, Cologne, 1574 (rééd. EDHIS, 1977), p. 68 ; J. Bodin, *Les Six Livres de la République*, livre II, chap. III et IV ; voir tout particulièrement éd. de 1583, rééd. Scientia Verlag, Aalen, 1961, p. 294.
2. Platon, *Les Lois*, IV, 708e.

tyran se dessine donc, net et précis au point de conduire à une définition originale et neuve de la tyrannie[1].

En effet, que le tyran ait acquis le royaume par l'élection du peuple, par la force des armes ou par hérédité (p. 121), sa façon de régner est toujours « quasi semblable » : il dompte le peuple, il le considère comme sa proie ou le réduit en esclavage. Dans tous les cas, il dénature l'autorité souveraine : au lieu de gouverner, il se veut le maître ; au lieu d'assumer un office de commandement, il s'arroge un pouvoir de fait ; au lieu de remplir un devoir, il s'attribue tous les droits. Pire encore : il réduit ses prétendus droits à l'exercice de la force. Ainsi, le pouvoir d'un seul a toujours le poids d'un joug : l'usurpateur s'arroge un droit de conquête ; le roi héréditaire se croit le propriétaire de son royaume et de ses sujets ; le prince élu ne songe qu'à inscrire une dynastie dans l'histoire. Pour arriver à ses fins, le tyran use de tous les moyens ; voyez Sylla le dictateur : son hôtel était devenu, en sa présence ou avec son consentement, un « ouvroir de tyrannie » (p. 129) où l'on emprisonnait, confisquait, bannissait, étranglait, condamnait... (p. 128). Un cycle infernal s'enclenche : en effet, comme le tyran vit dans des transes perpétuelles – lieu commun qu'a forgé l'histoire de tous les empereurs de Rome : Tibère, Néron, Caracalla, Domitien... –, miné par la crainte de tout et de tous ceux qu'il persécute, il s'efforce d'accroître sa puissance par toutes sortes de procédés sans honneur : non seulement il chasse de son peuple la science et l'intelligence, mais il installe partout la corruption. Les théâtres, les jeux, les farces, les spectacles, les gladiateurs, les bêtes étranges,

---

1. À la différence des auteurs traditionnels, La Boétie ne caractérise la tyrannie ni par l'usurpation, donc l'illégitimité du pouvoir, ni par le défi de la légalité. La tyrannie est fondamentalement et essentiellement selon lui *monocratie* : l'autorité d'*un seul* (d'où le titre bien souvent prêté au *Discours* : le *Contr'Un*). Dès lors, pour lui, l'important n'est pas de poser le problème de l'origine du pouvoir ; c'est d'en examiner l'exercice. Et cet exercice, puisqu'il ne peut être « public », est nécessairement mauvais : il ne répond pas à l'essence du politique.

les médailles, les tableaux… sont autant de « drogueries » qui allèchent et chatouillent des sujets déjà endormis par le vice. Tels sont par excellence les appâts dont se sert le tyran. À cette panoplie dégradante, où les actions du tyran sont réduites au rang d'outils de perversion, les despotes romains avaient ajouté les festins : n'est-ce pas le meilleur moyen d'abuser la « canaille » populacière qui préfère son écuelle de soupe à la liberté de la République platonicienne ?

De façon générale – que l'on ne s'y trompe pas, insiste La Boétie –, le tyran met toutes les hypocrisies au service de sa puissance personnelle. Ainsi, les largesses de type paternaliste – la distribution d'un quart de blé, d'une coupe de vin ou d'un sesterce – ne signifient pas du tout qu'il aime son peuple : d'ailleurs, il ne peut ni aimer ni être aimé ; il n'y a d'amitié ou d'estime qu'entre gens de bien. Elles signifient qu'il est un sordide et froid calculateur pour qui la bonne foi, l'intégrité, la constance n'ont pas de sens. Dès lors, soucieux uniquement de sa cote de popularité, il mendie par tous les moyens – fût-il, en les employant, déloyal ou injuste, mais ces mots-là ne veulent rien dire pour lui – les pitoyables vivats qui le saluent. En définitive, sa puissance est triste. Comprendra-t-on enfin, après cela, que les libéralités des Tibère et des Néron n'ont d'égale que l'humanité de Jules César ? La complicité maligne dont relèvent les unes et l'autre sont, en fait, la pire des cruautés[1]. Et Rome en devait mourir un jour.

Dans son odieuse psychologie, le tyran laisse enfin place à la flatterie et au chantage. Ce défi à la moralité est un procédé facile puisqu'il s'adresse aux bas instincts du *populas* : Crésus n'ouvrit-il pas aux Lydiens des maisons de prostitution et de jeu (p. 136) ? La déshumanisation des hommes est l'auxiliaire de la volonté de puissance de celui qui, déjà, se prend pour un surhomme.

---

1. Faut-il du reste rappeler que Tibère dépouillait aujourd'hui ceux-là mêmes qu'il avait hier gratifiés de libéralités ?

Nous touchons ici à l'essentiel : le tyran se croit un dieu. Il use, pour engourdir et avachir ses sujets, des procédés chers aux religions : il empêche « de faire, de parler et quasi de penser » (p. 132). Par une impudente duperie, il exploite l'opinion et l'imagination du grand nombre. C'est ainsi que les superstitions et les contes sont pour lui de puissants alliés : ce sont les pièges auxquels se prend la sottise du peuple (p. 141) ; les supercheries, les miracles et tous les stratagèmes des religions sont à son service. Ils font croire, c'est-à-dire qu'ils empêchent de penser. Le « peuple sot » en arrive à faire « lui-même les mensonges, pour puis après les croire » (*ibid.*) ! Et La Boétie, dont l'ardeur ne semble redouter ni le châtiment de l'Église ni la justice de l'État, ose demander s'il y a tellement de différence entre les prétendus miracles de Vespasien et la magie que les rois de France attachent à la fleur de lys et à l'oriflamme...

Ainsi donc, pour que le tyran soit tout, il faut que le peuple ne soit rien : le tyran ôte tout à tous (p. 150). Avant Montesquieu, La Boétie dénonce avec force la dénaturation du pouvoir politique qu'opère le despotisme d'un seul. Non seulement le rapport de gouvernant à gouvernés s'est dégradé au point de disparaître puisque les gouvernés ne sont même plus des hommes et que, n'étant plus rien, l'idée même de gouvernement n'a plus de sens pour eux, mais le tyran lui-même a perdu toute forme humaine. Certes, il se croit l'analogue d'un dieu ; il se prend pour une idole. Mais c'est là son erreur : il a quitté la sphère du politique parce qu'il a confondu la chose publique avec son appétit privé de puissance infinie. Parce que le tyran impose sa subjectivité comme objectivité – ce qui est proprement la définition philosophique de la terreur –, il est devenu un monstre. En parlant pour tous les dictateurs de la terre, La Boétie ne voit dans son intelligence de pygmée qu'une maîtresse de mort. Comme le disait Cicéron, que répète Guillaume Budé, il n'est qu'un « hommeau », un *homonculus*, c'est-à-dire un être dégradé et méprisable. Sa figure dénaturée est le symbole même du nihilisme. Sous sa férule, l'homme perd son humanité.

La servitude étant, du côté des sujets asservis comme du côté du tyran, le mal politique absolu en quoi s'anéantit la nature humaine, il n'y a rien d'étonnant à ce qu'elle engendre des effets saisissants.

• Les effets de la servitude volontaire

La force corrosive de tous les despotismes corrompt la vie sociale, et les structures sociopolitiques d'un État soumis à la tyrannie sont caractéristiques. La Boétie, à l'instar de Rabelais décrivant l'abbaye de Thélème, montre que les mauvaises institutions sociales et politiques entraînent inévitablement les hommes dans les sentiers dangereux où s'abîme toute vertu.

En effet, si le tyran, dans la superbe qui lui fait « compter sa volonté pour raison », éprouve sa solitude comme une sorte de transcendance, il n'empêche qu'autour de lui gravite un essaim malfaisant. Avec une perspicacité remarquable et un sens aigu des caractères sociologiques qui sont l'ombre portée des régimes politiques, La Boétie voit dans la structure sociale de la tyrannie « le ressort et le secret de la domination » (p. 145). Cet effet de la tyrannie permet donc, tout autant que ses causes, d'en comprendre le sens.

C'est par strates successives que, sous un tyran, se répand le mal politique. Cinq ou six ambitieux, auprès du despote, se font directement complices de ses méfaits ; mais ces six contaminent bientôt six cents personnes trop dociles – ou trop intéressées – et celles-là, six mille qui, flattées d'obtenir le gouvernement des provinces ou le maniement des deniers, tiennent pour le tyran, de proche en proche, tout le pays en servage. Le maléfice de la tyrannie ne dépend donc pas tant du prestige, réel ou supposé, du tyran, ni même du nombre des tyrans, que de l'inertie morale de tous ceux qui se laissent séduire par des courtisans mus par l'ambition. Dépourvus de probité, cupides jusqu'à la turpitude, ils servent, laquais sans dignité, « le visage riant et le cœur transi » (p. 156), complices d'un régime qui sème partout le désastre et la mort. « Ces misérables voient reluire les trésors du tyran et regardent tout ébahis les rayons de sa braveté ; et, alléchés de cette clarté, ils s'approchent et ne voient pas qu'ils se mettent dans la flamme qui ne peut faillir de les consommer [1] » (p. 155).

Que ces tyranneaux se perdent eux-mêmes n'est pas le plus grave. Ce qui, dans cette pyramide sociale vermoulue, est désastreux, c'est que la sourde connivence de ces classes de bourdons sert les tyrans à « accoutumer le peuple envers eux, non seulement à obéissance et servitude, mais encore à dévotion » (p. 145). Ainsi la perfidie du tyran consiste-t-elle à asservir « les sujets les uns par le moyen des autres » (p. 148). Elle fait de lui un véritable « mange-peuples ». Nous tenons là le principe secret des univers concentrationnaires de tous les temps.

Devant le « gros populas » totalement abêti, rien de plus aisé pour le tyran que de se parer, au sommet de cette pyramide sociale, des prestiges de l'Unique. Son pouvoir est sa solitude. Le voilà donc qui, à raison de la forme qu'il impose sournoisement à son pays, s'égale à un dieu. À tout le moins, s'il lui reste quelque lucidité, *joue*-t-il à la divinité. C'est ainsi que, chez les Assyriens, le monarque demeurait invisible, que les pharaons d'Égypte s'entouraient de mystère, que Pyrrhus attribuait à « son gros doigt » des vertus magiques de guérisseur ; et les rois de France eux-mêmes se déclarent « de droit divin »... Ce sont là des moyens de se faire adorer de la

---

1. Le portrait du courtisan a pu être fourni à La Boétie, ainsi que le suggère J. Barrère (*L'Humanisme et la politique dans le Discours de la servitude volontaire*, Champion, 1923, p. 94), par *Il libro del Cortegiano* de Baldassare Castiglione, paru à Venise en 1528 et traduit en français dès 1537. La Boétie connaissait cet ouvrage et lui a consacré un sonnet, « Le parfait courtisan du comte Baltazar Castillonnais ».

masse populaire, qui, des courtisans aux paysans, organise sa propre servitude, et tombe en sujétion comme d'autres en religion.

La Boétie, comme naguère Platon, sait évidemment que le jeu qui se déroule en cette étrange structure sociopolitique laisse souvent place à l'ironie de la contradiction : le tyran doit se garder de tous ceux qui disent le garder. Ne risque-t-il pas, un beau jour, d'être assassiné, et même par « ses plus favoris » (p. 153) ? Ainsi fut tué Domitien par Étienne, ou Commode par une de ses amies. Alors, il s'entoure de gardes et d'archers, de gens de pied et de soldats à cheval ; la force armée qui est à son service protège la divinité tenaillée par la peur. La Boétie n'insiste pas sur le sort à peu près inéluctable du chef divinisé exposé non seulement au fanatisme de quelque irréductible, mais à la noblesse de cœur d'un homme vrai qu'anime le souci de la liberté [1]. La chose est banale : l'histoire, maintes fois, l'a enseignée ; et Platon, mieux que quiconque, l'a dit de façon définitive. Il n'est nul besoin d'épiloguer là-dessus... L'Unique, le Seul, à cause des structures qu'il laisse la veulerie et l'ambition installer sous lui, est virtuellement condamné à mort.

Cependant, deux remarques, ici, s'imposent.

La première, c'est qu'il ne suffit pas d'un cœur bien né et généreux pour supprimer la tyrannie. Ainsi, « Brute le jeune et Casse ôtèrent bienheureusement la servitude, mais en ramenant la liberté ils moururent » (p. 133). Eux morts, la tyrannie pouvait survivre au tyran. Donc « il ne faut pas abuser du saint nom de liberté pour faire mauvaise entreprise » (*ibid.*).

---

1. Voir « qui voudra discourir les faits du temps passé et les annales anciennes, il s'en trouvera peu ou point de ceux qui, voyant leur pays mal mené et en mauvaises mains, aient entrepris d'une intention bonne, entière et non feinte, de le délivrer, qui n'en soient venus à bout, et que la liberté, pour se faire paraître, ne se soit elle-même fait épaule. [...] en tel cas, quasi jamais à bon vouloir ne défaut la fortune » (p. 132).

La seconde remarque est d'un tout autre ordre. Que la solitude du tyran qui s'égale à la transcendance le conduise quasi inéluctablement à sa perte ne signifie nullement que le peuple l'emporte sur le roi ; ni, *a fortiori*, que La Boétie parle, contre la monarchie, en faveur de la démocratie. Même en ses sous-entendus et jusqu'en son impensé, le texte n'autorise pas cette interprétation. Le souffle de la liberté qui donne vie au *Discours* porte en lui une autre signification.

LE SOUFFLE DE LA LIBERTÉ

Malgré de telles analyses, où fulgurent les lueurs de l'indignation, il faut savoir écarter certaines interprétations pourtant bien tentantes : celle, par exemple, de J. Barrère, qui déclare que, par-delà le procès intenté au tyran, la dissertation de La Boétie est un anti-Machiavel, ou celle d'Armaingaud décelant dans le *Discours de la servitude volontaire* un « manifeste républicain ». Évidemment, il faut avouer que de telles interprétations concordent assez bien avec l'esprit de polémique qui a présidé, en 1574, aux premières publications du texte de La Boétie dans *Le Réveille-matin* ou dans les *Mémoires* de Simon Goulart. Agrippa d'Aubigné n'a certainement pas tort lorsqu'il place La Boétie parmi « les esprits irrités qui avec merveilleuse hardiesse faisaient imprimer livres portant ce qu'en d'autres saisons on n'eût pas voulu dire à l'oreille [1] ». Il est donc incontestable que, contre toutes les tyrannies, La Boétie se fait le défenseur de la liberté. Mais la liberté que La Boétie met à l'honneur n'est pas le principe d'un manifeste lancé contre Machiavel – lequel d'ailleurs conviendrait-il de critiquer : celui du *Prince*, ou celui des *Discorsi* ? Et que penser si,

---

1. A. d'Aubigné, *Histoire universelle*, édition de Ruble, 1890, t. IV, p. 189.

comme le dit Rousseau, « *Le Prince* est le livre des républicains [1] » ? Elle n'est pas non plus le principe d'une apologie de la république démocratique qui ne manquerait pas de naître de la subversion politique, voire de la violence révolutionnaire.

C'est, de manière infiniment plus subtile, une *morale politique* qu'exprime le *Discours* de La Boétie. Les articles, assurément, en sont diffus. Mais, en leur inspiration profonde, ils sont, en leur époque, audacieux : non pas parce qu'ils seraient un appel au civisme contre la tyrannie monarchique, mais parce qu'ils sont la clé du bouleversement des idées en matière de philosophie politique.

En mettant en ordre la pensée jaillissante de La Boétie, nous pouvons dégager les trois articles fondamentaux de cette morale politique.

• *Pax et Lex*

Contrairement à ce que l'on croit trop souvent de manière imprudente, faute de lire attentivement le texte du *Discours*, La Boétie ne se fait pas l'avocat d'un droit inconditionnel d'opposition au pouvoir. Il ne défend nullement la thèse du citoyen contre l'État. Plus précisément, il est délibérément hostile à l'émeute, à la conjuration ou à la révolte armée, qui sont toujours sanglantes. C'est pour cela même qu'il s'est écarté des opinions grecques ou romaines admettant le meurtre du tyran dès lors qu'il est reconnu perpétrer l'injustice ou semer le malheur en son pays. Non seulement La Boétie est resté, dans sa vie et dans son œuvre, fidèle à la devise que, étudiant, il avait inscrite au bas du titre d'un recueil d'ordonnances [2], mais son souci constant a été de sauvegarder la paix et la justice : *Pax et Lex*. Il dit aussi : « le roi et la raison » (p. 126).

---

1. Rousseau, *Du contrat social*, *Œuvres complètes*, publié avec la collaboration de François Bouchardy, Gallimard, coll. « Bibliothèque de la Pléiade », t. III, chap. VI, p. 409.
2. Voir note 2, p. 58.

C'est pourquoi, lors même qu'il parle au nom de la liberté et qu'il la défend parce qu'elle est l'attribut essentiel de la nature humaine, il ne conclut jamais au tyrannicide. À la différence de Milton aussi bien que du catholique Jean Bodin, à la différence de la plupart des monarchomaques protestants dont on sait pourtant combien ils se serviront du *Discours*, La Boétie ne voit pas dans le meurtre du tyran le remède à la tyrannie. Certes, c'est bien parce qu'il a pratiqué, eu égard à la tyrannie, une méthode d'observation quasi pathologique qu'il peut, en termes cliniques, parler de liberté. Mais, s'il exprime sans ambages, avec autant de netteté que Théodore de Bèze, Odet de La Noue ou Gentillet, la nécessité de ne pas laisser étouffer un peuple sous le poids des calamités qu'enfante un monarque ivre de sa puissance, il ne considère pas que le tyrannicide soit le juste châtiment de ses méfaits. Ce n'est même pas, à son dire, une délivrance.

En effet, le meurtre du tyran est pure violence. Il consiste, contre la force, à user de la force. Or, la justice ne doit pas, en matière politique, emprunter cette voie qui, non seulement, est nécessairement celle de l'immoralité mais qui, surtout, fait bon marché des conditions et des structures juridiques de l'État. Lors même que l'histoire recèle tant d'exemples de tyrannicides, on ne saurait trouver ni dans le fait ni dans l'appréciation morale d'un état de fait la justification d'un droit. Dire, comme Sénèque, que « ce n'est pas un homicide de tuer un tyran » ou déclarer en substance, comme, plus tard, Saint-Just, que l'on ne peut venger le meurtre du peuple que par la mort du roi n'est pas pertinent. De telles assertions ne situent pas le problème à son niveau véritable, qui est celui du droit fondamental de l'État – du droit public – et non celui des rapports éthiques. Aussi bien le tyrannicide, qui dérive de la vengeance, n'obéit-il qu'à θέμις (justice immanente), qui est infrajuridique et conserve en soi une part d'ὕβρις (démesure). La justice politique, comme toute vraie justice, passe par d'autres voies. En outre, supprimer le tyran ne délivre pas de la tyrannie. Rappelons-nous que le tyran est porté par une pyramide de tyranneaux parmi lesquels il y a toujours quelque ambitieux prêt à prendre sa place : c'est même souvent celui-là qui perpètre le meurtre de l'idole. Le tyrannicide est l'occasion d'une nouvelle tyrannie. Il ne délivre pas ; il accentue la servitude. Donc, la libération du peuple asservi requiert d'autres moyens.

La Boétie est parfaitement clair : « il n'est pas besoin de le combattre [le tyran], il n'est pas besoin de le défaire » (p. 113). De la façon la plus péremptoire, il déclare : « Je ne veux pas que vous le poussiez ou l'ébranliez » (p. 117). Il n'y a de justice que dans la paix ; il n'y a de paix que dans la légalité. Si donc le régime est mauvais, il faut le réformer, mais la réforme doit être effectuée dans les seules voies du droit.

• L'intuition contractualiste

Avec beaucoup de finesse et grâce à un sens politique aigu, La Boétie prélude, dans le *Discours de la servitude volontaire*, aux théories contractualistes du pouvoir. Il explique que, si le tyran n'était pas soutenu par la connivence calculée d'une horde de flatteurs et par la passivité complice du gros peuple qu'ils endorment, il se retrouverait seul : seul, non pas parce qu'il serait au-dessus de tous, mais seul parce qu'il serait abandonné de tous. Et cette solitude-là est privée d'efficience. Qu'est-ce à dire, sinon que, porté par tous, le tyran est tout et peut tout ; et que, abandonné de tous, il ne peut plus rien et n'est plus rien ?

Donc, la liberté du peuple est à chercher dans le pacte tacite qui le lie au prince. D'une part, puisque le détenteur du pouvoir a besoin de l'investiture et du soutien populaires, la liberté apparaît comme le principe de l'autorité politique ; d'autre part et *a contrario*, il suffit que le peuple refuse son aval et son appui au prince parjure ou indigne pour que, celui-ci perdant tout pouvoir, la délivrance advienne à ses sujets. « Ce seul tyran, dit La Boétie, il n'est pas besoin de le combattre, il n'est pas besoin de le défaire, il est de soi-même défait, mais que le pays ne consente à sa servitude ; il ne faut pas lui ôter rien, mais ne lui donner rien » (p. 113).

Comprenons bien : c'est le peuple lui-même qui fait sa servitude ou sa liberté parce qu'il fait ou défait le tyran. Faire le tyran, c'est être son complice et son soutien ; défaire le tyran, ce n'est pas le tuer – on le transforme alors en martyr ou en héros et l'on perpétue la divinisation qu'il appelait de ses vœux (donc, on lui donne raison) –, c'est refuser de le servir. La résistance passive restaure la valeur du politique. Qu'on lui ôte donc les fondations populaires sur lesquelles il édifie son pouvoir et ses rêves d'hégémonie : alors, sa légendaire statue perd son socle et le géant s'écroule. Le peuple, libéré de la peur, recouvre sa disponibilité. « Soyez résolus de ne servir plus, et vous voilà libres » (p. 117). Savoir dire « non », c'est prouver sa liberté ; la force du refus permet la reconquête de soi.

Il serait excessif et faux de vouloir lire en cette analyse une théorie de la souveraineté du peuple. La Boétie n'a jamais entendu porter atteinte au principe monarchique et proclamer la valeur de la démocratie. Avec une logique plus calme, il emprunte la voie du contractualisme. Certes, comme le *Discours*, en sa facture rhétorique, n'est pas destiné à théoriser le thème du contrat, il est sans pertinence de chercher en lui – comme plus tard dans l'œuvre de Hobbes, de Pufendorf ou de Rousseau – l'exposé du mécanisme par lequel un pacte de gouvernement institue la souveraine puissance et lui confère l'autorité politique. Philippe Pot, quelques décennies plus tôt, avait eu une vague idée du mécanisme contractuel qui rend raison du pouvoir du prince. La Boétie n'a cure de cet aspect de technique juridique. Mais il a l'intuition éblouissante de l'importance du rôle que, par son consentement, le peuple est appelé à jouer dans l'État moderne : qu'il subisse le joug d'un seul et, reniant sa nature, il fait la tyrannie ; qu'au contraire, sans combat, il refuse au prince son soutien, il l'abat et accomplit sa vérité d'homme.

L'intuition est profonde ; elle est aussi celle d'un pionnier puisque, si longue et complexe que soit l'histoire de l'idée de contrat [1], il la conçoit, de façon très moderne, comme un *pacte de gouvernement* qui n'est ni un *pactum associationis* ni un *pactum subjectionis*. Elle n'a pas cependant toute la clarté souhaitable. D'une part, elle demeure engluée dans un flot de réminiscences historico-littéraires totalement étrangères à l'idéal épistémologique d'une science politique. D'autre part, l'intuition de La Boétie ne se rattache à aucune «expérience politique [2]» et s'inscrit dans un halo d'idéalisme dont l'évocation de la «liberté de la république de Platon» (p. 137) donne la mesure. Enfin, La Boétie doit concilier sa pensée contractualiste avec son loyalisme monarchique. En ce dernier point, il convient de voir tout autre chose qu'une attitude simplement personnelle comme le fait P. Mesnard. Cet auteur prétend qu'il y a chez La Boétie «un royalisme sans adhésion au principe monarchique» qui le rend très «respectueusement irrévérencieux [3]». Il s'agit en fait d'autre chose. Au milieu du XVIᵉ siècle, ébranler le principe monarchique n'est guère pensable : c'est un lieu commun du temps, partagé par la quasi-totalité des doctrinaires jusqu'au XVIIIᵉ siècle, de croire à la supériorité de la monarchie sur toutes les autres formes de gouvernement. L'idée que l'on se fait du «peuple» est d'ailleurs si mêlée et juridiquement si floue que l'on pense toujours l'*autre* de la

---

1. Nous renvoyons en ce point à notre ouvrage *L'Interminable Querelle du contrat social, op. cit.*

2. P. Bonnefon insiste sur ce point : La Boétie, dit-il à plusieurs reprises, n'a ni l'expérience qu'acquiert l'homme politique par la pratique ni celle que le théoricien acquiert en conjoignant la doctrine et l'événement. À cet égard, donc, La Boétie ne peut être comparé ni à Machiavel ni à Bodin.

3. P. Mesnard, *op. cit.*, p. 398.

monarchie, c'est-à-dire la démocratie, en termes péjoratifs. La Boétie ne fait pas exception ; c'est pourquoi il sert la monarchie [1]. En revanche, l'idée contractualiste lui permet de dénoncer la mauvaise foi du prince, les abus de pouvoir dont il se rend coupable, les détournements d'autorité qu'il commet en rompant l'engagement tacite qui le lie à son peuple puisque celui-ci lui a accordé sa confiance pour qu'il le gouverne.

Il est donc bien clair que, politiquement parlant, la monarchie n'est pas en question. Le *Discours* n'est pas une entreprise de subversion « idéologique ». Mais l'idée de contrat permet de laisser voir les dangers qui viennent des défaillances du prince ou de la passivité des sujets. Ainsi, à la faveur de l'intuition contractualiste qu'exprime le *Discours*, La Boétie est l'un des premiers à montrer que le monarque, loin de ne posséder que des droits, a des devoirs envers le peuple – la puissance souveraine est une charge que le peuple confie au prince ; il doit l'assumer – et que, réciproquement, les sujets n'ont pas seulement le devoir d'obéir au prince, mais le droit de le juger puisqu'ils lui ont donné l'investiture, et le droit de le déposer en lui refusant son soutien dès lors qu'il faillit à son office. L'idée est neuve et incisive ; elle fera un long chemin et sera le principe du droit d'opposition du peuple : à la charge royale s'attachent des devoirs ; si le monarque ne les remplit pas, le peuple a le droit de s'opposer à lui, voire de le destituer. Quant au devoir des sujets, il se transforme : il est moins dans l'allégeance au prince que dans l'obligation d'empêcher toute atteinte au droit naturel de liberté. La Boétie entrevoit ainsi la signification complexe de l'obligation politique en laquelle

---

1. Il est possible que La Boétie ait été exaspéré par la médiocrité de certains traités politiques de la première moitié du XVIᵉ siècle – ceux, par exemple, de Jean Ferrault, de Charles de Grassaille, de Claude Gousté... – dont la finalité était de vanter les privilèges des rois. Cela est simple conjecture. À tout le moins est-il certain que les excès de la monarchie – ceux de tous les temps et de tous les pays – sont apparus à La Boétie comme une atteinte à l'essence même de la monarchie.

– chez les gouvernants aussi bien que chez les gouvernés – devoir et droit se médiatisent réciproquement.

Cette logique nouvelle arrache la condition politique aux mystères et aux ténèbres. Avec des accents modernes qui, au milieu du XVIe siècle, sont d'une étonnante hardiesse, elle prépare l'éveil de la conscience de rationalité nécessaire à l'affranchissement des peuples.

• Raison et liberté

La morale politique de La Boétie pourrait se résumer en une phrase : « nous ne sommes pas nés seulement en possession de notre franchise, mais aussi avec affectation de la défendre » (p. 119). Le devoir qu'a l'homme de sauvegarder son droit naturel à la liberté est en quelque sorte l'index de sa vérité d'homme. Cet humanisme libéral, qui pourrait s'apparenter à la morale érasmienne telle qu'elle apparaît dans l'*Institution du prince chrétien*, qu'au demeurant connaissait bien La Boétie, ou qui pourrait devancer la pensée de Bayle ou de Jurieu, soucieux des droits de la conscience, est, en fait, extrêmement audacieux à l'époque où il se formule. D'une part, il exprime une sagesse tout imprégnée de rationalité et, à ce titre, annonce déjà, avec près de deux siècles d'avance, la pensée des Lumières. D'autre part, il est riche d'axiomes implicites qui fissurent la doctrine politique traditionnelle et annoncent une nouvelle manière de concevoir les rapports constitutifs du politique.

a. Humaniste et moraliste, La Boétie est fondamentalement préoccupé par l'humaine condition. C'est pourquoi il attache tant de prix à ce que les hommes sachent, lorsque l'autorité politique les abuse et les mystifie, recouvrer leur liberté. En un mot, il faut que leur condition soit conforme à leur nature. Si donc, sous un monarque qui manque de probité, leur servitude est le signe de leur dénaturation, il leur faut reconquérir leur vérité originaire. D'ailleurs, précise La Boétie (p. 114), il n'en coûte rien à l'homme de « se remettre en son droit naturel, et, par manière de dire, de bête revenir homme ». En un sens, vouloir être libre et être libre sont déjà une seule et même chose.

Seulement – l'histoire l'a abondamment prouvé et l'événement contemporain le confirme –, l'homme ne reconquiert pas spontanément son humanité perdue. Il faut l'en presser. L'on sait, en effet, que cette seconde nature qu'est la « coutume » – ou l'habitude de vivre comme on est né – masque, pour l'homme qui a propension à la passivité, sa destination essentielle qui est de jouir pleinement du bien naturel qui lui a été donné. Il convient donc de l'inciter à retrouver son droit et sa franchise.

Les moyens à mettre en œuvre pour atteindre une telle fin se découvrent par un raisonnement des plus clairs. Puisque les peuples sont « insensés » (p. 115) et que, dans leur « aveuglement » (*ibid.*), ils sèment eux-mêmes le fruit amer de la servitude (p. 116), il faut les éclairer pour qu'ils recouvrent, avec le bon sens, la franchise inscrite en leur nature. L'idée paraît toute simple. À vrai dire, la lucidité logique de La Boétie devance, de près de deux siècles, le rationalisme pratique des penseurs du XVIIIᵉ siècle. De Pope à Condorcet s'exprimera, à la fois avec constance et profusion, ce souci d'éclairer les hommes afin qu'ils échappent à leur dénaturation. Kant, tout particulièrement, insistera sur ce thème. Il est difficile, évidemment, de dire avec certitude si Kant, écrivant, en décembre 1784, l'article de la *Berlinische Monatsschrift* intitulé « *Was ist Aufklärung ?* », avait lu le factum de La Boétie puisque l'inventaire de sa bibliothèque n'en fait pas mention [1]. Toutefois, la rencontre des deux penseurs est patente : il est grand temps, disent-ils en substance l'un et l'autre, que le progrès des Lumières,

---

1. Voir Jean Ferrari, *Les Sources françaises de la philosophie de Kant*, Klincksieck, 1980.

en éclairant les hommes, à la fois sur leur funeste condition et sur la vocation essentielle à la liberté que la nature leur a donnée, les aide à secouer les grelots que tous les dogmatismes – philosophiques, religieux et politiques – ont, depuis si longtemps, attachés à leurs pieds. Si la dénaturation de l'homme provient des ténèbres que les coutumes ont étendues sur lui en le forçant à la cécité, il n'est plus permis de « faire l'aveugle » ; rendre l'homme à sa nature véritable – à « sa franchise naturelle » – passe par *les clartés de la raison*. La Boétie, comme les penseurs de l'Aufklärung, comme Kant lui-même, aurait pu dire : *Sapere aude*. Tel est le stoïcisme des Temps modernes.

Pour ce retour aux sources originaires et aux droits naturels de l'homme, l'humanisme de La Boétie laisse entendre la valeur d'une prise de conscience et de l'effort critique. Sans cette audace – qui sera celle de Bayle ou de Voltaire –, ni la fausseté des gloires du tyran ni la fausseté de l'obéissance dévote des sujets n'apparaîtront. L'affranchissement des peuples asservis est donc d'abord œuvre de connaissance. Il n'est possible que par la raison et le bon sens, et résulte, somme toute, de leur exercice éclairé. Le savoir restitue l'homme en sa droiture ; partant, source de vérité, il est aussi le creuset de la vertu et de la liberté. Voilà bien pourquoi les tyrans ne l'aiment pas.

On pourrait donc dire que la sagesse humaniste de La Boétie s'apparente à un rationalisme pratique en quoi se renouvelle la morale stoïcienne et se préparent les Lumières agissantes du XVIIIe siècle. Il convient cependant d'être beaucoup plus nuancé. Car s'il est faux de dire, comme le fait J. Barrère, que le *Discours* ne contient qu'une « morale élémentaire » conforme aux idées de son temps irrité par le machiavélisme [1], il est excessif, donc également faux, de déchiffrer dans l'œuvre de La Boétie une morale militante apte à produire un « despote éclairé » et un « peuple éclairé ». L'originalité de

---

1. J. Barrère, *L'Humanisme et la politique, op. cit.*, p. 113.

La Boétie est d'oser dire ce que ni Rabelais, ni Érasme, ni G. Budé n'avaient dit : que, en un temps où l'on voit paraître tant de traités d'institution du prince, il est tout aussi important de travailler, dans l'État moderne, à l'*institution du peuple*.

Cette idée ne suffit pas à faire du *Discours de la servitude volontaire* un traité d'éducation. Mais on s'aperçoit en l'analysant combien il est tendancieux de taxer La Boétie d'utopiste. Car, en cette institution du peuple, il montre, avec un réalisme exemplaire, qu'il faut savoir tenir compte des dimensions psychologiques et sociales de la condition humaine.

En effet, explique-t-il, ceux qui ont « la tête d'eux-mêmes bien faite » et qui, de surcroît, « l'ont encore polie par l'étude et le savoir » (p. 131) voient d'emblée en quoi consiste le bien pour l'homme. « Mieux nés que les autres », ils ne « s'apprivoisent jamais de la sujétion » et, lors même que « la liberté serait entièrement perdue et toute hors du monde, [ils] l'imaginent et la sentent en leur esprit » (*ibid.*). Il n'est pas besoin de leur enseigner en quoi consiste la franchise : ils en ont le sentiment vif interne. Mais La Boétie sait combien est large l'abîme qui, surtout en matière politique, sépare la pensée et la réalité (d'autres diront « la théorie et la pratique »). Leur entendement trop net et leur esprit trop clairvoyant, loin d'être un gage de libération, sont, en définitive, sans efficace : ou bien, estimés dangereux, ils sont réduits au silence par le pouvoir en place ; ou bien, dans leur passion de la liberté, ils ont trop de hâte à ébranler la servitude et perdent leur vie (p. 133). La conclusion est incisive : « il ne faut pas abuser du saint nom de liberté pour faire mauvaise entreprise » (*ibid.*).

Par conséquent, pour lutter contre la tyrannie, il faut plus d'humilité et plus de diplomatie. Le « gros populas » possède l'humilité. Mais La Boétie apprécie peu ce « grossier vulgaire » qui ne regarde que ce qui est à ses pieds, qui n'a ni souvenirs ni projets, ni regrets ni espoirs et qui, comme les bêtes, se borne, sans réfléchir, à vivre dans l'instant présent. Le bas peuple est trop alourdi par l'inertie qu'engendre l'habitude, trop aveuglé par le prestige du maître, trop « charmé » par des fables mensongères pour penser à sa liberté naturelle. La populace a trop de pesanteur pour qu'il soit vraiment possible de l'éduquer et d'envisager que la démocratie puisse être l'antidote de la tyrannie. L'institution du peuple doit chercher une alliée dans la diplomatie, qui est le privilège d'une aristocratie d'hommes raisonnables. Elle fait de la modération le critère de la sagesse. Elle vise donc à faire comprendre à ces hommes raisonnables que la libération, loin de passer par la révolte violente, consiste dans la résistance passive du grand nombre. Pour s'opposer efficacement à la déraison du tyran, la raison doit fuir les extrêmes. Par conséquent, grâce à la diplomatie de ces gens sages qui comprennent les vertus du juste milieu, l'institution du peuple consiste à lui montrer que l'allégeance et la rébellion sont aussi néfastes politiquement l'une que l'autre. La morale politique de La Boétie prépare, par son appel à la modération de la raison, l'avènement de la citoyenneté.

Ainsi apparaît la finalité de l'institution du peuple : le conduire à la citoyenneté. D'ores et déjà, il est pour La Boétie deux certitudes : les hommes ne seront jamais des citoyens tant qu'ils accepteront sans mot dire d'obéir aveuglément aux ordres de leurs gouvernants ; ils ne seront jamais non plus des citoyens s'ils prétendent acquérir leurs droits par la force. Le temps de la féodalité est mort ; mais il faut empêcher le temps des révolutions.

b. L'éthique politique de La Boétie n'est pas un rêve d'humaniste : elle n'est ni un péché de jeunesse, trop « simple d'idées », comme le soutient Sainte-Beuve, ni, comme le croit P. Bonnefon, la « sublime illusion » d'un cœur généreux. Que La Boétie écoute les élans d'une jeunesse enthousiaste est indéniable. Mais, d'une part, il possède assez de réalisme psychologique pour savoir combien il est malaisé de faire comprendre à la multitude

toujours bornée en quoi consiste le devoir de citoyenneté ; c'est pourquoi il n'a cure de s'ériger en réforma-
teur. Il sait même que le temps des réformes politiques
n'est pas arrivé. D'autre part et surtout – ceci étant
d'ailleurs une conséquence de cela –, il comprend avec
une parfaite lucidité que sa morale politique serait un
vœu pieux si elle ne s'assortissait de tout un appareil
institutionnel, car il faut pallier avant tout, dans l'entreprise de libération des peuples, la carence de leur spontanéité. Aussi bien son *Discours* offre-t-il, implicites et
diffus mais riches de conséquences, les prolégomènes
d'une nouvelle philosophie du droit politique ; à tout le
moins en annonce-t-il la venue prochaine.

   Il serait imprudent d'oublier que le *Discours de la servitude volontaire* a été, sinon écrit, puisque les dates de
composition sont mal connues, du moins très probablement remanié et complété alors que La Boétie étudiait la
jurisprudence à l'Université d'Orléans. Il faut se rappeler,
à la lecture du texte, le climat intellectuel du lieu et du
moment : avec la même passion pour la raison et pour
la liberté, étudiants et professeurs débattent sans fin des
problèmes du droit dans les jeunes États d'Europe qui ne
ressemblent plus ni à l'antique Cité ni au règne de la
féodalité [1]. L'intelligence d'Anne du Bourg, l'amitié de
Lambert Daneau appartiennent à l'horizon culturel de
La Boétie. La formation littéraire et la générosité de
l'érudit n'ôtent rien à ses préoccupations juridiques. Si
l'adolescent ne peut encore s'engager dans les affaires
politiques, il est déjà convaincu qu'il faut une doctrine
pour en éclairer le cours. Et il faut une doctrine nouvelle
qui s'affranchisse, elle aussi, des dogmatismes invétérés
et de la tradition théologico-politique dont la scolastique
s'est encombrée et dont elle a perverti les idées des

---

   1. Plusieurs auteurs ont mentionné un dialogue *De jurisdictione
omnium judicum*, rédigé par Daneau, demeuré manuscrit et qui se
trouve à la bibliothèque de Berne, dans lequel sont évoquées les réu-
nions des jeunes juristes d'Orléans.

légistes. Non seulement, donc, La Boétie entend donner aux sentiments libéraux qui inspirent son éthique politique une infrastructure juridique, mais il ressent de manière impérieuse la nécessité de renouveler la doctrine du droit public.

Sur ce point comme sur tant d'autres, La Boétie ne s'engage pas dans une éristique théorique. Il avait lu Claude de Seyssel et avait été frappé par cette remarque que contient *La Grand'Monarchie*, à savoir que, « après tant de bons esprits anciens et modernes », il est quasi impossible d'inventer une nouvelle forme de gouvernement. Toute *disputatio* purement doctrinale lui apparaît donc vaine. D'ailleurs, une telle attitude, qui s'apparente à la scolastique, relève du dogmatisme stérile qui est intolérable à l'esprit renaissant. C'est pourquoi, avec bien plus de subtilité, La Boétie ne propose pas explicitement un corps de doctrine juridique qui balaierait les principes dorénavant périmés de la féodalité ou de la monarchie traditionnelle ; il se borne à en suggérer les normes directrices et les postulats fondamentaux. Il faut donc aller à l'implicite du *Discours* – mais à un implicite qui, loin d'être un impensé, est gros d'une philosophie radicalement neuve [1].

Afin de capter les axiomes de cette nouvelle philosophie du droit public, il faut revenir à l'idée contractualiste dont La Boétie a laissé entendre qu'elle conditionnait à la fois l'autorité du prince et la sauvegarde des peuples. L'analyse de la tyrannie a montré que les peuples font eux-mêmes les tyrans. L'examen des conditions nécessaires pour rendre les hommes à leur droit essentiel a montré qu'ils sont les propres artisans de leur liberté. Il est donc tout à fait inutile d'invoquer

---

1. C'est pourquoi nous ne pouvons pas souscrire au jugement si souvent répété selon lequel le *Discours* de La Boétie a une portée destructrice mais non constructrice.

un droit divin, comme si souvent on l'a fait [1], pour expliquer la nature du politique et pour légitimer l'autorité des rois. L'audace de La Boétie, on en conviendra, est grande de penser et d'insinuer, contre toute la plus vénérable tradition, et comme Machiavel, que la condition politique des hommes ne dépend que d'eux. Oser dire qu'en matière de politique Dieu est muet, oser penser que la vieille formule de saint Paul *Nulla potestas nisi a Deo* n'a plus cours et qu'il n'existe pas de principe de légitimité en dehors des peuples mêmes ne se peut qu'avec une infinie prudence [2]. Il reste que – sans songer jamais à nier Dieu – La Boétie projette dans son intuition contractualiste une nouvelle compréhension du politique qui ne doit rien, selon lui, aux décrets divins. On a parlé, à ce propos, d'un discours « idéologique [3] » qui, cherchant en l'homme seul les raisons de la condition humaine, assignerait à l'État une puissance telle qu'elle prendrait en charge la totalité sociale [4]. C'est, nous semble-t-il, aller trop loin. Le *Discours* se borne à porter témoignage de la désagrégation de la pensée théologique du politique. Il montre, exemples historiques à l'appui, que la vie dans l'État ne s'organise pas selon les normes imposées par la transcendance, mais d'une manière horizontale par le contrat laïque qui lie indissolublement, de

---

1. La solution classique du problème politique pouvait, en effet, se résumer dans la formule *Nulla potestas nisi a Deo*, qu'invoquaient d'ailleurs les Parlements eux-mêmes pour repousser toute tentative réformiste ; on ne touche évidemment pas sans sacrilège aux décrets de Dieu. Du même coup, on se condamne à l'immobilisme. Calvin, dans son *Institution chrétienne* (1536), considère expressément que le magistrat suprême a « mandement de Dieu ».

2. Grotius, en 1625, dans les « Prolégomènes » du *De jure belli ac pacis*, où il vient d'évoquer le droit comme « establissement humain », dira encore : « Tout ce que nous venons de dire aurait lieu en quelque manière, quand même on accorderait, ce qui ne se peut sans un crime horrible, qu'il n'y a point de Dieu » (trad. Barbeyrac, 1724, § XI).

3. Cl. Lefort, « La naissance de l'idéologie et l'humanisme », in *Textures*, n° 6-7, 1973.

4. M. Abensour, présentation du *Discours de la servitude volontaire*, Payot, *op. cit.*, p. XXVII.

façon positive ou négative, le prince et les sujets. Il ne laisse découvrir ni perspective étatiste ni puissance de l'idéologie. Mais, en désacralisant le politique, La Boétie participe du même courant de pensée que Machiavel et se laisse deviner, déjà, comme un penseur de la modernité attentif, non plus à exprimer le rapport de la condition humaine à l'ordre de la divinité, mais à réfléchir sur le rapport de l'homme à l'humanité.

Les conséquences de cette prise de position sont claires : un réaménagement des perspectives sociopolitiques est à envisager. La Boétie en esquisse l'épure en pointillés lorsqu'il indique l'importance que prend l'institution du peuple dans l'État moderne. En effet, avant Locke et Rousseau, avant Diderot et Kant, La Boétie a su prendre conscience de l'inadéquation de l'ordre médiéval aux requêtes de l'État moderne *in statu nascendi*. Les structures que proposait l'augustinisme politique – peu fidèle d'ailleurs à la pensée de saint Augustin, mais c'est un autre problème – pour la Cité terrestre devaient répéter comme en écho les structures de la monarchie pontificale de sorte que, par la médiation des princes, la transcendance divine s'imposait à la sphère sociopolitique. La Boétie perçoit le caractère mythique et mystifiant de ce schéma. Même si l'on tient compte de la naïveté des peuples toujours prêts à adorer une idole, il est grand temps de comprendre que le pouvoir politique n'est pas fondé en Dieu, que le prince n'est pas un lieutenant de Dieu sur la terre et que cette politique de la verticalité n'est qu'une fable. Ceux qui gouvernent ne sont fondés à le faire qu'à raison du pacte de gouvernement par lequel le peuple leur accorde investiture. La Cité terrestre a besoin du seul ordonnancement que l'homme lui confère et qui définit, en même temps que le statut de l'État, les formes d'existence de tout un peuple. La politique ne regarde pas le Ciel. Elle est l'œuvre de l'homme, horizontale et laïque.

Ainsi le *Discours de la servitude volontaire* travaille-t-il à affranchir le politique du théologique. La vieille formule « une foi, une loi, un roi » n'a pas de place dans la pensée de La Boétie. Sa volonté de sécularisation du champ du politique est plus forte que celle de F. Hotman ou que celle de Duplessis-Mornay. Bien mieux que ne le fera Pufendorf, il suggère la nécessité d'organiser désormais l'État moderne autour d'une loi profane de rationalité. Cela ne veut pas dire que la liberté des hommes exige un monde sans Dieu, mais qu'elle implique en l'homme l'éveil – ou, mieux, le réveil – de la conscience de soi qu'enveloppait sa nature originaire. En sa condition politique, l'homme n'est pas *sub Deo et sub lege Dei* ; il doit s'en remettre à lui-même. C'est pourquoi le *Discours* ne laisse apercevoir aucun horizon eschatologique. La Boétie est de ceux qui pensent que, dans la Cité et dans le monde, la situation des hommes ne dépend en définitive que d'eux-mêmes : leur liberté, de même que leur servitude, est leur œuvre ; ils ont la condition qu'ils méritent.

Il n'est guère douteux qu'en ce nouveau mode de pensée, il y a, de la part de La Boétie, une sorte d'héroïsme intellectuel. Affirmer que, le pouvoir souverain étant désacralisé, il appartient aux hommes d'aménager en conséquence leur condition, conformément aux requêtes congruentes de raison et de liberté de leur nature, est un programme qui ne va pas sans audace : non point tant parce que La Boétie s'oppose à une tradition prestigieuse que parce qu'il touche du doigt le problème le plus profond de la philosophie politique, celui même de l'*essence du politique*. En effet, le rapport spécifique de gouvernants à gouvernés qui caractérise cette essence est en train, par les sous-entendus de sa pensée, de devenir la relation de souveraineté à citoyenneté [1].

---

1. Les historiens des idées disent généralement que la première théorie de la souveraineté a été donnée en 1576 par Jean Bodin dans *Les Six Livres de la République*, livre I, chapitre VIII, où la souveraineté est définie comme « puissance absolue et perpétuelle d'une république »

Insistons une fois de plus sur l'incapacité de La Boétie de se hausser à une théorisation de sa doctrine : l'État laïque édifié sur des bases contractualistes dont la raison est la cause efficiente et dont la liberté est le principe téléologique n'est pas dessiné en traits assurés par le *Discours de la servitude volontaire*. Le texte cache cependant en ses méandres une volonté de rupture à l'égard du passé qui va de pair avec une nouvelle compréhension de la réalité humaine [1]. L'auteur du

––––––––––

(éd. de 1583, reproduite par Scientia Verlag, Aalen, 1961, p. 122). L'image est belle aussi que Bodin utilise dès le chapitre II (p. 19) pour souligner l'importance essentielle de la puissance souveraine en toute république : « tout ainsi que le navire n'est plus que bois sans forme de vaisseau, quand la quille qui soutient les côtés, la proue, la poupe et le tillac, sont ôtés : aussi la république sans puissance souveraine, qui unit tous les membres et parties d'icelle, et tous les ménages et collèges en un corps, n'est plus république ». De cette image, le juriste Loyseau, manifestement, se souviendra lorsqu'en 1608, dans son *Traité des seigneuries* (II, 4-9), il écrira : « La souveraineté est la forme qui donne l'être à l'État ; elle est du tout inséparable de l'État duquel, si elle était ôtée, ce ne serait plus un État. » Cependant, on a moins remarqué que Jean Bodin a été également le premier auteur à proposer, sinon une théorie de la citoyenneté, du moins une définition juridique du citoyen. Celui-ci, en son statut spécifique, se distingue, dit-il, d'une part de l'esclave qui n'est pas « franc » et, d'autre part, de l'étranger, qui est débouté de toute fonction civique. Mais, pour Bodin, l'essentiel réside dans le fait que le citoyen ne peut se définir que dans son rapport au souverain (chap. VI, p. 93). Or, le *Discours* de La Boétie contient l'intuition, diffuse et souvent estompée par l'apparat rhétorique, de la relation mutuelle de réciprocité par laquelle le *citoyen* et le *souverain* se font l'un par l'autre. En 1579, c'est à l'intuition fondamentale de La Boétie que, par-delà le gros œuvre de Bodin, se référera l'auteur des *Vindiciae contra tyrannos* lorsqu'il développera la thèse du lien contractuel qui unit souveraineté et citoyenneté. Nous avons développé ce thème dans notre article « Au tournant de l'idée de démocratie… », *op. cit.*

1. C'est le XVIIIᵉ siècle qui, par-delà les résistances et les réticences du XVIIᵉ siècle opiniâtrement attaché à la théocratie, consommera à la fois cette rupture et cette nouveauté. Diderot ne s'y trompera pas lorsque, dans sa *Réfutation d'Helvétius*, il dénoncera tous les gouvernements arbitraires et déclarera – position bien différente de celle de l'*Encyclopédie* – que le droit d'opposition est sacré (*Œuvres*, éd. Assézat-Tourneux, Garnier, 1876, t. II, p. 381). Lorsque, quelques lignes plus loin, il écrit « Malheur aux sujets en qui l'on anéantit tout

Discours est l'un de ces « porteurs de torches qui éclairent les routes de l'avenir [1] ».

*

C'est une banalité que de répéter la formule de P. Villey : « le XVIᵉ siècle ouvre l'âge moderne ». Pourtant, elle s'applique exactement au *Discours de la servitude volontaire*. Bien que La Boétie n'occupe, par sa vie trop brève et par son œuvre trop courte, qu'une place relativement étroite aux côtés des princes de l'humanisme, des pionniers de la Réforme et de son ami Montaigne, il a apporté, par son *Discours*, un tribut remarquable au renouveau de la sensibilité intellectuelle et politique qui s'opère en son siècle. Mieux que quiconque, il a osé, dans le domaine politique où la critique ne va jamais sans risques, pratiquer le libre examen et, en dénonçant les dogmatismes de tous genres, en appeler à l'autonomie des consciences. Aussi bien sa philippique dépasse-t-elle largement, par sa portée, le cadre de la conjoncture historique. Elle n'est un manifeste ni contre le roi ni même contre la cour. La Boétie n'y manie ni l'invective ni la diffamation à l'encontre des rois de France. Sa véhémence ne s'adresse qu'à la *via scelerata* de la tyrannie et de la servitude qui, en tous temps et dans toutes les nations, en est l'ombre portée. C'est donc en termes généraux et transhistoriques qu'il pense « amère la sujétion » et « plaisant d'être libre » (p. 129).

---

ombrage sur leur liberté, même par les voies les plus louables en apparence... C'est ainsi que l'on tombe dans un sommeil fort doux, mais dans un sommeil de mort, pendant lequel le sentiment patriotique s'éteint, où l'on devient étranger au gouvernement de l'État... », il est fort possible qu'il ait songé à La Boétie. N'en concluons pas néanmoins que la Révolution française a pu s'inspirer de La Boétie ; voir D. Richet, *Autour des origines idéologiques lointaines de la Révolution française : élites et despotisme*, in *Annales ESC*, 24, 1969 (p. 1-23). Tout au plus a-t-elle pu l'utiliser bien au-delà de ses intentions.

1. H. Hauser, *La Modernité du XVIᵉ siècle*, Alcan, 1930, p. 20.

Son « engagement » politique est plus doctrinaire que militant, même s'il croit au pouvoir pratique des idées et ouvre l'ère des littératures de dissidence.

Pourtant, le *Discours* contient une sorte d'énigme puisque la doctrine ne s'y organise pas et, avec une étonnante réserve, s'y laisse simplement deviner. Le souffle de la liberté n'a pas, chez La Boétie, en raison de sa sensibilité et de son tempérament politiques, la rigueur d'un exposé juridique. C'est F. Hotman – traducteur, selon toute vraisemblance, des quelques pages du *Discours* insérées en latin dans *Le Réveille-matin* – qui a donné aux intuitions de La Boétie la forme juridique qu'elles ne possédaient pas. Il a compris que la force immanente du texte était à chercher dans le non-dit de ces pages écrites avec la fougue de la jeunesse. On peut évidemment soutenir avec P. Bonnefon qu'« aux jours d'émeute on cherche à faire arme de tout : des pavés des rues comme des œuvres du passé [1] ». Alors, on croira que le protestant Hotman, indigné par la persécution des hérétiques qu'avait ordonnée la monarchie, a interprété les sous-entendus du *Discours* de manière excessive et l'a détourné de son sens. Il reste que, même si Hotman a fait de certains passages une arme de combat, il a saisi la puissance de renouvellement des structures politiques et de leurs incidences sociales qui loge en la prose de La Boétie. Et, si l'on met entre parenthèses la passion que déchaîne chez ce huguenot le scandale de l'événement, on s'aperçoit qu'il a exprimé juridiquement la doctrine que La Boétie avait seulement pressentie. La vieille idée de contrat est en train d'acquérir dans le droit public une force novatrice jusqu'alors insoupçonnable, qui sera appelée à bouleverser bientôt la philosophie politique [2].

---

1. La Boétie, *Œuvres complètes*, *op. cit.*, Introduction, p. LIII. Nous renvoyons sur ce point à notre ouvrage *L'Interminable Querelle du contrat social*, *op. cit.*

2. L'idée de contrat, sur laquelle – avant l'inflation contractualiste des XVIIe et XVIIIe siècles, qui fera de cette notion un véritable lieu commun de la pensée politique – insisteront Bodin en 1576 dans *Les Six Livres de la République* (livre I, chap. VIII, notamment p. 135, la distinction du contrat et de la loi) et Duplessis-Mornay, en 1579, dans

Elle met en pleine lumière l'originalité de l'« humanisme » de La Boétie.

Afin de prendre conscience de cette originalité, il est nécessaire d'écarter d'abord un malentendu qui tient à l'utilisation souvent faite du *Discours* aux périodes troublées de l'histoire de France et, tout particulièrement, chaque fois que la nation se dressait contre l'autorité souveraine. La Boétie, dans sa dissertation, ne lance pas un appel à la sédition ; selon lui, la résistance à la misère et à l'oppression ne passe ni par la subversion ni par la violence et le meurtre. Il n'a jamais eu dessein d'apporter une justification aux régicides. Même dans ses assertions les plus hardies, il ne pense pas la défense de la liberté en termes de révolution car, estime-t-il, tout recours à la force implique la méconnaissance du droit ; non seulement il est marqué de vanité et de désespoir, mais il porte atteinte à l'essence du politique. À l'heure où coïncident dans l'histoire la formation de l'institution étatique et l'affaiblissement du vieux projet de *Respublica christiana* [1], La Boétie pense plutôt la liberté en termes de restauration : il faut rendre l'humanité à sa vérité première, à sa nature « franche », parce que c'est en elle que la vie politique trouve son principe et sa fin. Cette *restitutio in integrum* est la restauration ontologique de l'homme.

En replaçant donc la pensée de La Boétie à l'altitude qui est la sienne, il apparaît que le *Discours* exprime la confiance qu'il place en la nature humaine et l'importance du devoir qu'a l'homme dans l'État de préserver sa nature originaire. Autrement dit, l'humanité est une

les *Vindiciae contra tyrannos*, est pressentie au XVIᵉ siècle par de nombreux auteurs comme Théodore de Bèze, Buchanan, Odet de La Noue... Mais leurs œuvres, qui sont contemporaines de la publication du *Discours* dans *Le Réveille-matin* et dans les *Mémoires de l'État de France*, sont postérieures à sa rédaction. L'intuition de La Boétie est donc bien celle d'un pionnier.

1. Voir G. Burdeau, *L'État*, Seuil, 1970, p. 42.

valeur que tout homme, sous peine de se nier en demeurant passivement dans les chaînes, doit *vouloir* et *savoir* défendre. Le sens de l'humanisme de La Boétie réside donc beaucoup moins dans les humanités dont, comme ses contemporains, il est nourri que dans l'affirmation selon laquelle la volonté et la raison sont aptes à maintenir l'homme en sa vérité : en effet, grâce à elles, il devient impossible de toucher à ce que l'homme est.

Ainsi, loin de céder à un idéalisme utopique, La Boétie prépare la grande péripétie de la philosophie politique qui, après Grotius [1] et les penseurs des Lumières [2], fera de l'homme – et, plus précisément, de sa raison pratique constituante – le seul maître d'œuvre du monde politique. Mais alors, s'il n'appartient qu'à l'homme de gouverner la terre des hommes, il lui appartient de déterminer lui-même sa condition : il est responsable de son sommeil dogmatique et de sa servitude, comme il est responsable de son réveil et de sa liberté. Cette conscience de responsabilité est une expression de bon sens : c'est pourquoi elle implique que soit écarté tout le fatras imaginaire dont, depuis tant de siècles, on a entouré les rois et que soit éduquée la raison, condition de progrès et d'optimisme juridique. La Boétie ose dire que l'homme est le support des valeurs fondamentales de sa condition : l'homme s'avance, au-devant de la scène politique, vers l'affirmation de la conscience de soi.

Malgré les assauts de l'absolutisme théocratique qui ponctueront la pensée politique du XVIIe siècle, la maturation de la conscience politique, dont La Boétie exprime les premiers accents, ne pourra pas être enrayée. Bientôt,

---

1. Grotius, de manière plus explicite, exposera en 1625 que, le droit étant une détermination essentielle de la nature humaine, la nature de l'État doit être cherchée à partir des tâches que lui impose sa finalité rationnelle.

2. Kant et Fichte, que l'on peut considérer comme les philosophes en qui culmine et s'achève le mouvement des Lumières, penseront le droit public comme le lieu où doit s'accomplir, conformément à la raison naturelle, la destination de l'homme : précisément, sa liberté.

Spinoza et Rousseau pourront dire – quoique dans un autre contexte – que c'est dans la Cité que l'homme est libre et qu'il y fait lui-même sa liberté. Là est l'essentiel. Le grand mérite de La Boétie est d'*avoir inauguré* l'intelligibilité de transparence dont, en dehors des procédures obscurcissantes de la théologie, la liberté des peuples est la plus haute conquête. En percevant l'ébranlement tout proche des valeurs, et en disant aux hommes raisonnables que l'heure des choix est arrivée, La Boétie est cet « esprit libre » qui, l'un des premiers, a osé déclarer qu'il est grand temps de lever l'hypothèque par laquelle la tradition théologico-métaphysique et la féodalité médiévale – qui sont l'index de ce que l'on appellera bien plus tard les « totalitarismes » – ont condamné les peuples non pas même à l'immobilisme, mais à une servitude nihiliste. Dans sa parole neuve, La Boétie n'a rien d'un révolutionnaire, mais il est assurément le premier des Modernes. Il l'est avec près de deux siècles d'avance. Et si, en face des monarchies de son temps, son essai avait le ton d'une « inactuelle », il a conquis, en franchissant les temps, une actualité qui ne peut pas se démentir : il y va, dans l'État moderne, de la dignité ontologique de l'homme, en un mot, de son « humanité ».

Simone GOYARD-FABRE

Discours
de la servitude volontaire [1]

---

1. Le titre *Contr'Un*, souvent utilisé, n'a pas été donné au *Discours* par La Boétie.

> D'avoir plusieurs seigneurs aucun bien je n'y voi :
> Qu'un, sans plus [1], soit le maître et qu'un seul soit
> le roi,

ce disait Ulysse en [2] Homère, parlant en public. S'il n'eût rien plus dit, sinon

> D'avoir plusieurs seigneurs aucun bien je n'y voi [3]

c'était autant bien dit que rien plus [4] ; mais, au lieu que, pour le [5] raisonner, il fallait dire que la domination de plusieurs ne pouvait être bonne, puisque la puissance d'un seul, dès lors qu'il prend ce titre de maître, est dure et déraisonnable, il est allé ajouter, tout au rebours [6],

> Qu'un, sans plus, soit le maître, et qu'un seul soit
> le roi.

Il en faudrait, d'aventure [7], excuser Ulysse, auquel, possible [8], lors [9] était besoin d'user de ce langage pour apaiser la révolte de l'armée ; conformant, je crois, son propos plus au temps qu'à la vérité. Mais, à parler à

---

1. *Sans plus* : du moins.
2. *En* : dans.
3. *Iliade*, II, v. 204-205. Depuis neuf ans, les troupes grecques sont devant Troie et plusieurs chefs se disputent l'honneur de commander sous Agamemnon. L'armée, lasse des désordres, est prête à se révolter.
4. *C'était autant bien dit que rien plus* : c'était le mieux qu'il pouvait dire. L'expression « rien plus » est de nos jours encore en usage en Dordogne.
5. Le public.
6. *Tout au rebours* : tout au contraire.
7. *D'aventure* : peut-être.
8. *Possible* : sans doute.
9. *Lors* : alors.

bon escient, c'est un extrême malheur d'être sujet à un maître, duquel[1] on ne se peut jamais assurer qu'il soit bon, puisqu'il est toujours en sa puissance d'être mauvais quand il voudra ; et d'avoir plusieurs maîtres, c'est, autant qu'on en a, autant de fois être extrêmement malheureux. Si[2] ne veux-je pas, pour cette heure, débattre cette question tant pourmenée[3], si les autres façons de république[4] sont meilleures que la monarchie, encore voudrais-je savoir, avant que mettre en doute quel rang la monarchie[5] doit avoir entre les républiques, si elle en y doit avoir aucun, pour ce qu'il est malaisé de croire qu'il y ait rien[6] de public en ce gouvernement, où tout est à un. Mais cette question est réservée pour un autre temps, et demanderait bien son traité à part, ou plutôt amènerait quant et soi toutes les disputes politiques.

Pour ce coup, je ne voudrais [rien] sinon entendre[7] comme il se peut faire que tant d'hommes, tant de bourgs, tant de villes, tant de nations endurent quelquefois un tyran seul, qui n'a puissance que celle qu'ils

---

1. *Duquel* : dont.

2. *Si* : toutefois. À la Renaissance, le mot a de nombreuses valeurs. Il n'exprime pas seulement la condition (locution conjonctive). Il peut aussi signifier « pourtant, toutefois », comme ici.

3. *Pourmenée* : débattue.

4. Il faut prendre le mot au sens étymologique qui était le sien au XVIᵉ siècle : *res publica*, « chose publique ».

5. Le terme « monarchie » est, de même, employé au sens étymologique : le pouvoir d'un seul. Le mot « tyrannie » est employé par La Boétie, comme par Aristote (*Politique*, III, 1287a et IV, 1295a), avec ce même sens. Royauté et tyrannie sont l'une et l'autre des μοναρχίαι, *monarkai* (« commandements d'un seul »). Toutefois, la distinction sémantique des deux termes apparaît nettement au XVIᵉ siècle, en particulier chez les publicistes, qui estiment généralement que la monarchie est légitime tandis que la tyrannie est arbitraire ; d'où leur opposition, l'une étant estimée bonne, l'autre, mauvaise.

6. *Rien* : ici, quelque chose (sens étymologique : le mot vient du latin *res*, « chose »).

7. *Entendre* : comprendre.

lui donnent ; qui n'a pouvoir de leur nuire, sinon qu'ils ont pouvoir de l'endurer ; qui ne saurait leur faire mal aucun, sinon lorsqu'ils aiment mieux le souffrir[1] que lui contredire. Grand'chose certes, et toutefois si commune qu'il s'en faut de tant plus douloir[2] et moins s'ébahir[3] voir un million de millions d'hommes servir misérablement, ayant le col[4] sous le joug, non pas contraints par une plus grande force, mais aucunement[5] (ce semble) enchantés et charmés[6] par le nom seul d'un, duquel ils ne doivent ni craindre la puissance, puisqu'il est seul, ni aimer les qualités, puisqu'il est en leur endroit inhumain et sauvage. La faiblesse d'entre nous hommes[7] est telle, [qu']il faut souvent que nous obéissions à la force ; il est besoin de temporiser, nous ne pouvons pas toujours être les plus forts. Donc, si une nation est contrainte par la force de la guerre de servir à un, comme la cité d'Athènes aux trente tyrans[8], il ne se faut pas ébahir qu'elle serve, mais se plaindre de l'accident ; ou bien plutôt ne s'ébahir ni ne s'en plaindre, mais porter[9] le mal patiemment et se réserver à l'avenir à meilleure fortune.

Notre nature est ainsi, que les communs devoirs de l'amitié l'emportent une bonne partie du cours de

---

1. *Souffrir* : supporter.

2. *Douloir* : éprouver de la douleur.

3. *S'ébahir* : s'étonner. C'est après ce mot que commence le fragment publié dans *Le Réveille-matin des Français et de leurs voisins* (voir Présentation, p. 20-21).

4. *Col* : cou.

5. *Aucunement* : ici, quelque peu.

6. *Enchantés et charmés* : comme s'ils étaient sous le coup d'un enchantement ou d'un charme magiques.

7. *La faiblesse d'entre nous hommes* : la faiblesse des hommes.

8. En 404, Sparte imposa à Athènes, qu'elle avait vaincue, le gouvernement de trente membres choisis dans le parti aristocratique. La tyrannie ne dura que quelques mois ; mais, surtout sous l'impulsion de Critias, elle fut particulièrement cruelle.

9. *Porter* : supporter.

notre vie ; il est raisonnable d'aimer la vertu, d'estimer les beaux faits, de reconnaître le bien d'où l'on l'a reçu, et diminuer souvent de notre aise [1] pour augmenter l'honneur et avantage de celui qu'on aime et qui le mérite. Ainsi donc, si les habitants d'un pays ont trouvé quelque grand personnage qui leur ait montré par épreuve une grande prévoyance pour les garder [2], une grande hardiesse [3] pour les défendre, un grand soin pour les gouverner ; si, de là en avant [4], ils s'apprivoisent de [5] lui obéir et s'en fier tant que de lui donner quelques avantages, je ne sais si ce serait sagesse, de tant qu'on l'ôte de là où il faisait bien, pour l'avancer en lieu où il pourra mal faire ; mais certes, si ne pourrait-il faillir [6] d'y avoir de la bonté, de ne craindre point mal de celui duquel on n'a reçu que bien.

Mais, ô bon Dieu ! que peut être cela ? comment dirons-nous que cela s'appelle ? quel malheur est celui-là ? quel vice, ou plutôt quel malheureux vice ? Voir un nombre infini de personnes non pas obéir, mais servir ; non pas être gouvernés, mais tyrannisés ; n'ayant ni biens ni parents, femmes ni enfants, ni leur vie même qui soit à eux ! souffrir les pilleries, les paillardises, les cruautés, non pas d'une armée, non pas d'un camp barbare contre lequel il faudrait défendre son sang et sa vie devant, mais d'un seul ; non pas d'un Hercule ni d'un Samson, mais d'un seul hommeau [7], et le plus souvent le plus lâche et femelin [8]

---

1. *De notre aise* : nos biens.
2. *Garder* : protéger.
3. *Hardiesse* : vaillance, courage.
4. *De là en avant* : à partir de là.
5. *S'apprivoisent de* : s'habituent à.
6. *Faillir* : manquer.
7. *Hommeau* : vient de « homunculus », mot qui se trouve chez Cicéron et chez Plaute et est repris par G. Budé. La traduction du mot latin par un néologisme dont le sens est nettement péjoratif semble être une invention de La Boétie.
8. *Femelin* : efféminé.

de la nation ; non pas accoutumé à la poudre des batailles, mais encore à grand peine au sable des tournois ; non pas qui puisse par force commander aux hommes, mais tout empêché [1] de servir vilement à la moindre femmelette [2] ! Appellerons-nous cela lâcheté ? dirons-nous que ceux qui servent soient couards et recrus [3] ? Si deux, si trois, si quatre ne se défendent d'un, cela est étrange, mais toutefois possible ; bien pourra-l'on [4] dire, à bon droit, que c'est faute de cœur [5]. Mais si cent, si mille endurent d'un seul, ne dira-l'on pas qu'ils ne veulent point, non qu'ils n'osent pas se prendre à lui, et que c'est non couardise, mais plutôt mépris ou dédain ? Si l'on voit, non pas cent, non pas mille hommes, mais cent pays, mille villes, un million d'hommes, n'assaillir pas un seul, duquel le mieux traité de tous en reçoit ce mal d'être serf et esclave, comment pourrons-nous nommer cela ? est-ce lâcheté ? Or, il y a en tous vices naturellement quelque borne, outre laquelle ils ne peuvent passer : deux peuvent craindre un, et possible dix ; mais mille, mais un million, mais mille villes, si elles ne se défendent d'un, cela n'est pas couardise, elle ne va point jusquelà ; non plus que la vaillance ne s'étend pas qu'un seul échelle [6] une forteresse, qu'il assaille une armée, qu'il conquête [7] un royaume. Donc quel monstre de vice est

---

1. *Empêché* : incapable.
2. Ce passage qui, au demeurant, ne contient guère que des lieux communs de la littérature relative au tyran a suscité une controverse pour savoir qui, de Charles IX ou d'Henri III, était visé. Il semble plutôt que le portrait du tyran soit impersonnel et abstrait : il se rapporte à une sorte d'*idéal type*.
3. *Recrus* : prompts à renoncer, découragés, fourbus.
4. *Pourra-l'on* : pourra-t-on (« dira-l'on », « promettra-l'on », « pensera-l'on »… la tournure est fréquente dans notre texte).
5. *Cœur* : courage.
6. *Échelle* : escalade au moyen d'une échelle.
7. *Conquête* : conquière.

ceci qui ne mérite pas encore le titre de couardise, qui ne trouve point de nom assez vilain, que la nature désavoue avoir fait et la langue refuse de nommer ?

Qu'on mette d'un côté cinquante mille hommes en armes, d'un autre autant ; qu'on les range en bataille ; qu'ils viennent à se joindre, les uns libres, combattant pour leur franchise [1], les autres pour la leur ôter : auxquels promettra-l'on par conjecture la victoire ? Lesquels pensera-l'on qui plus gaillardement iront au combat, ou ceux qui espèrent pour guerdon [2] de leurs peines l'entretènement [3] de leur liberté, ou ceux qui ne peuvent attendre autre loyer [4] des coups qu'ils donnent ou qu'ils reçoivent que la servitude d'autrui ? Les uns ont toujours devant les yeux le bonheur de la vie passée, l'attente de pareil aise [5] à l'avenir ; il ne leur souvient pas tant de ce peu qu'ils endurent le temps que dure une bataille, comme [6] de ce qu'il leur conviendra à jamais endurer, à eux, à leurs enfants et à toute la postérité. Les autres n'ont rien qui les enhardie qu'une petite pointe de convoitise qui se rebouche [7] soudain contre le danger et qui ne peut être si ardente qu'elle ne se doive, ce semble, éteindre par la moindre goutte de sang qui sorte de leurs plaies. Aux batailles tant renommées de Miltiade, de Léonide, de Thémistocle [8], qui ont été données deux mille ans y a [9] et qui

---

1. *Franchise* : liberté.
2. *Guerdon* : récompense.
3. *Entretènement* : entretien ou maintien.
4. *Loyer* : contrepartie.
5. *Aise* : ici, bonheur.
6. *Comme* : que.
7. *Se rebouche* : s'émousse.
8. Miltiade et Thémistocle sont des stratèges athéniens ; ils ont été victorieux des Perses à Marathon et à Salamine. Léonidas est un chef militaire de Sparte, que la bataille du défilé des Thermopyles, engagée pour retarder l'avance des Perses, a rendu célèbre ; il y trouva la mort avec ses trois cents compagnons.
9. Il y a deux mille ans.

sont encore aujourd'hui aussi fraîches en la mémoire des livres et des hommes comme si c'eût été l'autre hier, qui furent données en Grèce pour le bien des Grecs et pour l'exemple de tout le monde, qu'est-ce qu'on pense qui donna à si petit nombre de gens comme étaient les Grecs, non le pouvoir, mais le cœur de soutenir la force de navires que la mer même en était chargée, de défaire tant de nations, qui étaient en si grand nombre que l'escadron des Grecs n'eût pas fourni, s'il eût fallu, des capitaines aux armées des ennemis, sinon qu'il semble qu'à ces glorieux jours-là ce n'était pas tant la bataille des Grecs contre les Perses, comme la victoire de la liberté sur la domination, de la franchise sur la convoitise ?

C'est chose étrange d'ouïr parler de la vaillance que la liberté met dans le cœur de ceux qui la défendent ; mais ce qui se fait en tous pays, par tous les hommes, tous les jours, qu'un homme mâtine [1] cent mille et les prive de leur liberté, qui le croirait, s'il ne faisait que l'ouïr dire et non le voir ? Et, s'il ne se faisait qu'en pays étranges [2] et lointaines terres, et qu'on le dit, qui ne penserait que cela fut plutôt feint et trouvé que non pas véritable [3] ? Encore ce seul tyran, il n'est pas besoin de le combattre, il n'est pas besoin de le défaire, il est de soi-même défait, mais que le pays ne consente à sa servitude ; il ne faut pas lui ôter rien, mais ne lui donner rien ; il n'est pas besoin que le pays se mette en peine de faire rien pour soi, pourvu qu'il ne fasse rien contre soi. Ce sont donc les peuples mêmes qui se laissent ou plutôt se font gourmander [4], puisqu'en cessant de servir ils en seraient quittes ; c'est le peuple

---

1. *Mâtine* : maltraite, abâtardisse.
2. *Étranges* : étrangers.
3. *Plutôt feint et trouvé que non pas véritable* : inventé plutôt que véritable.
4. *Gourmander* : traiter durement.

qui s'asservit, qui se coupe la gorge, qui, ayant le choix ou d'être serf ou d'être libre, quitte la franchise et prend le joug, qui consent à son mal, ou plutôt le pourchasse. S'il lui coûtait quelque chose à recouvrer sa liberté, je ne l'en presserais point, combien [1] qu'est-ce que l'homme doit avoir plus cher que de se remettre en son droit naturel, et, par manière de dire, de bête revenir homme ; mais encore je ne désire pas en lui si grande hardiesse ; je lui permets qu'il aime mieux je ne sais quelle sûreté de vivre misérablement qu'une douteuse espérance de vivre à son aise. Quoi ? si pour avoir liberté il ne faut que la désirer, s'il n'est besoin que d'un simple vouloir, se trouvera-t-il nation au monde qui l'estime encore trop chère, la pouvant gagner d'un seul souhait, et qui plaigne [2] la volonté à recouvrer le bien lequel il devrait racheter au prix de son sang, et lequel perdu, tous les gens d'honneur doivent estimer la vie déplaisante et la mort salutaire ? Certes, comme le feu d'une petite étincelle devient grand et toujours se renforce, et plus il trouve de bois, plus il est prêt d'en brûler, et, sans qu'on y mette de l'eau pour l'éteindre, seulement en n'y mettant plus de bois, n'ayant plus que [3] consommer, il se consomme soi-même et vient [4] sans force aucune et non plus feu : pareillement les tyrans, plus ils pillent, plus ils exigent, plus ils ruinent et détruisent, plus on leur baille [5], plus on les sert, de tant plus [6] ils se fortifient et deviennent toujours plus forts et plus frais pour anéantir et détruire tout ; et si on ne leur baille rien, si on ne leur

---

1. *Combien* : alors que.
2. *Plaigne* : épargne, fasse l'économie de (le verbe s'utilise encore de nos jours dans ce sens en Provence).
3. *Que* : quoi.
4. *Vient* : devient.
5. *Baille* : donne.
6. *De tant plus* : d'autant plus.

obéit point, sans combattre, sans frapper, ils demeurent nus et défaits et ne sont plus rien, sinon que comme la racine, n'ayant plus d'humeur[1] ou aliment, la branche devient sèche et morte.

Les hardis, pour acquérir le bien qu'ils demandent, ne craignent point le danger ; les avisés[2] ne refusent point la peine : les lâches et engourdis ne savent ni endurer le mal, ni recouvrer le bien ; ils s'arrêtent en cela de le souhaiter, et la vertu d'y prétendre[3] leur est ôtée par leur lâcheté ; le désir de l'avoir leur demeure par la nature. Ce désir, cette volonté est commune aux sages et aux indiscrets[4], aux courageux et aux couards, pour souhaiter toutes choses qui, étant acquises, les rendraient heureux et contents : une seule chose est à dire[5], en laquelle je ne sais comment nature défaut[6] aux hommes pour la désirer ; c'est la liberté, qui est toutefois un bien si grand et si plaisant, qu'elle perdue, tous les maux viennent à la file, et les biens même qui demeurent après elle perdent entièrement leur goût et saveur, corrompus[7] par la servitude : la seule liberté, les hommes ne la désirent point, non pour autre raison, ce semble, sinon que s'ils la désiraient, ils l'auraient, comme s'ils refusaient de faire ce bel acquêt[8], seulement parce qu'il est trop aisé.

Pauvres et misérables peuples insensés, nations opiniâtres en votre mal et aveugles en votre bien, vous vous laissez emporter devant vous le plus beau et le plus clair de votre revenu, piller vos champs, voler vos

---

1. *Humeur* : substance.
2. *Avisés* : sensés.
3. *La vertu d'y prétendre* : le courage de le réclamer.
4. *Indiscrets* : gens dépourvus de discernement.
5. *Est à dire* : fait défaut.
6. *Défaut* : manque.
7. *Corrompus* : dénaturés.
8. *Acquêt* : acquisition.

maisons et les dépouiller des meubles anciens et pater-
nels ! Vous vivez de sorte que vous ne vous pouvez
vanter que rien soit à vous ; et semblerait que meshui [1]
ce vous serait grand heur [2] de tenir à ferme [3] vos biens,
vos familles et vos vies ; et tout ce dégât, ce malheur,
cette ruine, vous vient, non pas des ennemis, mais
certes oui bien de l'ennemi, et de celui que vous faites
si grand qu'il est, pour lequel vous allez si courageuse-
ment à la guerre, pour la grandeur duquel vous ne
refusez point de présenter à la mort vos personnes.
Celui qui vous maîtrise tant n'a que deux yeux, n'a
que deux mains, n'a qu'un corps, et n'a autre chose
que ce qu'a le moindre homme du grand et infini
nombre de nos villes, sinon que l'avantage que vous
lui faites pour vous détruire. D'où a-t-il pris tant
d'yeux, dont il vous épie, si vous ne les lui baillez ?
Comment a-t-il tant de mains pour vous frapper, s'il
ne les prend de vous ? Les pieds dont il foule vos cités,
d'où les a-t-il, s'ils ne sont des vôtres ? Comment a-t-il
aucun pouvoir sur vous, que par vous ? Comment
vous oserait-il courir sus [4], s'il n'avait intelligence avec
vous ? Que vous pourrait-il faire, si vous n'étiez receleurs du larron [5] qui vous pille, complices du meurtrier
qui vous tue et traîtres à vous-mêmes ? Vous semez
vos fruits, afin qu'il en fasse le dégât ; vous meublez et
remplissez vos maisons, afin de fournir à ses pilleries ;
vous nourrissez vos filles, afin qu'il ait de quoi soûler
sa luxure ; vous nourrissez vos enfants, afin que, pour
le mieux qu'il leur saurait faire, il les mène en ses
guerres, qu'il les conduise à la boucherie, qu'il les fasse
les ministres de ses convoitises, et les exécuteurs de ses

---

1. *Meshui* : maintenant.
2. *Heur* : bonheur.
3. *À ferme* : en location (en fermage).
4. *Vous oserait-il courir sus* : oserait-il vous charger, au sens militaire.
5. *Larron* : voleur.

vengeances ; vous rompez à la peine vos personnes, afin qu'il se puisse mignarder [1] en ses délices et se vautrer dans les sales et vilains plaisirs ; vous vous affaiblissez, afin de le rendre plus fort et roide [2] à vous tenir plus courte la bride ; et de tant d'indignités, que les bêtes mêmes ou ne les sentiraient point, ou ne l'endureraient point, vous pouvez vous en délivrer, si vous l'essayez, non pas de vous en délivrer, mais seulement de le vouloir faire. Soyez résolus de ne servir plus, et vous voilà libres. Je ne veux pas que vous le poussiez ou l'ébranliez, mais seulement ne le soutenez plus, et vous le verrez, comme un grand colosse à qui on a dérobé sa base, de son poids même fondre en bas et se rompre.

Mais certes les médecins conseillent bien de ne mettre pas la main aux plaies incurables, et je ne fais pas sagement de vouloir prêcher [3] en ceci le peuple qui perdu, longtemps a [4], toute connaissance, et duquel, puisqu'il ne sent plus son mal, cela montre assez que sa maladie est mortelle. Cherchons donc par conjecture, si nous en pouvons trouver, comment s'est ainsi si avant enracinée cette opiniâtre volonté de servir, qu'il semble maintenant que l'amour même de la liberté ne soit pas si naturel.

Premièrement, cela est, comme je crois, hors de doute que, si nous vivions avec les droits que la nature nous a donnés et avec les enseignements qu'elle nous apprend, nous serions naturellement obéissants aux parents, sujets à la raison, et serfs de personne. De l'obéissance que chacun, sans autre avertissement que de son naturel, porte à ses père et mère, tous les hommes s'en sont témoins, chacun pour soi ; de la

---

1. *Mignarder* : traiter délicatement.
2. *Roide* : raide, au sens de rude.
3. *Prêcher* : exhorter.
4. *Qui perdu, longtemps a* : qui a perdu il y a longtemps.

raison, si elle naît avec nous, ou non, qui est une question débattue à fond par les académiques [1] et touchée par toute l'école des philosophes. Pour cette heure je ne penserai point faillir [2] en disant cela, qu'il y a en notre âme quelque naturelle semence de raison, laquelle, entretenue par bon conseil et coutume, florit [3] en vertu, et, au contraire, souvent ne pouvant durer contre les vices survenus, étouffée, s'avorte. Mais certes, s'il y a rien de clair ni d'apparent en la nature et où il ne soit pas permis de faire l'aveugle, c'est cela que la nature, le ministre de Dieu, la gouvernante des hommes, nous a tous faits de même forme, et, comme il semble, à même moule, afin de nous entreconnaître [4] tous pour compagnons ou plutôt pour frères ; et si, faisant les partages des présents qu'elle nous faisait, elle a fait quelque avantage de son bien, soit au corps ou en l'esprit, aux uns plus qu'aux autres, si n'a-t-elle pourtant entendu [5] nous mettre en ce monde comme dans un camp clos, et n'a pas envoyé ici-bas les plus forts ni les plus avisés, comme des brigands armés dans une forêt, pour y gourmander les plus faibles ; mais plutôt faut-il croire que, faisant ainsi les parts aux uns plus grandes, aux autres plus petites, elle voulait faire place à la fraternelle affection, afin qu'elle eût où s'employer, ayant les uns puissance de donner aide, les autres besoin d'en recevoir. Puis donc que

---

1. C'est-à-dire Platon et les platoniciens. Les études platoniciennes ont connu en Italie, spécialement à Florence, un grand renom au début du XVIe siècle.

2. *Faillir* : ici, me tromper.

3. *Florit* : fleurit.

4. *Nous entreconnaître* : nous reconnaître mutuellement. Cette notion, qui suppose la liberté (de reconnaître autrui), le discernement et une certaine égalité (dans le processus de reconnaissance mutuelle) fait contrepoint à la servitude volontaire qui suppose la domination, l'aveuglement et la compétition de tous contre tous.

5. *Entendu* : ici, voulu.

cette bonne mère [1] nous a donné à tous toute la terre pour demeure, nous a tous logés aucunement [2] en même maison, nous a tous figurés à même patron [3], afin que chacun se pût mirer et quasi reconnaître l'un dans l'autre ; si elle nous a donné à tous ce grand présent de la voix et de la parole pour nous accointer [4] et fraterniser davantage, et faire, par la commune et mutuelle déclaration de nos pensées, une communion de nos volontés ; et si elle a tâché par tous moyens de serrer et étreindre si fort le nœud de notre alliance et société ; si elle a montré, en toutes choses, qu'elle ne voulait pas tant nous faire tous unis que tous uns, il ne faut pas faire doute que nous ne soyons naturellement libres, puisque nous sommes tous compagnons, et ne peut tomber en l'entendement de personne que nature ait mis aucun en servitude, nous ayant tous mis en compagnie.

Mais, à la vérité, c'est bien pour néant de débattre si la liberté est naturelle, puisqu'on ne peut tenir aucun en servitude sans lui faire tort, et qu'il n'y a rien si contraire au monde à la nature, étant tout raisonnable, que l'injure. Reste donc la liberté être naturelle [5], et par même moyen, à mon avis, que nous ne sommes pas nés seulement en possession de notre franchise, mais aussi avec affectation [6] de la défendre. Or, si d'aventure nous nous faisons quelque doute en cela, et sommes tant abâtardis que ne puissions reconnaître nos biens ni semblablement nos naïves affections, il faudra que je vous fasse l'honneur qui vous appartient, et que je monte, par manière de dire, les bêtes

---

1. L'expression trouve place dans un naturalisme providentiel que l'on peut rattacher à une inspiration platonicienne.
2. *Aucunement* : ici, certainement.
3. *À même patron* : sur le même modèle ou moule.
4. *Accointer* : accorder.
5. *Reste donc la liberté être naturelle* : la liberté est donc naturelle.
6. *Affectation* : désir.

brutes en chaire, pour vous enseigner votre nature et condition. Les bêtes, ce maid'Dieu[1] ! si les hommes ne font trop les sourds, leur crient : VIVE LIBERTÉ ! Plusieurs en y a d'entre elles qui meurent aussitôt qu'elles sont prises : comme le poisson quitte la vie aussitôt que l'eau, pareillement celles-là quittent la lumière et ne veulent point survivre à leur naturelle franchise. Si les animaux avaient entre eux quelques prééminences, ils feraient de celles-là leur noblesse. Les autres, des plus grandes jusqu'aux plus petites, lorsqu'on les prend, font si grande résistance d'ongles, de cornes, de bec et de pieds, qu'elles déclarent assez combien elles tiennent cher[2] ce qu'elles perdent ; puis, étant prises, elles nous donnent tant de signes apparents de la connaissance qu'elles ont de leur malheur, qu'il est bel à voir[3] que ce leur est plus languir que vivre, et qu'elles continuent leur vie plus pour plaindre leur aise perdue que pour se plaire en servitude. Que veut dire autre chose l'éléphant qui, s'étant défendu jusqu'à n'en pouvoir plus, n'y voyant plus d'ordre[4], étant sur le point d'être pris, il enfonce ses mâchoires et casse ses dents contre les arbres, sinon que le grand désir qu'il a de demeurer libre, ainsi qu'il est, lui fait de l'esprit et s'avise de marchander avec les chasseurs si, pour le prix de ses dents, il en sera quitte, et s'il sera reçu de bailler son ivoire et payer cette rançon pour sa liberté ? Nous appâtons le cheval dès lors qu'il est né pour l'apprivoiser à servir ; et si ne le savons-nous si bien flatter que, quand ce vient à le dompter, il ne morde le frein, qu'il ne rue contre l'éperon,

---

1. *Ce maid'Dieu* : Dieu me vienne en aide.
2. *Elles tiennent cher* : elles estiment précieux.
3. *Bel à voir* : clair.
4. *D'ordre* : d'issue.

comme (ce semble) pour montrer à la nature et témoigner au moins par là que, s'il sert, ce n'est pas de son gré, ains [1] par notre contrainte. Que faut-il donc dire ?

> Même les bœufs sous le poids du joug geignent,
> Et les oiseaux dans la cage se plaignent,

comme j'ai dit autrefois, passant le temps à nos rimes françaises [2] ; car je ne craindrai point, écrivant à toi, ô Longa [3], mêler de mes vers, desquels je ne lis jamais, que, pour le semblant que tu fais de t'en contenter, tu ne m'en fasses tout glorieux. Ainsi donc, puisque toutes choses qui ont sentiment, dès lors qu'elles l'ont, sentent le mal de la sujétion et courent après la liberté, puisque les bêtes, qui encore sont faites pour le service de l'homme, ne se peuvent accoutumer à servir qu'avec protestation d'un désir contraire, quel malencontre [4] a été cela qui a pu tant dénaturer l'homme, seul né, de vrai, pour vivre franchement, et lui faire perdre la souvenance [5] de son premier être et le désir de le reprendre ?

Il y a trois sortes de tyrans [6] : les uns ont le royaume par élection du peuple, les autres par la force des armes, les autres par succession de leur race [7]. Ceux qui les ont acquis par le droit de la guerre, ils s'y portent ainsi qu'on connaît bien qu'ils sont (comme l'on dit) en terre de conquête. Ceux-là qui naissent rois

---

1. *Ains* : mais.

2. Ces vers n'ont pas été retrouvés dans les poésies de La Boétie.

3. Longa a été le prédécesseur de La Boétie au Parlement de Bordeaux. C'est à lui qu'a été dédié le manuscrit de Mesmes.

4. *Malencontre* : mauvaise rencontre, événement fâcheux.

5. *Souvenance* : souvenir.

6. Ici s'intercale, dans le texte que contiennent les *Mémoires* de Simon Goulart, une phrase que le copiste du manuscrit de Mesmes a sautée – « Je parle des méchants princes » – et qui atténue fortement l'assimilation qui semble être faite le plus souvent dans le texte du *Discours* entre monarque et tyran (voir note 5, p. 108).

7. *Par succession de leur race* : par héritage ou par hérédité.

ne sont pas communément guère meilleurs, ains étant nés et nourris dans le sein de la tyrannie, tirent avec le lait la nature du tyran, et font état des peuples qui sont sous eux comme de leurs serfs héréditaires ; et, selon la complexion [1] de laquelle ils sont plus enclins, avares ou prodigues, tels qu'ils sont, ils font du royaume comme de leur héritage. Celui à qui le peuple a donné l'état [2] devrait être, ce me semble, plus supportable, et le serait, comme je crois, n'était que dès lors qu'il se voit élevé par-dessus les autres, flatté par je ne sais quoi qu'on appelle la grandeur, il délibère de n'en bouger point ; communément celui-là fait état de rendre à ses enfants la puissance que le peuple lui a laissée : et dès lors que ceux-là ont pris cette opinion, c'est chose étrange de combien ils passent [3], en toutes sortes de vices et même en la cruauté, les autres tyrans, ne voyant autres moyens pour assurer la nouvelle tyrannie que d'étreindre [4] si fort la servitude et étranger [5] tant leurs sujets de la liberté, qu'encore que la mémoire en soit fraîche, ils la leur puissent faire perdre. Ainsi, pour en dire la vérité, je vois bien qu'il y a entre eux quelque différence, mais de choix, je n'y en vois point ; et étant les moyens de venir aux règnes divers, toujours la façon de régner est quasi semblable : les élus, comme s'ils avaient pris les taureaux à dompter, ainsi les traitent-ils ; les conquérants en font comme de leur proie ; les successeurs pensent d'en faire ainsi que de leurs naturels esclaves.

Mais à propos, si d'aventure il naissait aujourd'hui quelques gens tout neufs, ni accoutumés à la sujétion, ni affriandés à la liberté, et qu'ils ne sussent que c'est

---

1. *Complexion* : tempérament.
2. Il faut lire « État ».
3. *Passent* : dépassent.
4. Le texte des *Mémoires* dit : « étendre ».
5. *Étranger* : écarter, éloigner.

ni de l'un ni de l'autre, ni à grand-peine des noms[1] ;
si on leur présentait ou d'être serfs, ou vivre francs[2],
selon les lois desquelles ils ne s'accorderaient[3] : il ne
faut pas faire doute qu'ils n'aimassent trop mieux
obéir à la raison seulement que servir à un homme ;
sinon, possible, que ce fussent ceux d'Israël, qui, sans
contrainte ni aucun besoin, se firent un tyran : duquel
peuple je ne lis jamais l'histoire que je n'en aie trop
grand dépit, et quasi jusqu'à en devenir inhumain
pour me réjouir de tant de maux qui leur en advinrent.
Mais certes tous les hommes, tant qu'ils ont quelque
chose d'homme, devant qu'ils se laissent assujétir, il
faut l'un des deux, qu'ils soient contraints ou déçus[4] :
contraints par des armes étrangères, comme Sparte ou
Athènes par les forces d'Alexandre, ou par les factions,
ainsi que la seigneurie d'Athènes était devant venue
entre les mains de Pisistrate[5]. Par tromperie
perdent-ils souvent la liberté, et, en ce, ils ne sont pas
si souvent séduits par autrui comme ils sont trompés
par eux-mêmes : ainsi le peuple de Syracuse, la maîtresse[6] ville de Sicile (on me dit qu'elle s'appelle
aujourd'hui Saragousse), étant pressé par les guerres,
inconsidérément[7] ne mettant ordre qu'au danger présent, éleva[8] Denis, le premier tyran, et lui donna la
charge de la conduite de l'armée, et ne se donna

---

1. *Qu'ils ne sussent que c'est ni de l'un ni de l'autre, ni à grand-peine des noms* : qui ne connussent ni la servitude ni la liberté, ni même leurs noms.
2. *Francs* : libres.
3. Il faut probablement supprimer le « ne » pour mieux comprendre la phrase : « Selon quelles lois s'accorderaient-ils ? »
4. *Déçus* : trompés.
5. Pisistrate fut tyran à Athènes au VIe siècle av. J.-C.
6. *Maîtresse* : principale.
7. *Inconsidérément* : sans réfléchir.
8. *Éleva* : intronisa.

garde [1] qu'il l'eût fait si grand que cette bonne pièce-là [2], revenant victorieux, comme s'il n'eût pas vaincu ses ennemis mais ses citoyens, se fit de capitaine roi, et de roi tyran. Il n'est pas croyable comme le peuple, dès lors qu'il est assujetti, tombe si soudain en un tel et si profond oubli de la franchise, qu'il n'est pas possible qu'il se réveille pour la ravoir, servant si franchement et tant volontiers qu'on dirait, à le voir, qu'il a non pas perdu sa liberté, mais gagné sa servitude. Il est vrai qu'au commencement on sert contraint et vaincu par la force ; mais ceux qui viennent après servent sans regret et font volontiers ce que leurs devanciers avaient fait par contrainte. C'est cela, que les hommes naissant sous le joug, et puis nourris et élevés dans le servage, sans regarder plus avant, se contentent de vivre comme ils sont nés, et ne pensent point avoir autre bien ni autre droit que ce qu'ils ont trouvé, ils prennent pour leur naturel l'état de leur naissance. Et toutefois il n'est point d'héritier si prodigue et nonchalant que quelquefois ne passe les yeux sur les registres de son père, pour voir s'il jouit de tous les droits de sa succession, ou si l'on n'a rien entrepris sur lui ou son prédécesseur. Mais certes la coutume, qui a en toutes choses grand pouvoir sur nous, n'a en aucun endroit si grande vertu qu'en ceci, de nous enseigner à servir et, comme l'on dit de Mithridate qui se fit ordinaire à boire le poison, pour nous apprendre à avaler et ne trouver point amer le venin de la servitude. L'on ne peut pas nier que la nature n'ait en nous bonne part, pour nous tirer là où elle veut et nous faire dire bien ou mal nés ; mais si faut-il confesser qu'elle a en nous moins de pouvoir que la coutume :

---

1. *Ne se donna garde* : ne prit pas garde.
2. Il faut sans doute lire « qu'il l'eût fait si grand, que cette bonne pièce-là [Denis, désigné ainsi ironiquement], revenant victorieux [...] ».

pour ce que le naturel, pour bon qu'il soit, se perd s'il n'est entretenu ; et la nourriture [1] nous fait toujours de sa façon, comment que ce soit [2], maugré [3] la nature. Les semences de bien que la nature met en nous sont si menues et glissantes qu'elles ne peuvent endurer le moindre heurt de la nourriture contraire ; elles ne s'entretiennent pas si aisément comme elles s'abâtardissent, se fondent et viennent à rien [4] : ni plus ni moins que les arbres fruitiers, qui ont bien tous quelque naturel à part, lequel ils gardent bien si on les laisse venir, mais ils le laissent aussitôt pour porter d'autres fruits étrangers et non les leurs, selon qu'on les ente [5]. Les herbes [6] ont chacune leur propriété, leur naturel et singularité ; mais toutefois le gel, le temps, le terroir ou la main du jardinier y ajoutent ou diminuent beaucoup de leur vertu : la plante qu'on a vue en un endroit, on est ailleurs empêché de la reconnaître. Qui verrait les Vénitiens [7], une poignée de gens vivant si librement que le plus méchant [8] d'entre eux ne voudrait pas être le roi de tous, ainsi nés et nourris qu'ils ne reconnaissent point d'autre ambition sinon à qui mieux avisera et plus soigneusement prendra garde

---

1. *Nourriture* : apprentissage, instruction, éducation.
2. *Nous fait toujours de sa façon, comment que ce soit* : nous transforme à sa guise, quoi qu'il en soit.
3. *Maugré* : malgré.
4. *Viennent à rien* : disparaissent.
5. *Qu'on les ente* : qu'on les greffe.
6. *Herbes* : plantes.
7. La liberté qui règne en la république de Venise est de si belle réputation chez les humanistes de la Renaissance – peut-être à tort car l'aristocratie vénitienne est fort autoritaire – que, au dire de Montaigne, La Boétie aurait préféré naître à Venise qu'à Sarlat (*Les Essais*, *op. cit.*, p. 193).
8. L'adjectif « méchant » pourrait signifier ici « insignifiant » (et pas seulement « nuisible »), ce qui renforcerait l'opposition entre un monde sans hiérarchie (Venise) et la tyrannie (où tous les « méchants » veulent devenir rois).

à entretenir la liberté, ainsi appris[1] et faits dès le berceau qu'ils ne prendraient point tout le reste des félicités de la terre pour perdre le moindre de leur franchise ; qui aura vu, dis-je, ces personnages-là, et au partir de là[2] s'en ira aux terres de celui que nous appelons Grand Seigneur[3], voyant là des gens qui ne veulent être nés que pour le servir, et qui pour maintenir sa puissance abandonnent leur vie, penserait-il que ceux-là et les autres eussent un même naturel, ou plutôt s'il n'estimerait pas que, sortant d'une cité d'hommes, il était entré dans un parc de bêtes ? Lycurgue, le policier de Sparte[4], avait nourri, ce dit-on, deux chiens, tous deux frères, tous deux allaités de même lait, l'un engraissé en la cuisine, l'autre accoutumé par les champs au son de la trompe et du huchet[5], voulant montrer au peuple lacédémonien que les hommes sont tels que la nourriture les fait[6], mit les deux chiens en plein marché, et entre eux une soupe et un lièvre : l'un courut au plat et l'autre au lièvre. « Toutefois, dit-il, si sont-ils frères. » Donc celui-là, avec ses lois et sa police, nourrit et fit si bien les Lacédémoniens, que chacun d'eux eut plus cher de mourir de mille morts que de reconnaître autre seigneur que le roi et la raison[7].

Je prends plaisir de ramentevoir[8] un propos que tinrent jadis un des favoris de Xerxès, le grand roi des Persans, et deux Lacédémoniens. Quand Xerxès faisait

---

1. *Appris* : éduqués.
2. *Au partir de là* : à partir de là.
3. Le sultan de Turquie est le symbole même de la tyrannie.
4. Le texte des *Mémoires* dit que Lycurgue fut le « polisseur de Sparte ».
5. *Huchet* : cor de chasse.
6. La Boétie développe non seulement le thème, cher à Montaigne, de l'importance de la coutume, mais aussi celui du rôle fondamental de l'éducation (de l'« institution »).
7. Le texte des *Mémoires* dit : « la loi et le roi ».
8. *Ramentevoir* : rappeler.

les appareils [1] de sa grande armée pour conquérir la Grèce, il envoya ses ambassadeurs par les cités grégeoises [2] demander de l'eau et de la terre : c'était la façon que les Persans avaient de sommer les villes de se rendre à eux. À Athènes ni à Sparte n'envoya-t-il point, pour ce que ceux que Daire [3], son père, y avait envoyés, les Athéniens et les Spartiens en avaient jeté les uns dedans les fosses, les autres dans les puits, leur disant qu'ils prinsent hardiment de là de l'eau et de la terre pour porter à leur prince : ces gens ne pouvaient souffrir que, de la moindre parole seulement, on touchât à leur liberté. Pour en avoir ainsi usé, les Spartains connurent qu'ils avaient encouru la haine des dieux, même de Talthybie, le dieu des hérauts : ils s'avisèrent d'envoyer à Xerxès, pour les apaiser, deux de leurs citoyens, pour se présenter à lui, qu'il fît d'eux à sa guise, et se payât de là pour les ambassadeurs qu'ils avaient tués à son père. Deux Spartains, l'un nommé Sperte et l'autre Bulis, s'offrirent à leur gré pour aller faire ce paiement. De fait ils y allèrent, et en chemin ils arrivèrent au palais d'un Persan qu'on nommait Indarne [4], qui était lieutenant du roi en toutes les villes d'Asie qui sont sur les côtes de la mer. Il les accueillit fort honorablement et leur fit grande chère [5], et, après plusieurs propos tombant de l'un en l'autre, il leur demanda pourquoi ils refusaient tant l'amitié du roi. « Voyez, dit-il, Spartains, et connaissez par moi comment le roi sait honorer ceux qui le valent, et pensez que si vous étiez à lui, il vous ferait de même : si vous étiez à lui et qu'il vous eût connus,

---

1. *Appareils* : préparatifs.
2. *Par les cités grégeoises* : aux cités grecques.
3. *Daire* : Darius, roi des Perses au Ve siècle av. J.-C.
4. Les *Mémoires* disent : « Gidarne » (on voit ici le rôle des copistes dans les textes du XVIe siècle).
5. *Grande chère* : bonne figure, bon accueil.

il n'y a celui[1] d'entre vous qui ne fût seigneur d'une ville de Grèce. – En ceci, Indarne, tu ne nous saurais donner bon conseil, dirent les Lacédémoniens, pour ce que le bien que tu nous promets, tu l'as essayé, mais celui dont nous jouissons, tu ne sais que c'est[2] : tu as éprouvé la faveur du roi ; mais de la liberté, quel goût elle a, combien elle est douce, tu n'en sais rien. Or, si tu en avais tâté, toi-même nous conseillerais-tu la défendre, non pas avec la lance et l'écu, mais avec les dents et les ongles. » Le seul Spartain[3] disait ce qu'il fallait dire, mais certes et l'un et l'autre parlait comme il avait été nourri ; car il ne se pouvait faire que le Persan eût regret à la liberté, ne l'ayant jamais eue, ni que le Lacédémonien endurât la sujétion, ayant goûté la franchise.

Caton l'Uticain[4], étant encore enfant et sous la verge[5], allait et venait souvent chez Sylla le dictateur[6], tant pour ce qu'à raison du lieu et maison dont il était[7], on ne lui refusait jamais la porte, qu'aussi ils étaient proches parents. Il avait toujours son maître quand il y allait, comme ont accoutumé les enfants de bonne maison. Il s'aperçut que, dans l'hôtel de Sylla, en sa présence ou par son consentement, on emprisonnait les uns, on condamnait les autres ; l'un était banni, l'autre étranglé ; l'un demandait la confiscation

---

1. *Celui* : aucun.

2. *Que c'est* : ce que c'est.

3. *Le seul Spartain* : le Spartiate seul.

4. Caton d'Utique est un homme d'État romain du Iᵉʳ siècle av. J.-C. Il fut un stoïcien. Opposé à César, il se perça la poitrine de son épée, à Utique, après la défaite de Thapsus, l'an 46 av. J.-C.

5. *Sous la verge* : à l'école (sous l'autorité du maître, incarnée par son fouet).

6. Sylla (138-78 av. J.-C.), chef du parti aristocratique romain, fut le maître de Rome et de l'Italie.

7. *Tant pour ce qu'à raison du lieu et maison dont il était* : parce qu'il était enfant aussi bien qu'en raison de sa famille (proche de celle du tyran).

d'un citoyen, l'autre la tête ; en somme, tout y allait
non comme chez un officier de ville, mais comme chez
un tyran de peuple, et c'était non pas un parquet de
justice, mais un ouvroir [1] de tyrannie. Si dit lors à son
maître ce jeune gars : « Que ne me donnez-vous un
poignard ? Je le cacherai sous ma robe : j'entre souvent
dans la chambre de Sylla avant qu'il soit levé, j'ai le
bras assez fort pour en dépêcher [2] la ville. » Voilà
certes une parole vraiment appartenant à Caton :
c'était un commencement de ce personnage, digne de
sa mort [3]. Et néanmoins qu'on ne die [4] ni son nom ni
son pays, qu'on conte seulement le fait tel qu'il est, la
chose même parlera et jugera l'on, à belle aventure [5],
qu'il était Romain et né dedans Rome [6], et lors qu'elle
était libre. À quel propos tout ceci ? Non pas certes
que j'estime que le pays ni le terroir y fassent rien, car
en toutes contrées, en tout air, est amère la sujétion et
plaisant d'être libre ; mais parce que je suis d'avis
qu'on ait pitié de ceux qui, en naissant, se sont trouvés
le joug sous le col, ou bien que si on les excuse, ou bien
qu'on leur pardonne, si, n'ayant vu seulement l'ombre
de la liberté et n'en étant point avertis, ils ne s'aperçoivent point du mal que ce leur est d'être esclaves. S'il
y avait quelque pays, comme dit Homère des Cimmériens, où le soleil se montre autrement qu'à nous [7], et

---

1. *Ouvroir* : atelier, boutique.

2. *Dépêcher* : débarrasser.

3. Voir note 4, p. 128.

4. *Die* : disent (forme ancienne du subjonctif, encore en usage assez
tardivement).

5. *À belle aventure* : avec une chance de tomber juste.

6. Le texte des *Mémoires* contient ici une incise qui est à remarquer :
« mais dans la vraie Rome ». L'expression désigne certainement la Cité
avant que les habitants y soient transis de peur par la dictature de Sylla.

7. Le nom « Cimmériens » désigne un ancien peuple des bords du
Pont-Euxin qui, au VIIe siècle av. J.-C., envahit la Lydie. Cependant,
ici, il se rapporte plutôt à un peuple fabuleux habitant les régions
polaires où le soleil brille pendant six mois tandis que la nuit les enve-

après leur avoir éclairé six mois continuels, il les laisse sommeillants dans l'obscurité sans les venir revoir de l'autre demie année, ceux qui naîtraient pendant cette longue nuit, s'ils n'avaient pas ouï parler de la clarté, s'ébahiraient ou si, n'ayant point vu de jour, ils s'accoutumaient aux ténèbres où ils sont nés, sans désirer la lumière ? On ne plaint jamais ce que l'on n'a jamais eu, et le regret ne vient point sinon qu'après le plaisir, et toujours est, avec la connaissance du mal, la souvenance de la joie passée. La nature de l'homme est bien d'être franc et de le vouloir être, mais aussi sa nature est telle que naturellement il tient le pli que la nourriture lui donne.

Disons donc ainsi, qu'à l'homme toutes choses lui sont comme naturelles, à quoi il se nourrit et accoutume ; mais cela seulement lui est naïf, à quoi la nature simple et non altérée l'appelle : ainsi la première raison de la servitude volontaire, c'est la coutume : comme des plus braves courtauds [1], qui au commencement mordent le frein et puis s'en jouent, et là où naguère ruaient contre la selle, ils se parent maintenant dans les harnais et tout fiers se gorgiassent [2] sous la barde. Ils disent qu'ils ont été toujours sujets, que leurs pères ont ainsi vécu ; ils pensent qu'ils sont tenus d'endurer le mal et se font accroire par exemple [3], et fondent eux-mêmes sous la longueur du temps la possession de ceux qui les tyrannisent ; mais pour vrai, les ans ne donnent jamais droit de mal faire, ains agrandissent

---

loppe pendant le reste de l'année. Le texte des *Mémoires* ne contient pas cette allusion et se borne à évoquer « un pays où le soleil se montre autrement à nous », ce qui peut être, ainsi que tend à le prouver la suite du paragraphe, une réminiscence de la caverne platonicienne.

1. *Courtauds* : animaux, souvent des chevaux, privés de la queue et des oreilles.

2. *Se gorgiassent* : se rengorgent ; la « barde » est une pièce de harnachement.

3. *Se font accroire par exemple* : se persuadent grâce à des exemples.

l'injure[1]. Toujours s'en trouve il quelques-uns, mieux nés que les autres, qui sentent le poids du joug et ne se peuvent tenir[2] de le secouer ; qui ne s'apprivoisent jamais de la sujétion et qui toujours, comme Ulysse, qui par mer et par terre cherchait toujours de voir de la fumée de sa case, ne se peuvent tenir d'aviser à leurs naturels privilèges et de se souvenir de leurs prédécesseurs et de leur premier être ; ce sont volontiers ceux-là qui, ayant l'entendement net et l'esprit clairvoyant, ne se contentent pas comme le gros populas, de regarder ce qui est devant leurs pieds, s'ils n'avisent et derrière et devant et ne remémorent encore les choses passées pour juger de celles du temps à venir et pour mesurer les présentes ; ce sont ceux qui, ayant la tête d'eux-mêmes bien faite[3], l'ont encore polie par l'étude et le savoir. Ceux-là, quand la liberté serait entièrement perdue et toute hors du monde, l'imaginent et la sentent en leur esprit, et encore la savourent, et la servitude ne leur est de goût, pour tant bien qu'on l'accoutre[4].

Le grand Turc s'est bien avisé de cela, que les livres et la doctrine[5] donnent, plus que toute autre chose, aux hommes le sens et l'entendement de se reconnaître et d'haïr la tyrannie ; j'entends qu'il n'a en ses terres guère de gens savants ni n'en demande. Or, communément[6], le bon zèle et affection de ceux qui ont gardé

---

1. Le texte a ici une portée juridique. La Boétie réfute la thèse des jurisconsultes qui fondent le droit sur la coutume ou la tradition. Le mot injure signifie *injuria,* « absence de droit ».

2. *Tenir* : retenir. Le texte des *Mémoires* contient ici le verbe pittoresque « crouler ».

3. L'expression se trouve aussi chez Montaigne (*Les Essais,* chap. « De l'institution des enfants »).

4. *Ne leur est de goût, pour tant bien qu'on l'accoutre* : n'est pas de leur goût, quelque assaisonnement qu'on lui donne.

5. *Doctrine* : éducation ou bonnes lettres.

6. *Communément* : d'ordinaire.

malgré le temps la dévotion à la franchise, pour si grand nombre qu'il y en ait, demeure sans effet pour ne s'entreconnaître point[1] : la liberté leur est toute ôtée, sous le tyran, de faire, de parler et quasi de penser ; ils deviennent tous singuliers en leurs fantaisies[2]. Donc, Momes[3], le dieu moqueur, ne se moqua pas trop quand il trouva cela à redire en l'homme que Vulcain avait fait, de quoi il ne lui avait mis une petite fenêtre au cœur, afin que par là on put voir ses pensées. L'on voulsit bien dire[4] que Brute et Casse[5], lorsqu'ils entreprindrent[6] la délivrance de Rome, ou plutôt de tout le monde, ne voulurent pas que Cicéron, ce grand zélateur[7] du bien public s'il en fut jamais, fut de la partie, et estimèrent son cœur trop faible pour un fait si haut : ils se fiaient bien de sa volonté, mais ils ne s'assuraient point de son courage. Et toutefois, qui voudra discourir les faits du temps passé et les annales anciennes, il s'en trouvera peu ou point de ceux qui, voyant leur pays mal mené et en mauvaises mains, aient entrepris d'une intention bonne, entière et non feinte, de le délivrer, qui n'en soient venus à bout, et que la liberté, pour se faire paraître, ne se soit elle-même fait épaule[8]. Harmode, Aristogiton, Thrasybule, Brute le vieux, Valère et Dion[9], comme ils l'ont

---

1. *Pour si grand nombre qu'il y en ait, demeure sans effet pour ne s'entreconnaître point* : demeure sans effet [sur ceux qui ont conservé « la dévotion à la franchise »], s'ils ne se fréquentent pas.

2. Leurs pensées, leurs rêveries, pour n'être pas partagées, les isolent du reste des hommes. Cette singularité de l'homme éclairé tout seul est aussi une idée importante du *Discours* : la sagesse ne suffit pas, il faut également un partage, un échange entre hommes avisés.

3. Momus, incarnation de la moquerie dans la mythologie grecque, qui peut railler les dieux comme les hommes.

4. *L'on voulsit bien dire* : l'on a voulu dire.

5. Brutus et Cassius furent les meurtriers de César.

6. *Entreprindrent* : entreprirent.

7. *Zélateur* : défenseur zélé (ici, ironique).

8. *Épaule* : aidée, épaulée.

9. Harmodios et Aristogiton assassinèrent Pisistrate. Thrasybule chassa les Trente d'Athènes en 403 av. J.-C. Brutus l'Ancien et Valerius

vertueusement pensé, l'exécutèrent heureusement[1] ; en tel cas, quasi jamais à bon vouloir ne défaut la fortune. Brute le jeune et Casse ôtèrent bien heureusement la servitude, mais en ramenant la liberté ils moururent : non pas misérablement (car quel blasphème serait-ce de dire qu'il y ait eu rien de misérable en ces gens-là, ni en leur mort, ni en leur vie ?) mais certes au grand dommage, perpétuel malheur et entière ruine de la république, laquelle fut, comme il semble, enterrée avec eux. Les autres entreprises qui ont été faites depuis contre les empereurs romains n'étaient que conjurations de gens ambitieux, lesquels ne sont pas à plaindre des inconvénients qui leur en sont advenus, étant bel à voir qu'ils désiraient, non pas ôter, mais remuer la couronne[2], prétendant chasser le tyran et retenir la tyrannie. À ceux-ci je ne voudrais pas moi-même qu'il leur en fût bien succédé[3], et suis content qu'ils aient montré, par leur exemple, qu'il ne faut pas abuser du saint nom de liberté pour faire mauvaise entreprise.

Mais pour revenir à notre propos, duquel je m'étais quasi perdu, la première raison pourquoi les hommes servent volontiers, est pour ce qu'ils naissent serfs et sont nourris tels. De celle-ci en vient une autre, qu'aisément les gens deviennent, sous les tyrans, lâches et efféminés : dont je sais merveilleusement bon gré à Hyppocras[4], le grand-père de la médecine, qui s'en est pris garde[5], et l'a ainsi dit en l'un de ses livres qu'il

---

Publicola furent parmi ceux qui fondèrent la république romaine. Dion renversa la tyrannie de Denys le Jeune, mais installa une nouvelle tyrannie à Syracuse.

1. *Heureusement* : avec succès.

2. *Remuer la couronne* : changer de roi (métonymie à la fois imagée et méprisante).

3. *Qu'il leur en fût bien succédé* : qu'ils aient rencontré le succès.

4. *Hyppocras* : Hippocrate.

5. *Qui s'en est pris garde* : qui s'en est rendu compte.

institue *Des maladies*. Ce personnage avait certes en tout le cœur en bon lieu [1], et le montra bien lorsque le Grand Roi le voulut attirer près de lui à force d'offres et grands présents, il lui répondit franchement qu'il ferait grand conscience [2] de se mêler de guérir les Barbares qui voulaient tuer les Grecs, et de bien servir, par son art à lui, qui entreprenait d'asservir la Grèce. La lettre qu'il lui envoya se voit encore aujourd'hui parmi ses autres œuvres, et témoignera pour jamais de son bon cœur et de sa noble nature. Or, est-il donc certain qu'avec la liberté se perd tout en un coup la vaillance. Les gens sujets n'ont point d'allégresse au combat ni d'âpreté, ils vont au danger quasi comme attachés et tous engourdis, par manière d'acquit [3], et ne sentent point bouillir dans leur cœur l'ardeur de la franchise qui fait mépriser le péril et donne envie d'achapter [4], par une belle mort entre ses compagnons, l'honneur et la gloire. Entre les gens libres, c'est à l'envi à qui mieux mieux, chacun pour le bien commun, chacun pour soi, ils s'attendent d'avoir tous leur part au mal de la défaite ou au bien de la victoire ; mais les gens asservis, outre ce courage guerrier, ils perdent aussi en toutes autres choses la vivacité, et ont le cœur bas et mol et incapable de toutes choses grandes. Les tyrans connaissent bien cela, et, voyant qu'ils prennent ce pli, pour les faire mieux avachir, encore ils aident-ils [5].

Xénophon, historien grave et du premier rang entre les Grecs, a fait un livre auquel il fait parler Simonide avec Hiéron, tyran de Syracuse, des misères du tyran.

---

1. *En bon lieu* : bien placé (il était courageux).
2. *Qu'il ferait grand conscience* : qu'il aurait des scrupules.
3. *Par manière d'acquit* : par obligation.
4. *Achapter* : acheter.
5. *Ils aident-ils* : ils y aident.

Ce livre est plein de bonnes et graves remontrances [1], et qui ont aussi bonne grâce, à mon avis, qu'il est possible. Que plût à Dieu que les tyrans qui ont jamais été l'eussent mis devant les yeux et s'en fussent servi de miroir ! Je ne puis pas croire qu'ils n'eussent reconnu leurs verrues et eu quelque honte de leurs taches. En ce traité, il conte la peine en quoi sont les tyrans, qui sont contraints, faisant mal à tous, se craindre [2] de tous. Entre autres choses, il dit cela, que les mauvais rois se servent d'étrangers à la guerre et les soudoient [3], ne s'osant fier de mettre à leurs gens [4], à qui ils ont fait tort, les armes en main. (Il y a bien eu de bons rois qui ont eu à leur solde des nations étrangères, comme les Français mêmes, et plus encore d'autrefois qu'aujourd'hui, mais à une autre intention, pour garder des leurs, n'estimant rien le dommage de l'argent pour épargner les hommes. C'est ce que disait Scipion, ce crois-je, le grand Africain, qu'il aimerait mieux avoir sauvé un citoyen que défait cent ennemis [5].) Mais, certes, cela est bien assuré, que le tyran ne pense jamais que la puissance lui soit assurée, sinon quand il est venu à ce point qu'il n'a sous lui homme qui vaille : donc à bon droit lui dira on cela, que Thrason en Térence se vante avoir reproché au maître des éléphants :

---

1. Le mot n'est pas anodin. Il désigne, entre autre choses, les remarques que les parlements provinciaux font remonter au roi pour, éventuellement, contester un édit ou infléchir une décision. Futur parlementaire de Bordeaux, La Boétie voit sans doute dans le droit de remontrance une des libertés locales qui tempèrent la monarchie.

2. *Se craindre* : se méfier (au sens amplifié de « craindre »).

3. *Soudoient* : paient (le salaire du militaire s'appelle la « solde »).

4. *À leurs gens* : aux gens de leur peuple.

5. Cette prudente réserve ne fait que jeter le doute sur le roi de France qui lui aussi emploie des mercenaires (voir Machiavel, *Le Prince*, chap. 12 et 13, et More, l'*Utopie*, dans laquelle on emploie des mercenaires pour préserver la vie des Utopiens).

> Pour cela si brave vous êtes
> Que vous avez charge des bêtes.

Mais cette ruse de tyrans d'abêtir leurs sujets ne se peut pas connaître plus clairement par ce que Cyrus [1] fit envers les Lydiens, après qu'il se fut emparé de Sardis, la maîtresse ville de Lydie, et qu'il eut pris à merci [2] Crésus, ce tant riche roi, et l'eut amené quant et soi [3] : on lui apporta nouvelles que les Sardains s'étaient révoltés ; il les eut bientôt réduits sous sa main ; mais, ne voulant pas ni mettre à sac une tant belle ville, ni être toujours en peine [4] d'y tenir une armée pour la garder, il s'avisa d'un grand expédient pour s'en assurer : il y établit des bordeaux [5], des tavernes et jeux publics, et fit publier une ordonnance que les habitants eussent à en faire état [6]. Il se trouva si bien de cette garnison [7] que jamais depuis contre les Lydiens il ne fallut tirer un coup d'épée. Ces pauvres et misérables gens s'amusèrent à inventer toutes sortes de jeux, si bien que les Latins en ont tiré leur mot, et ce que nous appelons *passe-temps*, ils l'appellent LUDI, comme s'ils voulaient dire LYDI. Tous les tyrans n'ont pas ainsi déclaré exprès [8] qu'ils voulsissent efféminer leurs gens ; mais, pour vrai, ce que lui ordonna formellement et en effet, sous main ils l'ont pourchassé la plupart [9]. À la vérité, c'est le naturel du menu populaire, duquel le nombre est toujours plus grand dedans

---

1. Il s'agit de Cyrus le Grand, fondateur, au VIe siècle av. J.-C., de l'Empire perse.

2. *Pris à merci* : fait prisonnier.

3. *Quant et soi* : avec lui (il le fit prisonnier).

4. *En peine* : obligé.

5. *Bordeaux* : bordels.

6. *Eussent à en faire état* : devaient s'y rendre.

7. Le mot est évidemment ironique : ce sont les prostituées et les marchands de vin qui gardent la ville.

8. *Exprès* : expressément.

9. *Ce que lui ordonna formellement et en effet, sous main ils l'ont pourchassé la plupart* : ce que lui a fait ouvertement, les autres ont cherché à le faire discrètement, pour la plupart d'entre eux.

les villes, qu'il est soupçonneux à l'endroit de celui qui l'aime, et simple envers celui qui le trompe. Ne pensez pas qu'il y ait nul oiseau qui se prenne mieux à la pipée [1], ni poisson aucun qui, pour la friandise du ver, s'accroche plus tôt dans le haim [2] que tous les peuples s'allèchent vitement à la servitude, par la moindre plume qu'on leur passe, comme l'on dit, devant la bouche ; et c'est chose merveilleuse qu'ils se laissent aller ainsi tôt, mais [3] seulement qu'on les chatouille. Les théâtres, les jeux, les farces, les spectacles, les gladiateurs, les bêtes étranges, les médailles, les tableaux et autres telles drogueries [4], c'étaient aux peuples anciens les appâts de la servitude, le prix de leur liberté, les outils de la tyrannie. Ce moyen, cette pratique, ces alléchements avaient les anciens tyrans pour endormir leurs sujets sous le joug. Ainsi les peuples, assotis [5], trouvent beaux ces passe-temps, amusés d'un vain plaisir, qui leur passait devant les yeux, s'accoutumaient à servir aussi niaisement, mais plus mal, que les petits enfants qui, pour voir les luisantes images des livres enluminés, apprennent à lire. Les Romains tyrans s'avisèrent encore d'un autre point : de festoyer souvent les dizaines publiques [6], abusant cette canaille comme il fallait, qui se laisse aller, plus qu'à toute autre chose, au plaisir de la bouche : le plus avisé et entendu d'entre eux n'eut pas quitté son esculée [7] de soupe pour recouvrer la liberté de la république de Platon. Les

---

1. *À la pipée* : au pipeau qui imite son chant.
2. *Haim* : hameçon.
3. *Mais* : pourvu.
4. *Drogueries* : ici, par métaphore, distractions, divertissements, qui ne soignent pas le mal.
5. *Assotis* : rendus sots, stupides.
6. Ensemble de dix jours dans le calendrier romain.
7. *Esculée* : assiettée.

tyrans faisaient largesse d'un quart [1] de blé, d'un sestier [2] de vin et d'un sesterce [3] ; et lors c'était pitié d'ouïr
crier : *Vive le roi !* Les lourdauds ne s'avisaient pas
qu'ils ne faisaient que recouvrer une partie du leur, et
que cela même qu'ils recouvraient, le tyran ne leur eût
pu donner, si devant il ne l'avait ôté à eux-mêmes. Tel
eût amassé aujourd'hui le sesterce, et se fût gorgé au
festin public, bénissant Tibère et Néron, et leur belle
libéralité qui, le lendemain, étant contraint d'abandonner ses biens à leur avarice, ses enfants à la luxure,
son sang même à la cruauté de ces magnifiques empereurs, ne disait mot, non plus qu'une pierre, ne
remuait non plus qu'une souche. Toujours le populaire [4] a eu cela : il est, au plaisir qu'il ne peut honnêtement [5] recevoir, tout ouvert et dissolu [6], et, au tort et
à la douleur qu'il ne peut honnêtement souffrir, insen-
sible. Je ne vois pas maintenant personne [7] qui, oyant
parler de Néron, ne tremble même au surnom de ce
vilain monstre, de cette orde [8] et sale peste du monde ;
et toutefois, de celui-là, de ce boutefeu [9], de ce bourreau, de cette bête sauvage, on peut bien dire qu'après
sa mort, aussi vilaine que sa vie, le noble peuple
romain en reçut tel déplaisir, se souvenant de ses jeux
et de ses festins, qu'il fut sur le point d'en porter le

---

1. *D'un quart* : d'une mesure.
2. Le sestier est une mesure qui équivalait à environ un demi-litre.
3. Le sesterce est une pièce de menue monnaie.
4. *Le populaire* : le peuple (nuance péjorative).
5. À la Renaissance, « honnête » a un sens à la fois moral et aristocratique : est honnête ce qui est juste, honorable, élégant. Le peuple
montre ainsi qu'il n'est pas honnête, caractère réservé, sans doute, aux
« mieux-nés ».
6. *Dissolu* : corrompu.
7. *Personne* : une personne, quelqu'un.
8. Du mot « orde » vient le mot moderne « ordure ». L'adjectif signifie ici « répugnant ». Le texte des *Mémoires* dit plus sobrement : « orde
et sale bête ».
9. *Boutefeu* : incendiaire.

deuil ; ainsi l'a écrit Corneille Tacite, auteur bon et grave, et l'un des plus certains. Ce qu'on ne trouvera pas étrange, vu que ce peuple-là même avait fait auparavant à la mort de Jules César, qui donna congé aux lois et à la liberté, auquel personnage il n'y eut, ce me semble, rien qui vaille [1], car son humanité même, que l'on prêche tant, fut plus dommageable que la cruauté du plus sauvage tyran qui fut oncques [2], pour ce qu'à la vérité ce fut cette sienne venimeuse douceur qui, envers le peuple romain, sucra [3] la servitude ; mais, après sa mort, ce peuple-là, qui avait encore en la bouche ses banquets et en l'esprit la souvenance de ses prodigalités, pour lui faire ses honneurs et le mettre en cendre, amoncelait à l'envi les bancs de la place, et puis lui éleva une colonne, comme au Père du peuple (ainsi le portait le chapiteau), et lui fit plus d'honneur, tout mort qu'il était, qu'il n'en devait faire par droit à homme du monde, si ce n'était par aventure à ceux qui l'avaient tué [4]. Ils n'oublièrent pas aussi cela, les empereurs romains, de prendre communément le titre de tribun du peuple, tant pour que ce que cet office [5] était tenu pour saint et sacré qu'aussi il était établi pour la défense et protection du peuple, et sous la faveur de l'État. Par ce moyen, ils s'assuraient que le peuple se fierait plus d'eux [6], comme s'il devait en ouïr le nom, et non pas sentir les effets au contraire. Aujourd'hui ne font pas beaucoup mieux ceux qui ne font guère mal aucun, même de conséquence, qu'ils ne

---

1. *Auquel personnage il n'y eut, ce me semble, rien qui vaille* : personnage qui, me semble-t-il, ne valait rien.

2. *Oncques* : jamais.

3. *Sucra* : adoucit.

4. *Qu'il n'en devait faire par droit à homme du monde, si ce n'était par aventure à ceux qui l'avaient tué* : qu'il ne devait faire, en bon droit, à quiconque, sinon, peut-être, à ceux qui l'avaient tué.

5. *Office* : magistrature.

6. *D'eux* : à eux.

passent devant quelque joli propos du bien public et soulagement commun [1] : car tu sais bien, ô Longa, le formulaire [2], duquel en quelques endroits ils pourraient user assez finement ; mais, à la plupart, certes, il n'y peut avoir de finesse là où il y a tant d'impudence. Les rois d'Assyrie, et encore après eux ceux de Mède, ne se présentaient en public que le plus tard qu'ils pouvaient, pour mettre en doute ce populas s'ils étaient en quelque chose plus qu'hommes [3], et laisser en cette rêverie les gens qui font volontiers les imaginatifs aux choses desquelles ils ne peuvent juger de vue. Ainsi tant de nations, qui furent assez longtemps, sous cet empire assyrien, avec ce mystère, s'accoutumaient à servir et servaient plus volontiers, pour ne savoir pas quel maître ils avaient, ni à grand-peine s'ils en avaient, et craignaient tous, à crédit [4], un que personne jamais n'avait vu. Les premiers rois d'Égypte ne se montraient guère, qu'ils ne portassent tantôt un chat, tantôt une branche, tantôt du feu sur la tête ; et, ce faisant, par l'étrangeté de la chose, ils donnaient à leurs sujets quelque révérence et admiration ; ou, aux gens qui n'eussent été trop sots ou trop asservis, ils n'eussent apprêté, ce m'est avis, sinon passe-temps et risée [5]. C'est pitié d'ouïr parler de combien de choses les tyrans du temps passé faisaient leur profit pour

---

1. *Aujourd'hui ne font pas beaucoup mieux ceux qui* [...] *et soulagement commun* : ils ne font pas beaucoup mieux ceux qui, aujourd'hui, quand ils font du mal, même gravement, le font précéder de quelque joli propos sur le bien public et le soulagement commun.

2. Longa, prédécesseur de La Boétie au Parlement de Bordeaux, connaissait évidemment le texte des ordonnances et des édits royaux qui, hypocritement, se référaient toujours au bien commun ou à l'intérêt général.

3. Allusion à la divinisation des tyrans, qui impressionne toujours les masses. La Boétie pressent avec beaucoup de lucidité la « psychologie des foules ».

4. *À crédit* : sur des on-dit.

5. *Risée* : matière à rire.

fonder leur tyrannie ; de combien de petits moyens ils se servaient, ayant de tout temps trouvé ce populas fait à leur poste [1], auquel ils ne savaient si mal tendre filet qu'ils n'y vinssent prendre ; lequel ils ont toujours trompé à si bon marché qu'ils ne l'assujettissaient jamais tant que lorsqu'ils s'en moquaient le plus.

Que dirai-je d'une autre belle bourde que les peuples anciens prindrent [2] pour argent comptant ? Ils crurent fermement que le gros doigt [3] de Pyrrhe, roi des Épirotes, faisait miracles et guérissait les malades de la rate ; ils enrichirent encore mieux le conte, que ce doigt, après qu'on eut brûlé tout le corps mort, s'était trouvé entre les cendres, s'étant sauvé, malgré le feu. Toutefois ainsi le peuple sot fait lui-même les mensonges, pour puis après [4] les croire. Prou de gens [5] l'ont ainsi écrit, mais de façon qu'il est bel à voir qu'ils ont amassé cela des bruits de ville et du vain parler du populas [6]. Vespasien, revenant d'Assyrie et passant à Alexandrie pour aller à Rome s'emparer de l'empire, fit merveilles : il addressait [7] les boiteux, il rendait clairvoyants les aveugles, et tout plein d'autres belles choses auxquelles qui ne pouvait voir la faute qu'il y avait [8], il était à mon avis plus aveugle que ceux qu'il guérissait. Les tyrans mêmes trouvaient bien étrange

---

1. *Fait à leur poste* : instruit selon leur souhait.

2. *Prindrent* : prirent.

3. Les *Mémoires* contiennent : « le gros doigt d'un pied ».

4. *Puis après* : ensuite.

5. *Prou de gens* : beaucoup de gens. Le mot subsiste dans l'expression « peu ou prou ».

6. Cette phrase qui met en doute le témoignage écrit des Anciens, à qui il arrive de rapporter de « belles bourdes », suggère qu'il ne suffit pas qu'une chose soit écrite, « enrôlée », « enregistrée » et ancienne pour être véritable. Il faut encore que le témoin soit fiable.

7. *Addressait* : redressait.

8. *Auxquelles qui ne pouvait voir la faute qu'il y avait* : au sujet desquelles celui qui ne pouvait voir l'imposture qu'elles comportaient.

que les hommes pussent endurer un homme leur faisant mal ; ils voulaient fort se mettre la religion devant pour garde-corps[1], et, s'il était possible, emprunter quelque échantillon de la divinité pour le maintien de leur méchante vie. Donc Salmonée, si l'on croit à la sibylle[2] de Virgile en son enfer, pour s'être ainsi moquée des gens et avoir voulu faire du Jupiter, en rend maintenant compte, et elle le vit en l'arrière-enfer,

> Souffrant cruels tourments, pour vouloir imiter
> Les tonnerres du ciel, et feux de Jupiter,
> Dessus quatre coursiers, celui allait, branlant[3],
> Haut monté, dans son poing un grand flambeau brillant.
> Par les peuples grégeois et dans le plein marché,
> Dans la ville d'Élide haut il avait marché
> Et faisant sa bravade ainsi entreprenait
> Sur l'honneur qui, sans plus, aux dieux appartenait[4].
> L'insensé, qui l'orage et foudre inimitable
> Contrefaisait, d'airain, et d'un cours effroyable
> De chevaux cornepieds, le Père tout puissant ;
> Lequel, bientôt après, ce grand mal punissant,
> Lança, non un flambeau, non pas une lumière
> D'une torche de cire, avecques sa fumière,
> Et de ce rude coup d'une horrible tempête,
> Il le porta à bas, les pieds par-dessus tête[5].

Si celui qui ne faisait que le sot est à cette heure bien traité là-bas, je crois que ceux qui ont abusé de

---

1. *Se mettre la religion devant pour garde-corps* : s'abriter derrière la religion. Ce passage qui souligne l'instrumentalisation de la religion par le pouvoir temporel – y compris dans des allusions à la monarchie française – est un des plus audacieux du *Discours*, un des plus « séditieux » contre la monarchie.

2. *Sibylle* : prêtresse.

3. *Branlant* : agitant.

4. *Sur l'honneur qui, sans plus, aux dieux appartenait* : s'appropriant les honneurs qui n'appartiennent qu'aux dieux.

5. Virgile, *Énéide*, VI, v. 585-594.

la religion, pour être méchants, s'y trouvent encore à meilleures enseignes [1].

Les nôtres semèrent en France je ne sais quoi de tel, des crapauds, des fleurs de lis, l'ampoule et l'oriflamme. Ce que de ma part, comment qu'il en soit, je ne veux pas mécroire [2], puisque nous ni nos ancêtres n'avons eu jusqu'ici aucune occasion de l'avoir mécru, ayant toujours eu des rois si bons en la paix et si vaillants en la guerre, qu'encore qu'ils naissent rois [3], il semble qu'ils ont été non pas faits comme les autres par la nature, mais choisis par le Dieu tout-puissant, avant que naître, pour le gouvernement et la conservation de ce royaume ; et encore, quand cela n'y serait pas [4], si ne voudrais-je pas pour cela entrer en lice pour débattre la vérité de nos histoires, ni les éplucher si privément [5], pour ne tollir [6] ce bel ébat, où se pourra fort escrimer notre poésie française, maintenant non pas accoutrée [7], mais, comme il semble, faite toute à neuf par notre Ronsard, notre Baïf, notre du Bellay, qui en cela avancent bien tant notre langue, que j'ose espérer que bientôt les Grecs ni les Latins n'auront guère, pour ce regard, devant nous, sinon, possible, le droit d'aînesse [8]. Et certes je ferais grand tort à notre rime [9], car j'use volontiers de ce mot, et il ne me

---

1. La phrase est ironique : si les sots sont si durement punis, les méchants le seront encore bien plus. Voir la fin du *Discours* (p. 157).

2. *Je ne veux pas mécroire* : je ne veux pas mettre en doute. Les nombreuses modalités modèrent l'adhésion de l'auteur à la monarchie française.

3. *Qu'encore qu'ils naissent rois* : que bien qu'ils naissent rois.

4. Cette dernière hypothèse finit de ruiner l'apparente loyauté de l'orateur puisqu'il envisage, tout bonnement, que les rois français n'aient pas d'origine divine.

5. *Éplucher si privément* : examiner en profondeur.

6. *Tollir* : renverser, détruire.

7. *Accoutrée* : arrangée.

8. *Pour ce regard, devant nous, sinon, possible, le droit d'aînesse* : sur ce point, aucune supériorité sur nous, sinon, peut-être, le droit d'aînesse.

9. *Rime* : poésie.

déplaît point pour ce qu'encore que plusieurs l'eussent rendue mécanique, toutefois je vois assez de gens qui sont à même pour la renoblir [1] et lui rendre son premier honneur ; mais je lui ferais, dis-je, grand tort, de lui ôter maintenant ces beaux contes du roi Clovis, auxquels déjà je vois, ce me semble, combien plaisamment, combien à son aise s'y égayera [2] la veine [3] de notre Ronsard, en sa *Franciade* [4]. J'entends la portée, je connais l'esprit aigu, je sais la grâce de l'homme : il fera ses besognes de l'oriflamb [5] aussi bien que les Romains de leurs ancilles [6]

> et les boucliers du ciel en bas jettés,

ce dit Virgile ; il ménagera notre ampoule [7] aussi bien que les Athéniens le panier d'Érichtone [8] ; il fera parler

---

1. *La renoblir* : lui rendre sa noblesse.
2. *Égayera* : emploiera.
3. *Veine* : inspiration.
4. Voilà la page à laquelle se réfèrent ceux qui, comme Armaingaud, soutiennent que la rédaction du *Discours* n'est pas intégralement l'œuvre de La Boétie. Ronsard en effet ne publia sa *Franciade* qu'en 1572 ; et l'on soutient couramment que la célébrité des poètes de la Pléiade comme Baïf et Du Bellay n'était pas établie en la jeunesse de La Boétie. Cependant, d'après Olivier de Magny, Ronsard avait conçu le projet de son poème épique aux alentours de 1550 et en avait entretenu ses amis ; en outre, les premières poésies de Du Bellay datent de 1549 et celles de Baïf de 1552. On peut donc admettre que La Boétie, étudiant à Orléans, les ait connues et ait pu en faire état dans un additif à la rédaction première du *Discours*.
5. *Oriflamb* : oriflamme, un des symboles de la France.
6. *Ancilles* : boucliers sacrés.
7. Il s'agit de l'ampoule du saint chrême qui enferme l'huile dont on se sert lors de certains sacrements.
8. À Érichthonios, roi légendaire d'Athènes, on prête – il était mi-homme, mi-serpent – l'invention des chars qui cachaient son corps de serpent. *L'Attique* de Pausanias (voir *Pausaniae descriptio Graeciae Recognovit et praefatus est Ludovicus Dindorfius*, Firmin-Didot, 1845, p. 24) racontent comment Minerve, après avoir enfermé Érichthonios dans un panier, en aurait confié la garde à Aglaure et ses sœurs, avec l'interdiction de regarder dedans – ce que, bien sûr, elles ne firent pas ; elles furent punies de leur curiosité. La légende du « panier

de nos armes[1] aussi bien qu'eux de leur olive qu'ils maintiennent être encore en la tour de Minerve. Certes je serais outrageux de vouloir démentir nos livres et de courir ainsi sur les erres[2] de nos poètes. Mais pour retourner d'où, je ne sais comment, j'avais détourné le fil de mon propos, il n'a jamais été que les tyrans, pour s'assurer[3], ne se soient efforcés d'accoutumer le peuple envers eux, non seulement à obéissance et servitude, mais encore à dévotion. Donc ce que j'ai dit jusque ici, qui apprend les[4] gens à servir plus volontiers, ne sert guère aux tyrans que pour le menu et grossier peuple.

Mais maintenant je viens à un point, lequel est à mon avis le ressort et le secret de la domination, le soutien et fondement de la tyrannie. Qui pense que les hallebardes, les gardes et l'assiette du guet[5] gardent les tyrans, à mon jugement se trompe fort ; et s'en aident-ils, comme je crois, plus pour la formalité et épouvantail que pour fiance[6] qu'ils y aient. Les archers gardent d'entrer au palais les mal habillés qui n'ont nul moyen[7], non pas les bien armés qui peuvent faire quelque entreprise. Certes, des empereurs romains, il est aisé à compter qu'il n'y en a pas eu tant qui aient échappé quelque danger par le secours de leurs gardes, comme de ceux qui ont été tués par leurs archers mêmes. Ce ne sont pas les bandes des gens à cheval, ce ne sont pas les compagnies des gens de pied, ce ne sont pas les armes qui défendent le tyran. On ne

d'Érichthonios » était connue au XVIe siècle grâce à Ovide et aussi au texte du *Roland furieux* (chant XXXVII, strophe 27).
1. *Armes* : éléments de notre blason.
2. *Courir ainsi sur les erres* : entrer ainsi en concurrence.
3. *S'assurer* : renforcer leur pouvoir.
4. *Qui apprend les* : qui apprend aux.
5. *L'assiette du guet* : les rondes de soldats qui montent la garde.
6. *Fiance* : confiance.
7. *Qui n'ont nul moyen* : qui ne peuvent rien entreprendre.

le croira pas du premier coup, mais certes il est vrai : ce sont toujours quatre ou cinq qui maintiennent le tyran, quatre ou cinq qui tiennent tout le pays en servage. Toujours il a été que cinq ou six ont eu l'oreille du tyran [1], et s'y sont approchés d'eux-mêmes, ou bien ont été appelés par lui, pour être les complices de ses cruautés, les compagnons de ses plaisirs, les maquereaux de ses voluptés, et communs aux biens de ses pilleries. Ces six adressent [2] si bien leur chef, qu'il faut, pour la société, qu'il soit méchant, non pas seulement par ses méchancetés, mais encore des leurs. Ces six ont six cents qui profitent sous eux, et font de leurs six cents ce que les six font au tyran. Ces six cents en tiennent sous eux six mille, qu'ils ont élevés en état, auxquels ils font donner ou le gouvernement des provinces, ou le maniement des deniers, afin qu'ils tiennent la main [3] à leur avarice et cruauté et qu'ils l'exécutent quand il sera temps, et fassent tant de maux d'ailleurs qu'ils ne puissent durer que sous leur ombre [4], ni s'exempter que par leur moyen des lois et de la peine [5]. Grande est la suite qui vient après cela, et qui voudra s'amuser à dévider ce filet, il verra que, non pas les six mille, mais les cent mille, mais les millions, par cette corde, se tiennent au tyran, s'aident d'icelle [6] comme, en Homère, Jupiter qui se vante, s'il tire la chaîne, d'emmener vers soi tous les dieux. De

---

1. *Ont eu l'oreille du tyran* : ont été admis au conseil du tyran.
2. *Adressent* : dressent.
3. *Tiennent la main* : collaborent.
4. *Qu'ils ne puissent durer que sous leur ombre* : qu'ils ne puissent survivre que dans l'ombre de ceux qui les commandent. Ce passage souligne la solidarité dans le crime entres les différents échelons de la hiérarchie : les exécutants, qui sont détestés de leurs victimes, ne peuvent « durer » que si tout le système se maintient.
5. *Peine* : punition.
6. *D'icelle* : de celle-ci.

là venait la crue du Sénat[1] sous Jules[2], l'établissement de nouveaux États, érection d'offices[3] ; non pas certes à le bien prendre, réformation[4] de la justice, mais nouveaux soutiens de la tyrannie. En somme que l'on en vient là, par les faveurs ou sous-faveurs, les gains ou regains qu'on a avec les tyrans, qu'il se trouve enfin quasi autant de gens auxquels la tyrannie semble être profitable, comme de ceux à qui la liberté serait agréable. Tout ainsi que les médecins disent qu'en notre corps, s'il y a quelque chose de gâté, dès lors qu'en autre endroit il s'y bouge rien, il se vient aussitôt rendre vers cette partie véreuse : pareillement, dès lors qu'un roi s'est déclaré tyran, tout le mauvais, toute la lie du royaume, je ne dis pas un tas de larroneaux et essorillés, qui ne peuvent guère en une république faire mal ni bien[5], mais ceux qui sont tâchés d'une ardente ambition et d'une notable avarice, s'amassent autour de lui et le soutiennent pour avoir part au butin, et être, sous le grand tyran, tyranneaux eux-mêmes. Ainsi font les grands voleurs et les fameux corsaires : les uns découvrent le pays, les autres chevalent les voyageurs[6] ; les uns sont en embûche, les autres au guet ; les autres massacrent, les autres dépouillent, et encore qu'il y ait entre eux des prééminences, et que les uns ne soient que valets, les autres chefs de l'assemblée, si n'y en a-il à la fin pas un qui ne se sente sinon du[7] principal butin, au moins de la recherche. On dit

---

1. *La crue du Sénat* : l'augmentation du nombre des sénateurs.

2. Il s'agit de Jules César.

3. *Érection d'offices* : création de nouvelles magistratures.

4. *Réformation* : amélioration.

5. *Un tas de larroneaux et essorillés, qui ne peuvent guère en une république faire mal ni bien* : un ensemble de petits voleurs qui ne peuvent nuire à la République (à cause de leur manque d'envergure). On leur coupait parfois les oreilles, d'où le mot « essorillés ».

6. *Chevalent les voyageurs* : les guettent à cheval afin de les rançonner.

7. *Qui ne se sente [...] du* : qui ne s'intéresse au.

bien que des pirates siciliens[1] ne s'assemblèrent pas seulement en si grand nombre, qu'il fallut envoyer contre eux Pompée le grand ; mais encore tirèrent à leur alliance plusieurs belles villes et grandes cités aux hâvres[2] desquelles ils se mettaient en sûreté, revenant des courses, et pour récompense, leur baillaient quelque profit du recélement[3] de leur pillage.

Ainsi le tyran asservit les sujets les uns par le moyen des autres, et est gardé par ceux desquels, s'ils valaient rien, il se devrait garder[4] ; et, comme on dit, pour fendre du bois, il fait des coins du bois même. Voilà ses archers, voilà ses gardes, voilà ses hallebardiers ; non pas qu'eux-mêmes ne souffrent quelquefois de lui, mais ces perdus et abandonnés de Dieu et des hommes sont contents d'endurer du mal pour en faire, non pas à celui qui leur en fait, mais à ceux qui en endurent comme eux, et qui n'en peuvent mais[5]. Toutefois, voyant ces gens-là, qui nacquetent[6] le tyran pour faire leurs besognes de sa tyrannie et de la servitude du peuple, il me prend souvent ébahissement de leur méchanceté, et quelquefois pitié de leur sottise : car, à dire vrai, qu'est-ce autre chose de s'approcher du tyran que se tirer plus arrière[7] de sa liberté, et par manière de dire serrer à deux mains et embrasser[8] la servitude ? Qu'ils mettent un petit à part[9] leur ambition et qu'ils se déchargent un peu de leur avarice, et

1. Il s'agirait plutôt des pirates ciliciens venus des côtes d'Asie Mineure.

2. *Hâvres* : ports.

3. *Recélement* : recel.

4. *Ceux desquels, s'ils valaient rien, il se devrait garder* : ceux dont, s'ils valaient quelque chose, il devrait se protéger.

5. *N'en peuvent mais* : n'y peuvent rien.

6. *Nacquetent* : servent. Le naquet est, au jeu de paume, le valet qui sert les joueurs.

7. *Se tirer plus arrière* : s'éloigner.

8. *Embrasser* : serrer entre ses bras.

9. *Un petit à part* : de côté.

puis qu'ils se regardent eux-mêmes et qu'ils se recon
naissent, et ils verront clairement que les villageois,
les paysans, lesquels tant qu'ils peuvent ils foulent
aux pieds, et en font pis que de forçats ou esclaves,
ils verront, dis-je, que ceux-là, ainsi malmenés, sont
toutefois, au prix d'eux[1], fortunés et aucunement
libres. Le laboureur et l'artisan, pour tant qu'ils
soient asservis, en sont quittes en faisant ce qu'ils
ont dit ; mais le tyran voit les autres qui sont près
de lui, coquinant et mendiant sa faveur : il ne faut
pas seulement qu'ils fassent ce qu'il dit, mais qu'ils
pensent ce qu'il veut, et souvent, pour lui satisfaire[2],
qu'ils préviennent[3] encore ses pensées. Ce n'est pas
tout à eux que[4] de lui obéir, il faut encore lui
complaire ; il faut qu'ils se rompent, qu'ils se tour-
mentent, qu'ils se tuent à travailler en ses affaires et
puis qu'ils se plaisent de son plaisir, qu'ils laissent
leur goût pour le sien, qu'ils forcent leur complexion[5], qu'ils dépouillent leur naturel ; il faut
qu'ils se prennent garde[6] à ses paroles, à sa voix, à
ses signes et à ses yeux ; qu'ils n'aient ni œil, ni
pied, ni main, que tout ne soit au guet pour épier
ses volontés et pour découvrir ses pensées. Cela
est-ce vivre heureusement ? cela s'appelle-t-il vivre ?
est-il au monde rien moins supportable que cela, je
ne dis pas à un homme de cœur, je ne dis pas à un
bien né, mais seulement à un qui ait le sens
commun, ou, sans plus, la face d'homme ? Quelle
condition est plus misérable que de vivre ainsi, qu'on
n'aie rien à soi, tenant d'autrui son aise, sa liberté,
son corps et sa vie ?

---

1. *Au prix d'eux* : si on les compare à eux.
2. *Lui satisfaire* : le satisfaire.
3. *Préviennent* : aillent au-devant de.
4. *Ce n'est pas tout à eux que* : il ne leur suffit pas.
5. *Complexion* : ici, nature.
6. *Se prennent garde* : soient attentifs.

Mais ils veulent servir pour avoir des biens : comme s'ils pouvaient rien gagner qui fût à eux, puisqu'ils ne peuvent pas dire de soi qu'ils soient à eux-mêmes ; et comme si aucun pouvait avoir rien de propre [1] sous un tyran, ils veulent faire que les biens soient à eux, et ne se souviennent pas que ce sont eux qui lui donnent la force pour ôter tout à tous, et ne laisser rien qu'on puisse dire être à personne. Ils voient que rien ne rend les hommes sujets à sa cruauté que les biens ; qu'il n'y a aucun crime envers lui digne de mort que le dequoi [2] ; qu'il n'aime que les richesses et ne défait que les riches, et ils se viennent présenter, comme devant le boucher, pour s'y offrir ainsi pleins et refaits [3] et lui en faire envie. Ses favoris ne se doivent pas tant souvenir de ceux qui ont gagné autour des tyrans beaucoup de biens comme [4] de ceux qui, ayant quelque temps amassé, puis après y ont perdu [5] et les biens et les vies ; il ne leur doit pas tant venir en l'esprit combien d'autres y ont gagné de richesses, mais combien peu de ceux-là les ont gardées. Qu'on découvre toutes les anciennes histoires, qu'on regarde celles de notre souvenance, et on verra tout à plein [6] combien est grand le nombre de ceux qui, ayant gagné par mauvais moyens l'oreille des princes, ayant ou employé leur mauvaistié [7] ou abusé de leur simplesse [8], à la fin par ceux-là mêmes ont été anéantis et autant qu'ils y avaient trouvé de facilité pour les élever, autant y ont-ils

---

1. *De propre* : à soi.
2. *Le dequoi* : les biens, la propriété.
3. *Pleins et refaits* : dodus et engraissés.
4. *Comme* : mais plutôt.
5. *Puis après y ont perdu* : ont perdu bientôt après.
6. *Tout à plein* : clairement.
7. *Mauvaistié* : méchanceté.
8. *Simplesse* : naïveté.

connu puis après d'inconstance pour les abattre[1].
Certainement en si grand nombre[2] de gens qui se sont
trouvés jamais près de tant de mauvais rois, il en a été
peu, ou comme point[3], qui n'aient essayé[4] quelquefois
en eux-mêmes la cruauté du tyran qu'ils avaient
devant attisée contre les autres : le plus souvent s'étant
enrichis, sous l'ombre de sa faveur, des dépouilles
d'autrui, ils l'ont à la fin eux-mêmes enrichi de leurs
dépouilles.

Les gens de bien mêmes, si toutefois il s'en trouve
quelqu'un aimé du tyran, tant soient-ils avant en sa
grâce[5], tant reluise en eux la vertu et intégrité, qui
voire aux plus méchants donne quelque révérence de
soi[6] quand on la voit de près, mais les gens de bien,
dis-je, n'y sauraient durer, et faut qu'ils se sentent du
mal commun, et qu'à leurs dépens ils éprouvent la
tyrannie. Un Sénèque, un Burre, un Trasée[7], cette
terne[8] de gens de bien, lesquels mêmes les deux[9] leur
mâle fortune approcha du tyran et leur mit en main le
maniement de ses affaires, tous deux estimés de lui,
tous deux chéris, et encore l'un l'avait nourri et avait

---

1. *Autant qu'ils y avaient trouvé de facilité pour les élever, autant y ont-ils connu puis après d'inconstance pour les abattre* : de même qu'ils les avaient élevés avec facilité, ils les ont abattus avec inconstance.

2. *Si grand nombre* : aussi grand soit le nombre.

3. *Comme point* : pour ainsi dire aucun.

4. *Essayé* : fait l'expérience.

5. *Tant soient-ils avant en sa grâce* : quel que soit leur degré de faveur.

6. *Qui voire aux plus méchants donne quelque révérence de soi* : qui impressionnent même les plus méchants.

7. Sénèque, le philosophe stoïcien, Burrhus, qui fut le précepteur de Néron, et Thraséas, qui fut sénateur de Rome, ont deux dénominateurs communs : ils furent tous les trois conseillers de Néron et celui-ci les accusa de tromperie. Burrhus fut condamné à la prison ; Sénèque et Thraséas se suicidèrent.

8. *Cette terne* : ce trio.

9. Ces deux sont difficiles à distinguer du troisième... Peut-être Sénèque et Thraséas, qui en moururent ?

pour gages de son amitié la nourriture de son enfance ; mais ces trois-là sont suffisants témoins par leur cruelle mort, combien il y a peu d'assurance en la faveur d'un mauvais maître ; et, à la vérité, quelle amitié peut-on espérer de celui qui a bien le cœur si dur que d'haïr son royaume, qui ne fait que lui obéir, et lequel, pour ne se savoir pas encore aimer [1], s'appauvrit lui-même et détruit son empire ?

Or, si l'on veut dire que ceux-là, pour avoir bien vécu, sont tombés en ces inconvénients, qu'on regarde hardiment autour de celui-là même, et on verra que ceux qui vindrent [2] en sa grâce et s'y maintindrent [3] par mauvais moyens ne furent pas de plus longue durée. Qui a ouï parler d'amour si abandonnée [4], d'affection si opiniâtre ? qui a jamais vu d'homme si obstinément acharné envers femme que celui-là envers Poppée [5] ? Or, fut-elle après empoisonnée par lui-même. Agrippine [6], sa mère, avait tué son mari Claude, pour lui faire place à l'empire ; pour l'obliger [7], elle n'avait jamais fait difficulté de rien faire ni de souffrir : donc son fils même, son nourrisson, son empereur fait de sa main, après l'avoir souvent faillie [8], enfin lui ôta la vie ; il n'y eut lors personne qui ne dit qu'elle avait trop bien [9] mérité cette punition, si c'eut été par les

---

1. *Pour ne se savoir pas encore aimer* : pour ne pas savoir s'aimer lui-même.

2. *Vindrent* : vinrent.

3. *Maintindrent* : maintinrent.

4. *Abandonnée* : entière (« amour » est féminin à la Renaissance).

5. Poppée, favorite, puis épouse de Néron, qui la tua – on dit d'un coup de pied – en 65.

6. Agrippine (la Jeune) était la mère de Néron. En troisièmes noces, elle épousa l'empereur Claude, son oncle, lui fit adopter son fils, puis l'empoisonna pour placer Néron sur le trône. Néron, d'ailleurs, la fit assassiner.

7. *L'obliger* : le servir.

8. *Faillie* : trahie.

9. *Trop bien* : amplement.

mains de tout autre que de celui à qui elle l'avait baillée[1]. Qui fut onc[2] plus aisé à manier, plus simple, pour le dire mieux, plus vrai niais que Claude l'empereur ? Qui fut onc plus coiffé[3] de femme que lui de Messaline[4] ? Il la mit enfin entre les mains du bourreau. La simplesse demeure toujours aux tyrans, s'ils en ont, à ne savoir bien faire, mais je ne sais comment à la fin, pour user de cruauté, même envers ceux qui leur sont près, si peu qu'ils ont d'esprit, cela même s'éveille. Assez commun est le beau mot de cet autre qui, voyant la gorge de sa femme découverte, laquelle il aimait le plus, et sans laquelle il semblait qu'il n'eût su vivre, il la caressa de cette belle parole : « Ce beau col sera tantôt coupé, si je le commande. » Voilà pourquoi la plupart des tyrans anciens étaient communément tués par leurs plus favoris, qui, ayant connu la nature de la tyrannie, ne se pouvaient tant assurer de la volonté du tyran comme ils se défiaient de sa puissance. Ainsi fut tué Domitien par Étienne, Commode par une de ses amies mêmes, Antonin par Macrin, et de même quasi tous les autres[5].

C'est cela que certainement le tyran n'est jamais aimé ni n'aime. L'amitié, c'est un nom sacré, c'est une chose sainte ; elle ne se met jamais qu'entre gens de bien, et ne se prend que par une mutuelle estime ; elle s'entretient non tant par bienfaits que par la bonne vie. Ce qui rend un ami assuré de l'autre, c'est la

---

1. « Baillée » se rapporte à la vie (elle a donné la vie à Néron, qui lui donne la mort).

2. *Onc* : jamais. Autre graphie de « oncques ».

3. *Coiffé* : passionnément amoureux.

4. Messaline (25-48) fut la troisième femme de l'empereur Claude et la mère de Britannicus et d'Octavie. Sa vie dissolue l'a rendue tristement célèbre.

5. Les empereurs Domitien, Commode et Antonin (ou Caracalla) ont régné respectivement de 81 à 96, de 180 à 192 et de 211 à 217.

connaissance qu'il a de son intégrité : les répondants[1]
qu'il en a, c'est son bon naturel, la foi et la constance.
Il n'y peut avoir d'amitié là où est la cruauté, là où est
la déloyauté, là où est l'injustice ; et entre les
méchants, quand ils s'assemblent, c'est un complot,
non pas une compagnie ; ils ne s'entraiment pas, mais
ils s'entrecraignent ; ils ne sont pas amis, mais ils
sont complices.

Or, quand bien[2] cela n'empêcherait point, encore
serait-il malaisé de trouver en un tyran un amour
assuré, parce qu'étant au-dessus de tous, et n'ayant
point de compagnon, il est déjà au-delà des bornes de
l'amitié, qui a son vrai gibier en l'équalité[3], qui ne
veut jamais clocher[4], ains est toujours égale. Voilà
pourquoi il y a bien entre les voleurs (ce dit-on)
quelque foi au partage du butin, pour ce qu'ils sont
pairs et compagnons, et s'ils ne s'entraiment, au moins
ils s'entrecraignent et ne veulent pas, en se désunis-
sant, rendre leur force moindre ; mais du tyran, ceux
qui sont ses favoris n'en peuvent avoir jamais aucune
assurance, de tant qu'il a appris d'eux-mêmes qu'il
peut tout, et qu'il n'y a droit ni devoir aucun qui
l'oblige, faisant son état de compter sa volonté pour
raison, et n'avoir compagnon aucun, mais d'être de
tous maître. Donc n'est-ce pas grande pitié que, voyant
tant d'exemples apparents, voyant le danger si présent,
personne ne se veuille faire sage aux dépens d'autrui[5],
et que, de tant de gens s'approchant si volontiers des
tyrans, qu'il n'y pas un qui ait l'avisement et la hardiesse de leur dire ce que dit, comme porte le conte[6],

1. *Répondants* : garants.
2. *Quand bien* : quand bien même.
3. *Qui a son vrai gibier en l'équalité* : qui se cherche dans des rapports d'égalité.
4. *Clocher* : boiter, marcher d'un pas inégal.
5. *Aux dépens d'autrui* : en méditant les erreurs d'autrui.
6. Il s'agit d'une fable d'Ésope : « Le Lion vieilli et le Renard ».

le renard au lion qui faisait le malade : « Je t'irais volontiers voir en ta tanière ; mais je vois bien assez de traces de bêtes qui vont en avant vers toi, mais qui reviennent en arrière, je n'en vois pas une. »

Ces misérables voient reluire les trésors du tyran et regardent tout ébahis les rayons de sa braveté[1] ; et, alléchés de cette clarté, ils s'approchent et ne voient pas qu'ils se mettent dans la flamme qui ne peut faillir de les consommer : ainsi le satyre indiscret[2] (comme disent les fables anciennes), voyant éclairer le feu trouvé par Prométhée, le trouva si beau qu'il l'alla baiser et se brûla ; ainsi le papillon qui, espérant jouir de quelque plaisir, se met dans le feu, pour ce qu'il reluit, il éprouve l'autre vertu, celle qui brûle, comme dit le poète toscan. Mais encore, mettons que ces mignons échappent les mains[3] de celui qu'ils servent, ils ne se sauvent jamais du roi qui vient après : s'il est bon, il faut rendre compte et reconnaître au moins lors la raison[4] ; s'il est mauvais et pareil à leur maître, il ne sera pas[5] qu'il n'ait aussi bien ses favoris, lesquels communément ne sont pas contents d'avoir à leur tour la place des autres, s'ils n'ont encore le plus souvent et les biens et les vies. Se peut-il donc faire qu'il se trouve aucun[6] qui, en si grand péril et avec si peu d'assurance, veuille prendre cette malheureuse place, de servir en si grande peine un si dangereux maître ? Quelle peine, quel martyre est-ce, vrai Dieu ? Être nuit et jour après pour songer de plaire à un, et néanmoins

---

1. *Braveté* : bravoure, avec peut-être une nuance péjorative comme dans « bravache ».
2. *Indiscret* : ici, malavisé.
3. *Échappent les mains* : échappent aux mains.
4. *Reconnaître* […] *la raison* : expliquer ses crimes.
5. *Il ne sera pas* : il faudra bien.
6. *Aucun* : quelqu'un.

se craindre de lui plus que d'homme du monde [1] ;
avoir toujours l'œil au guet, l'oreille aux écoutes, pour
épier d'où viendra le coup, pour découvrir les
embûches, pour sentir la ruine de ses compagnons,
pour aviser qui le trahit, rire à chacun et néanmoins
se craindre de tous ; n'avoir aucun ni ennemi ouvert [2]
ni ami assuré ; ayant toujours le visage riant et le cœur
transi [3], ne pouvoir être joyeux, et n'oser être triste !

Mais c'est plaisir de considérer qu'est-ce qui leur
revient de ce grand tourment, et le bien qu'ils peuvent
attendre de leur peine de leur misérable vie. Volontiers
le peuple, du mal qu'il souffre, n'en accuse point le
tyran, mais ceux qui le gouvernent : ceux-là, les
peuples, les nations, tout le monde à l'envi, jusqu'aux
paysans, jusqu'aux laboureurs, ils savent leur nom, ils
déchiffrent leurs vices, ils amassent sur eux mille
outrages, mille vilenies, mille maudissons [4] ; toutes
leurs oraisons [5], tous leurs vœux sont contre ceux-là ;
tous les malheurs, toutes les pestes, toutes leurs
famines, ils les leur reprochent ; et si quelquefois ils
leur font par apparence quelque honneur lors même
qu'ils les maugréent [6] en leur cœur, et les ont en horreur plus étrange que les bêtes sauvages. Voilà la
gloire, voilà l'honneur qu'ils reçoivent de leur service
envers les gens, desquels, quand chacun aurait une
pièce de leur corps, ils ne seraient pas encore, ce leur
semble, assez satisfaits ni à-demi saoulés [7] de leur
peine ; mais certes, encore après qu'ils sont morts,
ceux qui viennent après ne sont jamais si paresseux

---

1. *D'homme du monde* : de n'importe quel autre homme.
2. *Ouvert* : déclaré.
3. *Transi* : glacé.
4. *Maudissons* : malédictions.
5. *Oraisons* : prières.
6. *Lors même qu'ils les maugréent* : alors que, dans le même temps,
ils les maudissent.
7. *Saoulés* : contentés.

que le nom de ces mange-peuples [1] ne soit noirci de l'encre de mille plumes, et leur réputation déchirée dans mille livres, et les os mêmes, par manière de dire, traînés par la postérité, les punissant, encore après leur mort, de leur méchante vie.

Apprenons donc quelquefois, apprenons à bien faire ; levons les yeux vers le ciel, ou pour notre honneur, ou pour l'amour même de la vertu, ou certes, à parler à bon escient, pour l'amour et honneur de Dieu tout-puissant, qui est assuré témoin de nos faits et juste juge de nos fautes. De ma part [2], je pense bien, et ne suis pas trompé, puisqu'il n'est rien si contraire à Dieu, tout libéral et débonnaire, que la tyrannie, qu'il réserve là-bas à part, pour les tyrans et leurs complices, quelque peine particulière.

---

1. Le terme δήμοθόροσ, *demoboros* (dévorateur de peuples), est employé à plusieurs reprises par Homère dans l'*Iliade* pour qualifier certains rois.
2. *De ma part* : pour ma part.

DOSSIER

La servitude volontaire est un scandale. Les deux termes qui constituent cette notion portent pour La Boétie une charge oxymorique. À première vue, seule la liberté, que La Boétie nomme également « franchise », peut être désirable. Elle favorise seule l'épanouissement humain. D'une importance sans pareille, elle brille au fronton de nos attributs les plus souverains. Par conséquent, la servitude semble *ne pas pouvoir* être objet du désir ou but de la volonté. Que l'on puisse vouloir la servitude, c'est un cas emblématique du problème philosophique consistant à demander si et comment on peut vouloir un mal. Le bien n'est-il pas seul aimable ? Dans la première partie du *Discours de la servitude volontaire*, La Boétie commence par explorer l'insondable profondeur du paradoxe. Il ne cherche pas encore à expliquer ou à résoudre – il se désole et s'étonne : « je ne voudrais [rien] sinon entendre comme il se peut faire que tant d'hommes, tant de bourgs, tant de villes, tant de nations endurent quelquefois un tyran seul » (p. 108). Cet étonnement donne naissance à une mise en perspective philosophique du paradoxe. Avant de détailler *comment* les peuples se laissent soumettre et se rendent complices de leurs mauvais maîtres, La Boétie prend soin d'exhiber *pourquoi* la soumission des peuples constitue une révoltante énigme. On peut distinguer trois lignes principales d'analyse. En premier lieu, *la servitude est un mal*, car la liberté est un droit naturel. En second lieu, *la servitude est toujours volontaire*, car elle n'est pas un produit de la force brute détenue par le tyran. Enfin, *la volonté de servitude est vice énigmatique et scandaleux*, étant donné le caractère naturel du désir de liberté.

LA LIBERTÉ, UN DROIT NATUREL

La servitude est un mal inadmissible : cette thèse provient du principe selon lequel la liberté constitue une propriété fondamentale de l'homme. Ce principe s'appuie à son tour, dans le discours de La Boétie, sur la notion de « droit naturel », mobilisée en plusieurs lieux du *Discours de la servitude volontaire*. L'idée de « droit naturel » est apparue dès l'Antiquité, notamment chez les stoïciens ; elle signifie que certains droits sont supposés posséder une validité absolue, antérieurement à l'apparition des communautés humaines, indépendamment du temps et du lieu, qu'ils soient ou non effectivement respectés par les gouvernements. À partir de la Renaissance, cette notion se voit en outre associée à l'exigence d'une certaine limitation du pouvoir étatique. Ranger la liberté parmi les droits naturels, c'est par conséquent, de la part de La Boétie, affirmer qu'un régime qui ne garantirait pas pleinement la liberté de ses citoyens serait frappé *ipso facto* du sceau de l'illégitimité. Ce faisant, La Boétie s'oppose frontalement à l'autorité d'Aristote, et donne un coup d'envoi magistral à la pensée politique de la modernité. Selon lui, en tant que droit naturel, la liberté n'est pas simplement un effet découlant de l'organisation législative des États, un bien positif défini par les constitutions. Elle se trouve bien plutôt attachée à l'homme par la nature même de celui-ci. Aussi, « si nous vivions avec les droits que la nature nous a donnés et avec les enseignements qu'elle nous apprend, nous [ne] serions naturellement [...] serfs de personne » (p. 117). L'être humain ne saurait rien avoir de plus cher que « se remettre en son droit naturel » (p. 114). Quand bien même nous abandonnerions toute certitude en matière de philosophie politique, « reste[rait] donc la liberté être naturelle » (p. 119).

• L'esclavage selon Aristote

Qu'il faille ranger la liberté parmi les droits naturels, cette proposition ne revêt aucune évidence directe au moment où La Boétie compose le *Contr'Un*. En effet, le philosophe le plus influent de l'époque médiévale, Aristote (384-322 av. J.-C.), a considéré qu'il existe des hommes que la nature a destinés à être soumis. Ce faisant, il entend légitimer le mode d'organisation de la cité athénienne, où la liberté pleine est le propre des citoyens – ce qui en exclut, à des degrés divers, les métèques, les femmes et les esclaves. L'argument principal d'Aristote, dans *Les Politiques*, repose sur l'affirmation selon laquelle le but de l'existence politique est le Bien de tous – non la liberté, la sécurité ou l'égalité. Plusieurs régimes conviennent pour réaliser un tel but. La monarchie, l'aristocratie et la démocratie – c'est-à-dire le gouvernement d'un seul, de quelques-uns ou du peuple – sont chacune susceptibles de produire le bien commun, pour autant que les dirigeants ne se laissent pas aller à exercer le pouvoir de façon égoïste. Il est donc tout à fait envisageable que certains hommes soient soumis à d'autres de différentes façons, pourvu que cela soit dans l'intérêt de tous. Aristote développe pour le montrer une série d'analogies discutables : de même qu'il est juste que la partie irrationnelle de l'âme soit soumise à la partie rationnelle, il serait bon que l'épouse et les enfants fussent soumis au mari, que les artisans et les commerçants fussent soumis aux gouvernants, ou que les hommes de nature serve fussent soumis à des maîtres. Bien sûr, concède Aristote, il peut exister des formes iniques de soumission : ce sont celles qui ont pour seule origine la force. Mais à celles qui ne font que s'appuyer sur la disposition de certains individus à être soumis, on ne saurait rien trouver à redire. Là contre, La Boétie proclame le fait que la liberté est, de tous les droits, le plus indiscutable : « la nature [...] nous a tous faits de même forme, et, comme il semble, à même moule, afin de nous entreconnaître tous pour compagnons ou plutôt pour frères » (p. 118) ; « et ne peut tomber en l'entendement de personne que nature ait mis aucun en servitude » (p. 119).

Mais parlons d'abord du maître et de l'esclave, pour voir à la fois leur rôle pour la satisfaction des besoins indispensables, et aussi si nous sommes en mesure d'apporter sur ce point à la théorie quelque chose de mieux que ce qu'on pense à l'heure actuelle. Certains, en effet, croient qu'il existe une science, la science « magistrale », et que c'est la même chose que l'administration familiale, la science magistrale, la science politique et la science royale, ainsi que nous l'avons dit en commençant. Pour d'autres, au contraire, être maître est contre nature. Car, disent-ils, c'est par convention que l'un est esclave et l'autre libre, alors que par nature il n'y a pas de différence entre eux ; c'est pourquoi l'esclavage n'est pas juste, car il repose sur la force [1]. [...]

Il faut examiner s'il existe ou non quelqu'un qui soit [esclave] par nature, s'il est meilleur et juste pour quelqu'un d'être esclave, ou si cela ne l'est pas, tout esclavage étant contre nature. Or ce n'est pas difficile : la raison le montre aussi bien que les faits l'enseignent. Car commander et être commandé font partie non seulement des choses indispensables, mais aussi des choses avantageuses. Et c'est dès leur naissance qu'une distinction a été opérée chez certains, les uns devant être commandés, les autres commander [2]. [...]

Mais que ceux qui prétendent le contraire aient aussi d'une certaine manière raison, ce n'est pas difficile à voir. Car le fait d'être esclave et l'esclave se disent en deux sens. Il existe aussi, en effet, une sorte d'esclave et une manière d'être esclave selon la loi. La loi en question, en effet, est une sorte d'accord général en vertu duquel les prises de guerre appartiennent aux vainqueurs. Or beaucoup de gens dans les milieux juridiques contestent que cela est juste, comme ils intenteraient à un orateur des poursuites pour illégalité, parce qu'il leur semble monstrueux que, parce qu'on a les

---

1. Aristote, *Les Politiques*, trad. P. Pellegrin, Paris, GF-Flammarion, 2015, I, 3, 1253b 15-25.
2. *Ibid.*, I, 5, 1254a 15-25.

moyens de l'emporter par la force, on fasse esclave et sou-
mette la victime de cette violence. Cette thèse a ses partisans,
tout comme la première, même parmi les sages [1]. [...]

Il est [...] évident que la difficulté n'est pas sans raison, et
que ce n'est pas ainsi que par nature les uns sont esclaves et
les autres libres, et il est aussi évident que cette distinction
existe chez certains pour qui il est avantageux pour l'un
d'être esclave et pour l'autre d'être maître, que c'est juste et
que l'un doit être commandé et l'autre commander selon une
autorité naturelle, c'est-à-dire celle du maître. Mais mal exercée cette autorité est désavantageuse pour les deux [...] [2].

- ● Rousseau : la liberté est inaliénable

La Boétie a fait des émules. Pour la plupart des philosophes de la modernité (Hobbes, Locke, Grotius, Pufendorf, Rousseau, etc.), les hommes sont naturellement
libres. Est-ce à dire qu'aucune forme de servitude ne saurait être justifiée ? Le caractère « naturel » de la liberté
a-t-il pour conséquence automatique la proscription de
toute forme de soumission ? Au sujet de ce second problème, un différend aigu éclate à partir de la Renaissance,
séparant les partisans de l'esclavage et ses détracteurs
systématiques. Pour les premiers, bien que la liberté
constitue un bien naturel pour tout homme, il est loisible
à chacun d'autolimiter sa liberté naturelle ou de l'abandonner, que ce soit pour charger l'État d'assurer la sécurité de tous au prix de ce renoncement (Hobbes), ou que
ce soit, en temps de guerre, parce que l'on sacrifie sa
liberté en vue de conserver sa vie (Grotius). Pour les
seconds, vouloir se démettre de sa liberté est illégitime
(Locke), voire impossible (Rousseau). En 1762, dans *Du
contrat social*, Rousseau se présente comme l'un des héritiers de La Boétie les plus intraitables à propos du caractère inaliénable de la liberté. Contrairement aux
propriétés susceptibles d'être échangées ou abandonnées

---

1. *Ibid.*, I, 6, 1255a 1-10.
2. *Ibid.*, 1255b 1-10.

– d'être « aliénées », selon le vocabulaire de l'époque –, la liberté ne peut être envisagée comme une monnaie d'échange, pour quelque contrepartie que ce soit. Ainsi, que Rousseau puisse proclamer « l'homme est né libre, et partout il est dans les fers [1] » n'empêche pas que le droit de chacun à voir sa liberté reconnue et garantie par l'État demeure inamissible. L'unique perspective permettant d'envisager l'abandon de la liberté naturelle consiste à pouvoir l'échanger contre la liberté civile [2].

Puisqu'aucun homme n'a une autorité naturelle sur son semblable, et puisque la force ne produit aucun droit, restent donc les conventions pour base de toute autorité légitime parmi les hommes.

Si un particulier, dit Grotius, peut aliéner sa liberté et se rendre esclave d'un maître, pourquoi tout un peuple ne pourrait-il pas aliéner la sienne et se rendre sujet d'un roi ? Il y a bien des mots équivoques qui auraient besoin d'explication, mais tenons-nous en à celui d'*aliéner*. Aliéner, c'est donner ou vendre. Or un homme qui se fait esclave d'un autre ne se donne pas, il se vend, tout au moins pour sa subsistance : mais un peuple pourquoi se vend-il ? Bien loin qu'un roi fournisse à ses sujets leur subsistance il ne tire la sienne que d'eux, et selon Rabelais un roi ne vit pas de peu. Les sujets donnent donc leur personne à condition qu'on leur prendra leur bien ? Je ne vois pas ce qu'il leur reste à conserver.

On dira que le despote assure à ses sujets la tranquillité civile. Soit ; mais qu'y gagnent-ils, si les guerres que son ambition leur attire, si son insatiable avidité, si les vexations de son ministère les désolent plus que ne feraient leurs dissensions ? Qu'y gagnent-ils, si cette tranquillité même est une de leurs misères ? On vit tranquille aussi bien dans les cachots ; en est-ce assez pour s'y bien trouver ? Les Grecs enfermés dans l'antre du Cyclope y vivaient tranquilles, en attendant que leur tour vînt d'être dévorés.

1. Rousseau, *Du contrat social*, Paris, GF-Flammarion, 2001, I, I, p. 46.
2. *Ibid.*, I, VIII, p. 61.

[...] Renoncer à sa liberté, c'est renoncer à sa qualité d'homme, aux droits de l'humanité, même à ses devoirs. Il n'y a nul dédommagement possible pour quiconque renonce à tout. Une telle renonciation est incompatible avec la nature de l'homme, et c'est ôter toute moralité à ses actions que d'ôter toute liberté à sa volonté. Enfin c'est une convention vaine et contradictoire de stipuler d'une part une autorité absolue et de l'autre une obéissance sans bornes [1].

LE TYRAN N'A DE POUVOIR QUE CELUI QU'ON LUI CONCÈDE

Que la servitude soit un mal ne suffit pas à exhiber pleinement le caractère paradoxal de la servitude volontaire. Il faut encore établir le fait que la servitude n'est pas volontaire uniquement en son origine : en un sens, elle le demeure. L'essence de la servitude réside dans son caractère volontaire, *du fait que rien ne la rend jamais absolument contraignante.* Le fondement de la soumission des peuples n'est pas la force pure, la violence physique exercée contre eux : tel est le second leitmotiv de la première partie du *Discours de la servitude volontaire*, qui achève de signer le caractère proprement scandaleux de la servitude. Du point de vue du rapport de force, à l'aune des nombres purs, on ne saurait comprendre qu'un peuple puisse être soumis à la volonté capricieuse d'un seul homme : « si cent, si mille endurent d'un seul, ne dira-l'on pas qu'ils ne veulent point, non qu'ils n'osent pas se prendre à lui [...] ? » (p. 111). La conclusion de La Boétie sur ce point se fond en une accusation laconique : le tyran n'a « aucun pouvoir sur vous, que par vous » (p. 116). En d'autres termes, la soumission n'est pas un acte ponctuel par lequel la liberté est perdue, c'est ainsi un processus perpétuellement reconduit, une démission dans la durée, qui conduit à interpréter l'absence

---

1. *Ibid.*, I, IV, p. 50-51.

de révolte comme une omission coupable. La théorie de l'absence du pouvoir *réel* du tyran sur ses sujets a des origines stoïciennes : elle engage en effet une pensée de l'impossibilité, pour le tyran, de jamais soumettre l'esprit jusqu'au bout (Épictète). Chez les héritiers de La Boétie, cette théorie trouve à se prolonger dans une réflexion sur les ressorts psychiques de la soumission (Montesquieu) et les moyens privilégiés de la révolte (Gandhi).

- ● **Épictète : le pouvoir du tyran est illusoire**

Pour les stoïciens, seul notre corps se trouve à la merci des pouvoirs extérieurs. Lui seul peut être vaincu par une puissance supérieure, mutilé ou détruit ; il est sujet à la maladie et à la mort. Mais notre esprit lui-même, qui abrite notre raison et notre faculté de juger du bien et du mal, notre esprit est hors d'atteinte, hors de portée pour le despote. Il dépend de nous seuls, et ne se voit jamais exposé à aucune puissance supérieure. On raconte ainsi qu'Épictète (v. 50-v. 125), originaire de Phrygie, vendu comme esclave à un Romain sous le règne de Néron, accepta calmement de se faire briser la jambe plutôt que de s'humilier devant son maître. Dans ses enseignements, transmis par son disciple Arrien, Épictète explique que lorsque nous acceptons d'obéir à un mauvais souverain, ce n'est pas parce que nous y sommes contraints et forcés : nous ne nous soumettons jamais qu'à nos propres jugements. Nous n'obéissons que parce que nous le voulons bien, et nous pouvons tout aussi bien désobéir, si cela nous paraît plus juste. Même si le stoïcisme ne prône pas la désobéissance civile comme attitude privilégiée face au tyran, il ouvre ainsi une brèche dans laquelle La Boétie va s'engouffrer. Interpellant les peuples, celui-ci déclare : « Comment [le tyran] a-t-il tant de mains pour vous frapper, s'il ne les prend de vous ? Les pieds dont il foule vos cités, d'où les a-t-il, s'ils ne sont des vôtres ? [...] Que vous pourrait-il faire, si vous n'étiez receleurs du larron qui vous pille, complices du meurtrier qui vous tue et traîtres à vous-mêmes » (p. 116) ? En d'autres termes, en un sens, le tyran est sans pouvoir sur ses sujets, si ceux-ci veulent bien voir que leur volonté est la seule source de l'obéissance qui lui est consentie.

« Mais le tyran enchaînera... » Quoi ? ta jambe. « Mais il tranchera... » Quoi ? ta tête. Qu'est-ce qu'il ne peut ni enchaîner ni retrancher ? Ta volonté [1]. [...]

Un tyran dit tout de suite : « Je suis le plus puissant des hommes. » [...] Quel est donc ton pouvoir ? « Tout le monde a soin de moi. » Moi aussi, j'ai soin de mes tablettes, je les nettoie, je les essuie ; et, pour suspendre ma burette, je pose un clou. Sont-elles donc supérieures à moi ? Non, mais j'ai besoin d'elles, et c'est pourquoi j'en prends soin. Et mon âne, est-ce que je ne le soigne pas ? Est-ce que je ne lui nettoie pas les pattes ? Est-ce que je ne le lave pas ? Ne sais-tu pas que tout homme a soin de lui-même ? Mais il a soin de toi comme il a soin de son âne. Qui donc a soin de toi comme on a soin d'un homme ? Dis-moi qui. Mais qui veut te ressembler ? Qui veut être ton émule comme on est l'émule de Socrate ? « Mais je puis te faire décapiter ! » Parfait ! j'avais oublié qu'il faut te soigner comme on soigne la fièvre et la colique, et te dresser des autels, comme il y a, à Rome, un autel à la Fièvre.

Qu'est-ce donc qui trouble et terrorise la plupart des hommes ? Le tyran et sa garde ? Et pourquoi ? Bien loin de là : il n'est pas possible qu'un être libre par nature soit troublé ou empêché par un autre que lui-même ; ce sont ses propres opinions qui le troublent. Lorsqu'un tyran dit « J'enchaînerai ta jambe », celui qui attache du prix à sa jambe dit : « Non, par pitié ! », mais celui à qui sa volonté est précieuse, réplique : « Enchaîne-la, si tu trouves utile de le faire. – Tu ne t'en inquiètes pas ? – Je ne m'en inquiète pas. – Je vais te montrer que je suis le maître ! – Et comment ferais-tu ? Zeus m'a laissé libre. Crois-tu qu'il allait laisser réduire son propre fils en esclavage ? Tu es maître de ce cadavre qu'est mon corps, prends-le. – Alors, lorsque tu viens à moi, tu ne prends pas soin de moi ? – Non pas, mais de moi-même. Si tu veux me faire dire que je prends soin de toi, oui, comme je le fais de ma cruche » [1].

• Montesquieu : le principe du gouvernement despotique est la crainte

Si le tyran ne saurait conserver son influence sur la société civile par la force pure, et si pourtant les individus se soumettent à lui, c'est qu'ils se persuadent eux-mêmes qu'ils sont à la merci du tyran. La soumission n'est pas affaire de puissance, elle est le produit de la peur. Ou encore : le principe de la servitude n'est pas physique, il est psychologique. C'est là la thèse approfondie par Montesquieu (1689-1755) dans sa somme de réflexions sur les gouvernements, *De l'esprit des lois* (1748). Cet ouvrage, à ranger parmi les chefs-d'œuvre de la philosophie politique des Lumières, est généralement considéré comme l'une des sources du principe contemporain de séparation des pouvoirs (exécutif, législatif et judiciaire). Montesquieu y décrit par le menu tous les régimes ; il s'efforce de construire une théorie du climat, par laquelle rendre raison de l'implantation privilégiée de certains régimes dans certaines régions du globe ; enfin, il oppose systématiquement des formes légitimes de gouvernement et des formes dévoyées. C'est dans cette optique qu'il oppose la monarchie et la tyrannie, soulignant que cette dernière peut être reconnue selon le fait que le principe de l'obéissance des sujets n'y est autre que la peur.

DU PRINCIPE DU GOUVERNEMENT DESPOTIQUE

Comme il faut de la *vertu* dans une république, et dans une monarchie de l'*honneur*, il faut de la CRAINTE dans un gouvernement despotique : pour la vertu, elle n'y est point nécessaire ; et l'honneur y serait dangereux.

---

1. *Ibid.*, I, XIX, p. 852-853.

Le pouvoir immense du prince y passe tout entier à ceux à qui il le confie. Des gens capables de s'estimer beaucoup eux-mêmes seraient en état d'y faire des révolutions. Il faut donc que la *crainte* y abatte tous les courages, et y éteigne jusqu'au moindre sentiment d'ambition.

Un gouvernement modéré peut, tant qu'il veut, et sans péril, relâcher ses ressorts. Il se maintient par ses lois et par sa force même. Mais lorsque, dans le gouvernement despotique, le prince cesse un moment de lever le bras ; quand il ne peut pas anéantir à l'instant ceux qui ont les premières places, tout est perdu : car le ressort du gouvernement, qui est la *crainte*, n'y étant plus, le peuple n'a plus de protecteur.

C'est apparemment dans ce sens que des *cadis* [1] ont soutenu que le grand seigneur n'était point obligé de tenir sa parole ou son serment, lorsqu'il bornait par là son autorité.

Il faut que le peuple soit jugé par les lois, et les grands par la fantaisie du prince ; que la tête du dernier sujet soit en sûreté, et celle des bachas [2] toujours exposée. On ne peut parler sans frémir de ces gouvernements monstrueux. Le sophi [3] de Perse, détrôné de nos jours par *Mirivéis*, vit le gouvernement périr avant la conquête, parce qu'il n'avait pas versé assez de sang.

L'histoire nous dit que les horribles cruautés de Domitien [4] effrayèrent les gouverneurs, au point que le peuple se rétablit un peu sous son règne. C'est ainsi qu'un torrent, qui ravage tout d'un côté, laisse de l'autre des campagnes où l'œil voit de loin quelques prairies [5].

---

1. *Cadis* : magistrats musulmans remplissant des fonctions civiles, judiciaires et religieuses.
2. *Bachas* (*ou pachas*) : à l'origine, chefs supérieurs dans l'armée ou gouverneurs d'une province dans l'Empire ottoman. Par extension, personnages puissants.
3. *Sophi* : titre des shahs de Perse.
4. Titus Flavius Domitianus, dit Domitien, a été empereur de Rome de 81 à sa mort en 96. Il est célèbre pour la violence de son exercice du pouvoir.
5. Montesquieu, *De l'esprit des lois*, Paris, GF-Flammarion, 1979, t. I, III, IX, p. 150-151.

● Gandhi : il est toujours possible de désobéir
  sans violence

La Boétie prend bien soin de ne pas confondre, d'un
côté, la résistance opposée au tyran, qui est toujours
juste, parce qu'elle s'oppose à un pouvoir illégitime et
procède du droit naturel, et, d'un autre, la désobéissance
à l'encontre du bon gouvernement, qui est toujours
injuste, parce qu'elle signifie l'abolition de l'état civil et a
pour horizon le renversement de tous les droits. Si pour
La Boétie le problème est de « voir un nombre infini de
personnes non pas obéir, mais servir » (p. 110), simulta-
nément, il est bon d'obéir, lorsque l'on n'est pas tyran-
nisé, lorsque l'on est authentiquement gouverné. Grâce
à ces nuances, l'idée selon laquelle le tyran ne possède
que le pouvoir qu'on lui concède ouvre à une défense
théorique et pratique inédite de la désobéissance civile.
Puisque le pouvoir du tyran est inique, il convient de le
laisser s'effondrer. Comme ce pouvoir est illusoire, on
peut le faire s'écrouler par le simple refus de s'y soumettre : « il n'est pas besoin de le combattre, il n'est pas
besoin de le défaire [...] ; il ne faut pas lui ôter rien, mais
ne lui donner rien » (p. 113). « Soyez résolus de ne servir
plus, et vous voilà libres. Je ne veux pas que vous le poussiez ou l'ébranliez, mais seulement ne le soutenez plus, et
vous le verrez, comme un grand colosse à qui on a dérobé
sa base, de son poids même fondre en bas et se rompre »
(p. 117). À cet égard, on peut considérer que La Boétie
compte parmi ses héritiers spirituels majeurs Gandhi,
Martin Luther King ou encore Nelson Mandela.
Mohandas Karamchand Gandhi (1869-1948), surnommé
le Mahatma (du terme sanskrit qui signifie « grande
âme »), a été l'un des principaux artisans de l'indépendance de l'Inde, par sa théorie et sa pratique de la désobéissance civile de masse (*satyagraha*), un procédé
susceptible d'amener le bouleversement politique et
social par la non-violence (*ahimsa*). Quoiqu'il n'ait vrai-
semblablement pas lu La Boétie, on ne peut manquer

d'être confondu par la proximité de leurs théories du sou
lèvement pacifique.

Je voudrais pouvoir convaincre tout le monde que la désobéissance civile est un droit propre à chaque citoyen. Il ne
peut y renoncer sous peine de cesser d'être un homme. La
désobéissance civile ne conduit jamais à l'anarchie. La désobéissance criminelle le peut. Tout état réprime la désobéissance criminelle par la force sous peine de périr. Mais
réprimer la désobéissance civile, c'est tenter d'emprisonner
la conscience. La désobéissance civile ne peut conduire qu'à
la force et à la pureté. Le résistant civil n'utilise jamais les
armes et il est, de ce fait, inoffensif pour un État qui a la
volonté d'écouter la voix de l'opinion publique. Il est dangereux pour un État autocratique car il provoque sa chute en
attirant l'attention de l'opinion publique sur la question qui
le conduit à résister à l'État. La désobéissance civile, par
conséquent, devient un devoir sacré lorsque le gouvernement
est devenu injuste ou, ce qui est la même chose, corrompu.
Et le citoyen qui traite avec un tel État partage sa corruption
et son injustice.

Il est possible de se demander s'il est raisonnable d'appli-
quer la résistance civile dans le cadre d'une loi particulière ;
il est possible de conseiller l'attente et la prudence. Mais on
ne peut permettre que le droit lui-même soit mis en question.
C'est un droit naturel auquel on ne peut renoncer sans
renoncer à son amour-propre.

En même temps que l'on insiste sur le droit à la désobéissance civile, son utilisation doit être soumise à toutes les res-
trictions imaginables. Toutes les précautions doivent être
prises contre le déclenchement de la violence ou de l'anarchie. Sa zone d'application, tout comme son étendue, doivent
également être limitées aux strictes nécessités de la
situation [1].

---

1. M. K. Gandhi, *Résistance non violente*, trad. D. Lemoine, Paris,
© Buchet Chastel, 1986 (rééd. 1997, 2007), p. 147-148.

LA LIBERTÉ, UN OBJET NATUREL DU DÉSIR

La servitude est volontaire, puisqu'elle est un mal contingent, qu'aucun pouvoir physique n'impose. Or, ce caractère volontaire constitue lui-même un scandale et un problème, étant donné la naturalité, non pas seulement de la liberté, mais bel et bien de l'*amour* de chaque homme pour la liberté. Pour La Boétie, « c'est un extrême malheur d'être sujet à un maître » (p. 108). La liberté n'est point un bien parmi d'autres. C'est un bien dont la possession est condition de la jouissance de tous les autres. Même fort d'une santé altière, choyé par la fortune, un homme ne saurait goûter la moindre richesse ou se réjouir pleinement des plaisirs du corps s'il n'est pas libre – pareil aux éléphants capturés qui se brisent les défenses contre les arbres, désespérés par la perspective de la captivité (p. 120). Car la liberté est le bien « lequel perdu, tous les gens d'honneur doivent estimer la vie déplaisante et la mort salutaire » (p. 114). Pour faire ressortir ce fait, le mode d'argumentation ne peut être principiel, puisqu'il ne s'agit plus de proclamer une norme, mais de conduire à un constat. C'est pourquoi La Boétie convoque l'*exemplum* des Spartiates à la bataille des Thermopyles (p. 112), et invoque le comportement des animaux capturés. Son texte se trouve de ce fait éclairé par le récit des batailles antiques de Thucydide, de même que par les réflexions de Kant sur l'attachement des hommes à la liberté *en tant qu'espèce*.

- • Thucydide : la liberté se confond
  avec le bonheur

Pour montrer que nous sommes plus attachés à la liberté qu'à n'importe quel autre bien, La Boétie prend à témoin les trésors de vigueur déployés par les Spartiates. Ceux-ci, menés par Léonidas à la bataille des Thermopyles en 480 av. J.-C., parvinrent un temps à tenir tête aux armées du grand roi des Perses, Xerxès, alors qu'ils n'étaient, dit-on, que trois cents. Un tel haut fait paraît tenir du miracle. Invoquera-t-on, pour l'expliquer, la force et l'endurance physique des hommes de Lacédémone (autre nom antique de Sparte), leur rude éducation, ou le génie de leur chef ? Rien de cela. Pour La Boétie, l'infinie énergie déployée par ces hommes fut le fruit de leur motif : ils étaient des hommes « libres, combattant pour leur franchise » (p. 112). De même que la résistance des Spartiates aux Thermopyles, la victoire finale des Grecs lors des batailles de Marathon et de Salamine n'a d'autre ressort que l'attachement viscéral des Grecs à la liberté, qui était leur bien le plus cher : « ce n'était pas tant la bataille des Grecs contre les Perses, comme la victoire de la liberté sur la domination » (p. 113). Cette interprétation morale, plutôt que tactique, d'un épisode guerrier, La Boétie en a certainement trouvé le modèle chez Thucydide (v. 460-apr. 395 av. J.-C.). Ce dernier, que l'on considère généralement comme l'un des premiers historiens de l'Antiquité, à la suite d'Hérodote, s'intéresse en effet à l'histoire pour y puiser des modèles de comportement. L'histoire est pour lui un « trésor » d'*exempla*, de paradigmes desquels il doit être possible de s'inspirer. On peut le voir en particulier dans le récit qu'il prête à Périclès de la résistance des Athéniens contre les Perses : cette résistance n'a eu d'autre motif que l'amour de la liberté, car « la liberté se confond avec le bonheur et le courage avec la liberté ».

> « La liberté est notre règle dans le gouvernement de la république et dans nos relations quotidiennes la suspicion n'a aucune place ; nous ne nous irritons pas contre le voisin, s'il agit à sa tête ; enfin nous n'usons pas de ces humiliations qui, pour n'entraîner aucune perte matérielle, n'en sont pas moins douloureuses par le spectacle qu'elles donnent. La contrainte n'intervient pas dans nos relations particulières [...] [1]. »

---

1. Thucydide, *Histoire de la guerre du Péloponnèse*, trad. J. Voilquin, Paris, GF-Flammarion, 1966, II, XXXVII, p. 135.

« C'est ainsi qu'ils [1] se sont montrés les dignes fils de la cité. Les survivants peuvent bien faire des vœux pour obtenir un sort meilleur, mais ils doivent se montrer tout aussi intrépides à l'égard de l'ennemi ; qu'ils ne se bornent pas à assurer leur salut par des paroles. Ce serait aussi s'attarder bien inutilement que d'énumérer, devant des gens aussi bien informés comme vous l'êtes, tous les biens attachés à la défense du pays. Mais plutôt ayez chaque jour sous les yeux la puissance de la cité ; servez-là avec passion [...]. Les hommes éminents ont la terre entière pour tombeau. Ce qui les signale à l'attention, ce n'est pas seulement dans leur patrie les inscriptions funéraires gravées sur la pierre ; même dans les pays les plus éloignés leur souvenir persiste, à défaut d'épitaphe, conservé dans la pensée et non dans les monuments. Enviez donc leur sort, dites-vous que la liberté se confond avec le bonheur et le courage avec la liberté et ne regardez pas avec dédain les périls de la guerre [2]. »

- ● **Kant : les cris de l'enfant manifestent son désir de liberté**

Pour montrer que le désir de liberté est naturel, La Boétie offre quelques morceaux choisis d'histoire naturelle, d'observations sur le comportement des bêtes : « Plusieurs en y a d'entre elles qui meurent aussitôt qu'elles sont prises : comme le poisson quitte la vie aussitôt que l'eau, pareillement celles-là quittent la lumière et ne veulent point survivre à leur naturelle franchise » (p. 120). Le raisonnement procède ici par généralisation, selon une analogie *a fortiori*. En effet, si les bêtes elles-mêmes chérissent la liberté, comment nous-mêmes ne le ferions-nous pas ? Ainsi, « toutes choses qui ont sentiment, dès lors qu'elles l'ont, sentent le mal de la sujétion et courent après la liberté, puisque les bêtes, qui encore sont faites pour le service de l'homme, ne se peuvent accoutumer à servir qu'avec protestation d'un désir

---

1. Périclès parle ici des Grecs morts au combat.
2. Thucydide, *Histoire de la guerre du Péloponnèse*, éd. cit., II, XLIII, p. 138-139.

contraire » (p. 121). Kant (1724-1804), l'un des princi
paux philosophes des Lumières allemandes (ou Aufklärung), rejoint ici La Boétie en mettant en lumière
l'existence d'un désir naturel des hommes pour la liberté.
Sa perspective consiste à s'intéresser aux premières mani-
festations d'envie de la part du nouveau-né. Aux yeux de
Kant, les cris de l'enfant à la naissance ne donnent pas
à entendre la faim ou la soif, pas plus qu'ils ne signifient
l'angoisse, ou la douleur des premières respirations. Ces
cris manifestent notre destination morale, notre désir de
n'être entravé en aucun de nos mouvements : car nous
sommes nés pour la liberté, avant toute autre chose.

> Les cris que fait entendre un enfant qui vient de naître
> n'ont pas par eux-mêmes le ton de la lamentation, mais celui
> de l'indignation et de la colère qui explose ; non que l'enfant
> souffre, mais quelque chose le contrarie : vraisemblablement
> la cause s'en trouve-t-elle dans le fait qu'il veut se mouvoir
> et ressent alors son incapacité à le faire comme une sorte
> d'enchaînement qui lui retire la liberté. Quoi qu'il en soit,
> quelle intention peut avoir eu la nature en faisant venir
> l'enfant au monde avec de puissants cris, qui en tout cas,
> pour lui comme pour sa mère, sont extrêmement dangereux
> dans le sauvage état de nature ? Car un loup, un sanglier
> même pourraient ainsi être attirés et mis en mesure de dévo-
> rer l'enfant en l'absence de sa mère ou en raison des forces
> qu'elle a perdues à la suite de l'accouchement. En fait, à
> l'exception de l'homme (tel qu'il est aujourd'hui), aucun
> animal n'annoncera ainsi *bruyamment* son existence au
> moment où il naît [...] [1].

---

1. Kant, *Anthropologie du point de vue pragmatique*, trad. A. Renaut,
Paris, GF-Flammarion, 1993, p. 317-318.

— *Les causes de la volonté
de soumission*

« Quoi ? si pour avoir liberté il ne faut que la désirer »
(p. 114), est-il possible que les peuples se laissent enchaîner ? Comment comprendre qu'ils laissent d'autres désirs
prendre le pas sur celui qui devrait leur être le plus précieux ? Quels biens les sujets des tyrans escomptent-ils
retirer de leur soumission pour que le bonheur de la
« franchise » naturelle leur devienne ainsi étranger ?
Quelles causes les rendent insensibles à la voix de la
nature en leur poitrine, si bien qu'ils finissent par ne plus
même la discerner ? L'étonnement et l'énigme
demeurent, en un sens, indépassables : « une seule chose
est à dire, en laquelle je ne sais comment nature défaut
aux hommes pour la désirer ; c'est la liberté » (p. 115).
Bon gré, mal gré, il faut pourtant s'efforcer d'expliquer
l'inexplicable, de proposer des hypothèses en vue de clari-
fier la servitude, ce point obscur des sociétés humaines.
Ainsi se trouve donné le coup d'envoi du second versant
du *Discours de la servitude volontaire* : « Cherchons donc
par conjecture, si nous en pouvons trouver, comment
s'est ainsi si avant enracinée cette opiniâtre volonté de
servir, qu'il semble maintenant que l'amour même de la
liberté ne soit pas si naturel » (p. 117). On peut estimer
que La Boétie met en lumière trois sources de la volonté
de servitude : l'habitude, par laquelle les désirs naturels
se voient métamorphosés ; l'imagination, par laquelle les
hommes se trouvent manipulés ; enfin la corruption, par
laquelle les peuples se trouvent divisés.

HABITUDE ET ÉDUCATION

Que les habitudes contractées par les individus au cours de leur éducation déterminent ou re-déterminent les sensations, les sentiments, les pensées et les désirs : ce constat constitue un *topos* dès l'Antiquité. Dans *La République*, Platon se montre soucieux de favoriser le bon naturel par l'habitude. Or, si l'habitude peut s'avérer le plus ferme des fortifiants, elle possède également une puissance dévastatrice et se montre tout autant susceptible de ruiner le bon naturel lorsqu'elle est mal orientée (393c). D'où la nécessité de définir de bons exercices physiques (403c), des formes musicales propices à accompagner l'apparition des vertus (410b), etc. Aristote emboîte le pas à Platon, en particulier dans le livre II de l'*Éthique à Nicomaque*. Les vertus comme les vices dépendent selon lui de l'habitude (II, 1), de sorte qu'il faut comprendre la nature de l'homme comme une somme de possibilités à développer, à faire parvenir à maturité par l'habitude. Par l'habitude, l'on progresse ou l'on se détruit. La Boétie est l'héritier de cette tradition antique qui fait de l'habitude le principal ressort de formation de l'âme humaine, de ses désirs, de ses qualités et de ses défauts. Il rejoint les Anciens en tous points, comme en atteste l'anecdote des deux chiens de Lycurgue qu'il conte à l'appui de sa thèse : « la première raison de la servitude volontaire, c'est la coutume » (p. 130). L'originalité de La Boétie consiste à faire ressortir avec une acuité inouïe l'importance de l'habitude pour la constitution de l'esprit des peuples. Les dispositions à recevoir telle ou telle forme de gouvernement proviennent des coutumes que nous avons formées – la leçon sera retenue par Montaigne dans ses *Essais*, radicalisée par Pascal dans les *Pensées*, et ouvre aux réflexions de Montesquieu sur les techniques pédagogiques retenues à dessein par les tyrans pour prolonger la volonté de servitude, génération après génération.

- Plutarque et les deux chiens de Lycurgue :
  vice et vertu procèdent de l'habitude

Plutarque (v. 50-v. 125) est un philosophe, biographe et moraliste d'origine grecque, ayant vécu à Rome sous les règnes de Vespasien et de Titus. Il est principalement connu pour avoir écrit *Vies parallèles des hommes illustres* [1], un ouvrage où il offre des réflexions comparatives sur la vie de grandes figures de l'Antiquité, historiques ou mythiques (Alexandre et César, Thésée et Romulus, Démosthène et Cicéron, etc.). Il est l'un des auteurs les plus appréciés de Montaigne. Dans son traité *Sur l'éducation des enfants*, Plutarque compte faire ressortir le fait que l'habitude est capitale non seulement pour l'acquisition des compétences et savoir-faire techniques, mais également pour la formation du caractère. À cet effet, il raconte comment Lycurgue, le grand législateur de Sparte, supposé avoir vécu au IXe siècle av. J.-C., et connu pour sa rigueur morale et sa sagesse, dressa différemment deux chiens, frères à la naissance. Les tendances diamétralement opposées acquises par les deux chiens servent implicitement d'analogues aux vices et aux vertus que l'on peut attendre au terme d'une mauvaise ou d'une bonne éducation. La Boétie reprend à son compte le récit de Plutarque (« Lycurgue, le policier de Sparte, avait nourri, ce dit-on, deux chiens, tous deux frères », p. 126), pour en tirer une conclusion similaire.

> Une bonne terre devient stérile faute de culture, elle dégénère même à proportion de la bonté du sol. Est-elle ingrate ? Un travail assidu la rendra bientôt féconde. Quels arbres, si on les néglige, ne prennent une mauvaise forme ou ne perdent même leur fertilité naturelle ? Sont-ils bien cultivés ? Leur tige s'élève avec force, et ils portent des fruits en abondance. L'oisiveté, le mauvais régime et les délices énervent

---

1. *Vies parallèles*, trad. J. Pierron revue et corrigée par F. Frazier, Paris, GF-Flammarion, 1995.

les corps [1] les plus robustes ; l'exercice et le travail fortifient les plus faibles. Les chevaux bien dressés obéissent sans résistance à la main qui les guide ; ceux qu'on n'a point domptés sont indociles et farouches. Ne voit-on pas enfin les animaux les plus féroces s'adoucir par l'éducation qu'on leur donne ? On demandait à un Thessalien quels étaient les peuples les plus doux de la Thessalie ; ce sont, répondit-il, ceux qui ne vont plus à la guerre. En un mot, les mœurs sont-elles autre chose qu'une longue habitude ? Et ne peut-on pas appeler avec raison les vertus morales des dispositions habituelles de l'âme ? Je n'en donnerai qu'un seul exemple. Lycurgue, le législateur de Lacédémone, prit deux jeunes chiens nés d'une même mère, et leur fit donner une éducation toute différente. L'un fut élevé dans l'oisiveté et dans la gourmandise, l'autre dressé à la chasse et à la course. Il assemble ensuite les Lacédémoniens :

« Citoyens, leur dit-il, rien ne mène plus sûrement à la vertu que l'éducation, l'exercice et l'habitude ; je vais vous en convaincre tout à l'heure. »

Alors, il fait paraître ces deux chiens au milieu de l'assemblée ; il place devant eux d'un côté un lièvre vivant, et de l'autre un plat rempli de viande. À l'instant l'un des chiens courut au lièvre et l'autre au plat. Les Lacédémoniens ne comprenaient pas encore le dessein de Lycurgue.

« Ces deux chiens, ajouta-t-il alors, qui ont une origine commune, ayant reçu une éducation différente, l'un est devenu gourmand, et l'autre chasseur » [2].

• Montaigne : l'usage est le maître le plus puissant

Michel Eyquem de Montaigne (1533-1592) est le contemporain de La Boétie, et son ami le plus cher jusqu'à sa mort. Leur rencontre a lieu en 1557. La Boétie a vingt-sept ans, Montaigne n'en a que vingt-quatre. Ce dernier est l'un des premiers lecteurs du *Discours de la*

---

1. « Énerver le corps » signifie affaiblir son système nerveux, et de ce fait amollir le corps.
2. Plutarque, « Sur l'éducation des enfants », in *Œuvres morales de Plutarque*, trad. Ricard, Paris, Lefèvre éditeur, 1844, t. I, p. 6.

servitude volontaire. La relation des deux hommes a des accents si intenses dans la bouche de Montaigne qu'elle en paraît presque amoureuse. On la trouve notamment décrite dans l'essai du Bordelais sur l'amitié : c'est une « force inexplicable et fatale [1] », plus précieuse que tout autre lien, « car, à la vérité, si je compare tout le reste de ma vie [...] aux quatre années qu'il m'a été donné de jouir de la douce compagnie et société de ce personnage, ce n'est que fumée, ce n'est qu'une nuit obscure et ennuyeuse [2] ». Quel hommage unique, prononcé plus de dix ans après la mort de La Boétie ! Or, l'affinité entre les deux hommes n'est pas qu'affection, elle est également intellectuelle. Car pour Montaigne, après La Boétie, un peuple nourri à la liberté ne saura goûter un autre aliment, tandis qu'une société habituée à servir un monarque ne secouera pas son joug. Tant il est vrai qu'en toutes choses, « l'usage est le maître le plus puissant ». On croit, dans les pages de Montaigne sur la coutume, lire un prolongement des pensées de son ami, lorsque celui-ci écrivait : « Il est vrai qu'au commencement on sert contraint et vaincu par la force ; mais ceux qui viennent après servent sans regret et font volontiers ce que leurs devanciers avaient fait par contrainte. [...] les hommes naissant sous le joug, et puis nourris et élevés dans le servage, sans regarder plus avant, se contentent de vivre comme ils sont nés » (p. 124). Montaigne se sépare pourtant de son aîné dans les conclusions de son essai, au moment où il estime dangereux le fait d'essayer d'ébranler une habitude déjà bien ancrée : « car c'est la règle des règles, et générale loi des lois, que chacun observe celles du lieu où il est ».

Il me semble avoir très bien conçu la force de la coutume, qui premier forgea ce conte, qu'une femme de village, ayant appris de caresser et porter entre ses bras un veau dès l'âge

---

1. Montaigne, *Les Essais*, éd. C. Pinganaud, Paris, Arléa, 2002, I, 28, p. 145.
2. *Ibid.*, p. 149.

de sa naissance, et continuant toujours à ce faire, gagna cela par l'accoutumance que, tout grand bœuf qu'il était, elle le portait encore. Car c'est à la vérité une violente et traîtresse maîtresse d'école que la coutume. Elle établit en nous, peu à peu, à la dérobée, le pied de son autorité. Mais par ce doux et humble commencement, l'ayant rassis et planté avec l'aide du temps, elle nous découvre tantôt un furieux et tyrannique visage, contre lequel nous n'avons plus la liberté de hausser seulement les yeux. Nous lui voyons forcer tous les coups les règles de nature. *En toutes choses, l'usage est le maître le plus puissant* (Pline, *Histoire naturelle*, XVVI, 6) [1].

Les peuples nourris à la liberté et à se commander eux-mêmes estiment toute autre forme de police monstrueuse et contre nature. Ceux qui sont duits [*habitués*] à la monarchie en font de même. Et quelque facilité que leur prête la fortune au changement, alors même qu'ils se sont, avec grandes difficultés, défaits de l'importunité d'un maître, ils courent à en replanter un nouveau, avec pareilles difficultés, pour ne se pouvoir [*parce qu'ils ne peuvent se*] résoudre de prendre en haine la maître [*l'autorité*] [2]. [...]

Ces considérations ne détournent pourtant pas un homme d'entendement de suivre le style commun ; mais, au rebours, il me semble que toutes façons écartées et particulières partent plutôt de folie ou d'affectation ambitieuse que de vraie raison ; et que le sage doit au-dedans retirer son âme de la presse, et la tenir en liberté et puissance de juger librement des choses ; mais, quant au-dehors, qu'il doit suivre entièrement les façons et formes reçues. La société publique n'a que faire de nos pensées ; mais le demeurant, comme nos actions, notre travail, nos fortunes et notre vie propre, il le faut prêter et abandonner à son service et aux opinions communes, comme ce bon et grand Socrate refusa de sauver sa vie par la désobéissance du magistrat [*aux lois*], voire d'un magistrat très injuste et très inique [3]. Car c'est la règle des

---

1. Montaigne, *Les Essais*, éd. C. Pinganaud, Paris, © Arléa, 2002, I, 23, p. 90-97.

2. *Ibid.*, p. 95.

3. Emprisonné après avoir été malhonnêtement accusé de calomnier les dieux et de corrompre la jeunesse, Socrate connaît, grâce à ses amis, une occasion inespérée de s'évader de sa geôle. Dans le dialogue de Platon intitulé *Criton*, il explique pourquoi s'évader lui paraît inenvisageable. En dépit de l'usage inique des lois dont ses juges ont fait preuve,

règles, et générale loi des lois, que chacun observe celles du lieu où il est :

> Le bien est d'obéir aux lois de son pays
> (Sentence grecque de Crispin)

En voici d'une autre cuvée. Il y a grand doute s'il se peut trouver si évident profit au changement d'une loi reçue, telle qu'elle soit, qu'il y a de mal à la remuer [*modifier*] : d'autant qu'une police, c'est comme un bâtiment de diverses pièces jointes ensemble d'une telle liaison qu'il est impossible d'en ébranler une que tout le corps ne s'en sente. Le législateur des Thuriens ordonna que quiconque voudrait ou abolir une des vieilles lois ou en établir une nouvelle se présenterait au peuple la corde au cou afin que, si la nouvelle n'était approuvée d'un chacun, il fût incontinent étranglé [1].

• Pascal : la coutume est notre nature

La Boétie articule les rapports entre la nature et l'habitude en présentant la seconde comme *plus puissante* que la première. L'habitude épanouit la nature ou la recouvre jusqu'à la faire disparaître : « L'on ne peut pas nier que la nature n'ait en nous bonne part, pour nous tirer là où elle veut et nous faire dire bien ou mal nés ; mais si faut-il confesser qu'elle a en nous moins de pouvoir que la coutume : pour ce que le naturel, pour bon qu'il soit, se perd s'il n'est entretenu » (p. 124-125). Dans les *Pensées*, le philosophe et moraliste janséniste Pascal (1623-1662) entend aller plus loin. Selon lui, il est vain de supposer en nous une première couche naturelle sur laquelle l'habitude viendrait déposer ses sédiments. Il serait plus juste d'admettre que l'habitude nous modèle en tous points ; elle n'est pas simplement une seconde nature, se substituant à la première ou lui modifiant ses traits, elle est bel

---

Socrate choisit de mourir et refuse l'évasion. Il préfère, dit-il, mourir en ayant toujours été juste que continuer de vivre après s'être soustrait à l'autorité des lois.

1. Montaigne, *Les Essais*, éd. C. Pinganaud, Paris, © Arléa, 2002, I, 23, p. 97.

et bien, paradoxalement, la seule nature que nous ayons jamais eue. Ce propos de Pascal s'inscrit dans le cadre du projet apologétique des *Pensées*. Pascal souhaite convertir ses lecteurs au christianisme, ou offrir aux chrétiens un outil de conversion contre l'athéisme des « libres penseurs » de son temps. Or, dans cette optique, insister sur la force universelle de l'habitude dans la constitution du caractère, c'est marquer, par un biais original, l'impuissance qui affecte les hommes s'ils demeurent sans les secours de la grâce divine.

89-149. – La coutume est notre nature. Qui s'accoutume à la foi la croit, et ne peut plus ne pas craindre l'enfer, et ne croit autre chose. Qui s'accoutume à croire que le roi est terrible…, etc. [1].

93-126. – Les pères craignent que l'amour naturel des enfants ne s'efface. Quelle est donc cette nature, sujette à être effacée ? La coutume est une seconde nature qui détruit la première. Mais qu'est-ce que nature ? Pourquoi la coutume n'est-elle pas naturelle ? J'ai grand'peur que cette nature ne soit elle-même qu'une première coutume, comme la coutume est une seconde nature [2].

308-25. – La coutume de voir les rois accompagnés de gardes, de tambours, d'officiers, et de toutes les choses qui ploient la machine vers le respect et la terreur, fait que leur visage, quand il est quelquefois seul et sans ces accompagnements, imprime dans leurs sujets le respect et la terreur, parce qu'on ne sépare point dans la pensée leurs personnes d'avec leurs suites, qu'on y voit d'ordinaire jointes. Et le monde, qui ne sait pas que cet effet vient de cette coutume, croit qu'il vient d'une force naturelle ; et de là viennent ces mots : « Le caractère de la Divinité est empreint sur son visage, etc. » [3].

---

1. Pascal, *Pensées*, Paris, GF-Flammarion, 1976, p. 77. Le premier chiffre mentionné renvoie au classement Brunschvicg, le second au classement Lafuma.
2. *Ibid.*, p. 77-78.
3. *Ibid.*, p. 139.

• Montesquieu : de l'éducation dans le gouvernement despotique

Dans la mesure où il voit dans l'habitude la première source de la servitude volontaire, La Boétie offre une explication particulièrement généreuse de cette dernière. En effet, il suggère ainsi que le désir d'obéir n'est jamais premier, qu'il n'apparaît qu'au terme d'une période prolongée ; en outre, il donne à penser que les peuples rompus à l'obéissance sont davantage à plaindre qu'à condamner : « je suis d'avis qu'on ait pitié de ceux qui, en naissant, se sont trouvés le joug sous le col, ou bien que si on les excuse, ou bien qu'on leur pardonne, si, n'ayant vu seulement l'ombre de la liberté et n'en étant point avertis, ils ne s'aperçoivent point du mal que ce leur est d'être esclaves » (p. 129). Par conséquent, on peut considérer que l'un des présents les plus précieux légués par La Boétie à ses héritiers est l'exigence de comprendre comment la volonté de soumission est un produit du régime tyrannique, comment elle résulte de la réalité de celui-ci et ne saurait lui donner naissance. Montesquieu honore cet impératif dans l'analyse qu'il propose du gouvernement despotique, dans *De l'esprit des lois*. En effet, en esquissant une description des formes de l'éducation favorisées par les tyrans, il suggère que la servitude ne se maintient dans le temps que parce que les peuples ne disposent pas des lumières suffisantes pour soulever leurs chaînes. Loin donc que le motif de la servitude volontaire aboutisse à une culpabilisation des dominés, la généalogie du désir de soumission aboutit à renforcer la culpabilité du tyran.

DE L'ÉDUCATION
DANS LE GOUVERNEMENT DESPOTIQUE

Comme l'éducation dans les monarchies ne travaille qu'à élever le cœur, elle ne cherche qu'à l'abaisser dans les États despotiques. Il faut qu'elle y soit servile. Ce sera un bien, même dans le commandement, de l'avoir eue telle ; personne n'y étant tyran, sans être en même temps esclave.

L'extrême obéissance suppose de l'ignorance dans celui qui obéit ; elle en suppose même dans celui qui commande. Il n'a point à délibérer, à douter, ni à raisonner ; il n'a qu'à vouloir.

Dans les États despotiques, chaque maison est un empire séparé. L'éducation, qui consiste principalement à vivre avec les autres, y est donc très bornée : elle se réduit à mettre la crainte dans le cœur, et à donner à l'esprit la connaissance de quelques principes de religion fort simples. Le savoir y sera dangereux, l'émulation funeste ; et, pour les vertus, Aristote ne peut croire qu'il y en ait quelqu'une de propre aux esclaves ; ce qui bornerait bien l'éducation, dans ce gouvernement.

L'éducation y est donc, en quelque façon, nulle. Il faut ôter tout, afin de donner quelque chose ; et commencer par faire un mauvais sujet, pour faire un bon esclave.

Eh ! pourquoi l'éducation s'attacherait-elle à y former un bon citoyen qui prît part au malheur public ? S'il aimait l'État, il serait tenté de relâcher les ressorts du gouvernement : s'il ne réussissait pas, il se perdrait ; s'il réussissait, il courrait risque de se perdre, lui, le prince, et l'empire [1].

SUBJUGUER LES ESPRITS

La seconde cause qui amène les peuples à demeurer soumis à leurs oppresseurs est l'influence que les tyrans parviennent à gagner sur les esprits, en jouant sur les faiblesses de l'imagination. D'abord soumis par la violence, dans un second temps, les peuples sont « non pas contraints par une plus grande force, mais [...] enchantés et charmés » (p. 109). La Boétie explore ainsi, dans de nombreuses directions, ce grand vecteur de l'aliénation qu'est la manipulation mentale. Il remarque avec perspicacité la façon dont les tyrans recourent à la censure (« le grand Turc s'est bien avisé de cela, que les livres et la doctrine donnent, plus que toute autre chose, aux hommes le

---

1. Montesquieu, *De l'esprit des lois*, éd. cit., IV, III, p. 158-159.

sens et l'entendement de se reconnaître et d'haïr la tyrannie », p. 131), met en lumière les effets des cérémonies et
des symboles, fleurs de lis et autres oriflammes (p. 143),
dévoile la complicité des religions lorsque celles-ci parent
la servitude des dorures du culte (p. 142). Dans tous les cas,
ses réflexions lui sont largement inspirées par l'histoire de
la Rome antique. Il puise dans Virgile et Juvénal des mises
en garde, et livre ainsi des enseignements qui seront encore
vivaces chez Rousseau.

• Virgile : l'auto-divinisation, arme des tyrans

Le premier moyen à la disposition des tyrans, en vue
de subjuguer les esprits, consiste à diffuser dans la foule
un sentiment de « révérence et [d']admiration » (p. 140).
L'admiration en question ne signifie pas la reconnaissance d'authentiques qualités possédées par le tyran,
mais l'étonnement et la sidération devant des actes supposés magiques ou sacrés. La Boétie évoque ainsi la mission divine que les rois se font fort de mener à bien, ou
les miracles qu'ils prétendent accomplir : « ils voulaient
fort se mettre la religion devant pour garde-corps, et, s'il
était possible, emprunter quelque échantillon de la divinité » (p. 142). En un pays tel que la France, alors monarchie de droit divin, la charge polémique du propos est
aiguë : loin que la religion offre à la tyrannie une forme
de légitimité, elle se trouve dévoyée par son rôle de prétexte de la domination. Grâce à elle, les tyrans
s'assurent « non seulement [...] obéissance et servitude,
mais encore [...] dévotion » (p. 145). La Boétie, pour souligner ce point, s'appuie sur un texte de Virgile dans
lequel Énée visite les Enfers.

Virgile (v. 70-19 av. J.-C.) est un poète latin dont le
chef-d'œuvre, l'*Énéide*, relate la vie du Troyen Énée, de
la prise de Troie par les Achéens à l'installation d'Énée
dans le Latium, en Italie. Désireux d'offrir à Rome une
épopée digne de l'*Iliade* et de l'*Odyssée* d'Homère, Virgile

s'efforce, en suivant le périple d'Énée, d'établir une filiation entre mythes grecs et mythes romains, entre la grandeur passée de la Grèce et la grandeur présente de Rome. Dans le chant VI, lors d'un voyage initiatique dans le séjour des morts, Énée entrevoit qu'il comptera parmi ses descendants Romulus, le fondateur de Rome. Conduit par une prophétesse, il assiste à cette occasion aux châtiments réservés à ceux qui ont offensé les dieux, notamment aux tyrans, qui ont usurpé la place des Olympiens en se parant des traits de la divinité.

Une tour de fer se dresse dans les airs, et Tisiphone [1] y siège, sa robe sanglante retroussée, gardant le vestibule nuit et jour sans dormir. On entend sortir de là des gémissements, des coups de fouet terribles, puis le bruit strident du fer et des traînements de chaînes. Énée s'est arrêté, et, terrifié, a écouté ce fracas : « Quelle sorte de crimes punit-on ici ? Ô vierge, dis-le-moi ; quels sont les châtiments qu'on y inflige ? Quelle est cette grande lamentation qui monte à mes oreilles ? » Alors la prophétesse lui répondit : « Chef illustre des Teucères [2], il n'est permis à aucun homme pur de franchir le seuil du crime ; mais Hécate [3], en me confiant la garde des bois sacrés de l'Averne [4], m'instruisit elle-même des peines établies par les dieux et me conduisit partout. Le gnossien Rhadamanthe [5] exerce en ces lieux son très dur pouvoir ; il met les fourbes à la torture et à la question et les contraints d'avouer les forfaits qu'ils se flattaient en vain d'avoir cachés chez les gens d'en haut, et dont ils différaient l'expiation jusqu'à l'heure tardive de la mort. [...] Là, race antique de la Terre, les Titans, renversés par la foudre, roulent au fond de l'abîme. Là, j'ai vu aussi les deux fils

---

1. Tisiphone est l'une des Érinyes, les déesses de la vengeance.
2. Autre nom donné aux Troyens.
3. Déesse de la lune noire, qui symbolise la mort.
4. Le lac Averne, situé près de Naples, en Italie, était supposé abriter dans ses bois l'une des portes d'entrée des Enfers.
5. Fils de Zeus/Jupiter et d'Europe, il est, chez Virgile, celui qui gouverne l'enfer du Tartare. « Gnossien » signifie « originaire de Cnossos », c'est-à-dire de Crète.

d'Aloée [1], monstrueux géants qui essayèrent de forcer avec leurs mains le grand ciel et de chasser Jupiter de son royaume d'en haut. J'ai vu encore Salmonée [2] subir de cruels châtiments ; imitant les flammes de Jupiter et le fracas de l'Olympe, traîné par quatre chevaux et agitant sa torche, il traversait en triomphateur les peuples des Grecs et sa ville du milieu de l'Élide et réclamait pour lui les honneurs des dieux, fou ! qui croyait en poussant sur un pont d'airain des chevaux au sabot retentissant contrefaire les orages et la foudre inimitable ! Mais le Père tout-puissant lança du sein des nuages épais, non des torches, non des brandons aux fumeuses flammèches, mais un trait, et le précipita dans un monstrueux tourbillon » [3].

• Juvénal, « *panem et circenses* »

Le second moyen à la disposition des tyrans, en vue d'anesthésier leurs sujets et de leur faire oublier l'amertume de la servitude, consiste à leur faire croire que leur situation est enviable. Les tyrans, maîtres d'illusion, ne manquant pas d'étourdir l'esprit de ceux qui leur sont soumis en les enivrant par des divertissements de toutes sortes. La Boétie fait de l'attitude de Cyrus envers les Lydiens l'emblème de cette forme de duperie : « il s'avisa d'un grand expédient [...] : il [...] établit [en la ville de Lydie] des bordeaux [4], des tavernes et jeux publics [...]. Il se trouva si bien de cette garnison que jamais depuis contre

---

1. Fils de Poséidon, Aloée a adopté deux géants, nommés Otos et Éphialtès. Ces deux personnages incarnent la faute suprême pour les Grecs, l'*hybris*, ou démesure, consistant à vouloir s'égaler aux dieux, après qu'ils ont voulu escalader le ciel, et enlever Héra et Artémis.
2. Frère de Sisyphe, le roi de Corinthe qui fut condamné à faire rouler chaque jour de sa vie une pierre le long du flanc d'une montagne, pour avoir découvert aux mortels certains des mystères des dieux. Salmonée incarne à sa manière, chez Virgile, l'*hybris* consistant à s'estimer soi-même autant que les dieux. La Boétie réinterprète son crime en faisant de Salmonée un manipulateur, désireux d'affermir sa domination en s'assurant la dévotion de ses sujets.
3. Virgile, *L'Énéide*, trad. M. Rat, Paris, GF-Flammarion, 2011, VI, p. 143.
4. Des maisons closes.

les Lydiens il ne fallut tirer un coup d'épée » (p. 136).
Que l'on puisse endormir toute velléité de révolte par des
banquets et des spectacles, la leçon est ancienne. Le poète
satirique Juvénal (né dans la seconde moitié du Ier siècle
ap. J.-C., mort dans la première moitié du IIe siècle) a
livré une formule qui a traversé les siècles : les peuples
s'enfoncent dans la servilité pourvu qu'on leur offre « du
pain et des jeux », *panem et circenses*. Né sous l'empire,
Juvénal nourrit pour la Rome qui lui est contemporaine
la plus vive aversion. La société impériale est à ses yeux
une farce, dans laquelle toute valeur morale, tous les
« véritables biens » se sont perdus ; ne restent plus que la
décadence, la cupidité, la dépravation sexuelle et les
intrigues.

> Dans tout l'univers, de Gadès au Gange où paraît l'Aurore,
> Bien peu, dissipant l'illusion et ses nuages, sont capables
> De discerner les véritables biens des biens contraires.
> On désire, on craint, mais réfléchit-on ?
> [...]
> Depuis qu'on ne vend plus les suffrages, [le peuple] se
>   moque
> De tout : lui qui, jadis, donnait les pleins pouvoirs,
> Les faisceaux, les légions, tout enfin, aujourd'hui
> Il en rabat sérieusement et ne vit plus que pour deux
>   choses :
> Du pain et des jeux [1] !

- **Rousseau : les arts et les sciences
  sont les guirlandes de fleurs
  que les gouvernements jettent sur nos chaînes**

On l'a relevé plus haut (« Rousseau : la liberté est
inaliénable », p. 165), Rousseau compte parmi les principaux héritiers de La Boétie. Or, cet héritage ne se limite

---

1. Juvénal, *Satires*, trad. C.-A. Tabart, Paris, © Gallimard, 1996, X,
p. 150-154.

pas à la reconnaissance du caractère naturel de la liberté, et à la description saisissante de la corruption de cette liberté naturelle dans les sociétés contemporaines. Rousseau rejoint également La Boétie sur son diagnostic touchant l'origine et les fondements de la servitude. Le *Discours sur les sciences et les arts*, grâce auquel Rousseau remporte le concours de l'Académie des sciences, arts et belles-lettres de Dijon en 1750, fait résonner nombre des thèses du *Discours de la servitude volontaire* [1]. Le texte se présente comme un véritable réquisitoire contre un lieu commun des Lumières, selon lequel les sciences et les arts contribueraient à épurer les mœurs. Se séparant de Hume et Voltaire, Rousseau estime que le raffinement des manières et le développement des spectacles est allé de pair avec la fureur de se distinguer et la volonté de courtiser les puissants. La plupart des productions que l'on nommerait aujourd'hui « culturelles » sont pour Rousseau des voiles servant à nous masquer nos fers. Il n'aurait démenti aucune des remarques de La Boétie, lorsque celui-ci incriminait « les théâtres, les jeux, les farces, les spectacles, les gladiateurs, les bêtes étranges, les médailles, les tableaux et autres telles drogueries » (p. 137), au motif que « c'étaient aux peuples anciens les appâts de la servitude, le prix de leur liberté, les outils de la tyrannie » (*ibid.*).

Tandis que le gouvernement et les lois pourvoient à la sûreté et au bien-être des hommes assemblés, les sciences, les lettres et les arts, moins despotiques et plus puissants peut-être, étendent des guirlandes de fleurs sur les chaînes de fer dont ils sont chargés, étouffent en eux le sentiment de cette liberté originelle pour laquelle ils semblent nés, leur font aimer leur esclavage et en forment ce qu'on appelle des peuples policés. Le besoin éleva les trônes ; les sciences et les arts les ont affermis. Puissances de la terre, aimez les talents, et protégez ceux qui les cultivent. Peuples policés, cultivez-les : heureux esclaves, vous leur devez ce goût délicat et fin

---

1. Voir D. Munnich, *L'Art de l'amitié. Jean-Jacques Rousseau et la servitude volontaire*, Paris, Sens & Tonka, 2010.

dont vous vous piquez ; cette douceur de caractère et cette urbanité de mœurs qui rendent parmi vous le commerce si liant et si facile ; en un mot, les apparences de toutes les vertus sans en avoir aucune [1].

LA CORRUPTION DES COURTISANS

Accoutumer les peuples à l'obéissance, subjuguer l'imagination des dominés, ce sont là deux ferments psychiques de la servitude, mais son levier le plus puissant est ailleurs. La Boétie réserve l'essentiel pour la fin : « maintenant je viens à un point, lequel est à mon avis le ressort et le secret de la domination » (p. 145). « Ce ne sont pas les bandes des gens à cheval, ce ne sont pas les compagnies des gens de pied, ce ne sont pas les armes qui défendent le tyran [...] : ce sont toujours quatre ou cinq [...] qui tiennent tout le pays en servage » (p. 145-146). Qu'est-ce à dire ? Souvenons-nous du principe qui mettait en lumière le caractère paradoxal de la servitude : si tous les sujets du tyran étaient unis, si tous se rejoignaient « contr'un » – si le despote se trouvait esseulé –, alors la puissance du peuple serait irrésistible. Si donc la sujétion se maintient, c'est que les peuples sont divisés, que le tyran joue certaines fractions du peuple contre les autres. Comment s'y prend-il ? La solution n'est pas numérique, il ne s'agit pas simplement pour le tyran de soumettre la majorité de la population. Il suffit qu'il donne à penser à un petit nombre qu'ils ont intérêt à le suivre, et que ce petit nombre de courtisans se constitue à son tour des cours inférieures : « Ces six ont six cents qui profitent sous eux » (p. 146), et ainsi de suite pour « qui voudra s'amuser à dévider ce filet » (*ibid.*). Le tyran tire ultimement sa puissance des « tyranneaux » (p. 147), de sorte qu'il « asservit les sujets les uns par le moyen des autres »

---

1. Rousseau, *Discours sur les sciences et les arts*, Paris, GF-Flammarion, 1992, Première Partie, p. 31.

(p. 148). La Boétie a une nouvelle fois tiré des leçons de l'histoire antique, des largesses accordées par Xerxès à ses lieutenants au clientélisme des puissants romains. Sa pensée rencontre, dans les deux siècles suivant la parution du *Discours*, un remarquable écho dans l'analyse des mœurs de cour offerte par La Fontaine et Montesquieu.

- **La Fontaine : du prix respectif des largesses de cour et de la liberté**

La Boétie appuie sa pensée de la corruption sur un récit : celui des deux Spartiates reçus par l'émissaire du grand roi perse Xerxès, le noble Indarne. Celui-ci « était lieutenant du roi en toutes les villes d'Asie qui sont sur les côtes de la mer. Il les accueillit fort honorablement et leur fit grande chère, et [...] leur demanda pourquoi ils refusaient tant l'amitié du roi. "Voyez, dit-il, Spartains, et connaissez par moi comment le roi sait honorer ceux qui le valent [...]" » (p. 127). Indarne montre aux deux hommes tous les avantages matériels, tous les honneurs qui pourraient leur échoir s'ils se soumettaient au souverain. Mais les Spartiates, attachés à rien d'autre qu'à leur rigoureuse franchise, lui rétorquent : « tu as éprouvé la faveur du roi ; mais de la liberté, quel goût elle a, combien elle est douce, tu n'en sais rien » (p. 128). Le contraste entre les deux aspirations, le désir des largesses du roi et le désir de la liberté pure, trouve un écho direct dans la fable de La Fontaine « Le Loup et le Chien ». Jean de La Fontaine (1621-1695) a écrit la plupart de ses fables et de ses satires sous le règne de Louis XIV, dressant un portrait sans concession du pouvoir absolu. Les mœurs serviles des courtisans du monarque inspirent une part importante de ses apologues. Dans le texte ci-dessous, le Chien symbolise la figure du courtisan : il a la flatterie spontanée, un léger embonpoint, et ne s'appartient pas. Le Loup au contraire incarne l'esprit de liberté : un instant tenté par les appâts de la servitude, il rejette bien vite leurs trompeuses séductions, et leur préfère la liberté naturelle. Pour La Fontaine comme pour La Boétie, celle-ci seule est sans prix.

Un Loup n'avait que les os et la peau ;
Tant les Chiens faisaient bonne garde.
Ce Loup rencontre un Dogue aussi puissant que beau,
Gras, poli, qui s'était fourvoyé par mégarde.
L'attaquer, le mettre en quartiers,
Sire Loup l'eût fait volontiers.
Mais il fallait livrer bataille,
Et le Mâtin était de taille
À se défendre hardiment.
Le Loup donc l'aborde humblement,
Entre en propos, et lui fait compliment
Sur son embonpoint, qu'il admire.
« Il ne tiendra qu'à vous, beau Sire,
D'être aussi gras que moi, lui répartit le Chien.
Quittez les bois, vous ferez bien :
Vos pareils y sont misérables,
Cancres, hères, et pauvres diables,
Dont la condition est de mourir de faim.
Car quoi ? Rien d'assuré : point de franche lippée ;
Tout à la pointe de l'épée.
Suivez-moi : vous aurez un bien meilleur destin. »
Le Loup reprit : « Que me faudra-t-il faire ?
– Presque rien, dit le Chien, donner la chasse aux gens
Portant bâtons, et mendiants ;
Flatter ceux du logis, à son Maître complaire ;
Moyennant quoi votre salaire
Sera force reliefs de toutes les façons :
Os de poulets, os de pigeons :
Sans parler de mainte caresse. »
Le Loup déjà se forge une félicité
Qui le fait pleurer de tendresse.
Chemin faisant, il vit le col du Chien pelé.
« Qu'est-ce là ? lui dit-il. – Rien. – Quoi ? rien ? – Peu de
        chose.
– Mais encor ? – Le collier dont je suis attaché
De ce que vous voyez est peut-être la cause.
– Attaché ? dit le Loup : vous ne courez donc pas

> Où vous voulez ? – Pas toujours ; mais qu'importe ?
> – Il importe si bien, que de tous vos repas
> Je ne veux en aucune sorte,
> Et ne voudrais pas même à ce prix un trésor. »
> Cela dit, maître Loup s'enfuit, et court encor [1].

• Montesquieu : le tyran corrompt avant tout par l'argent

De tous les avantages que les despotes font miroiter aux « tyranneaux » prompts à les suivre, quels sont les plus importants ? Les courtisans espèrent-ils avant tout le pouvoir, la faculté de nuire à leurs ennemis, la licence des mœurs qui entoure souvent les palais, la richesse ? La Boétie ne tranche pas résolument cette question. Il note cependant de façon récurrente le fait que l'argent constitue l'un des outils privilégiés pour pervertir un cénacle de complices : « Les tyrans faisaient largesse d'un quart de blé, d'un sestier de vin et d'un sesterce ; et lors c'était pitié d'ouïr crier : *Vive le roi !* » (p. 137-138) ; « Tel eût amassé aujourd'hui le sesterce, et se fût gorgé au festin public, bénissant Tibère et Néron, et leur belle libéralité [...] » (p. 138). Deux siècles plus tard, Montesquieu emboîte le pas à l'auteur du *Discours de la servitude volontaire*, dans *De l'esprit des lois*, en remarquant que, en un sens, l'argent constitue la seule récompense par laquelle il est possible, dans une tyrannie, de gratifier ses subordonnés. Le dérèglement des mœurs y est tel que toute notion de l'honneur s'est perdue, si bien que le clientélisme finit par avoir pour seul ressort la perspective des avantages matériels.

> Dans les gouvernements despotiques, où, comme nous avons dit, on n'est déterminé à agir que par l'espérance des commodités de la vie, le prince qui récompense n'a que de l'argent à donner. Dans une monarchie, où l'honneur règne seul, le prince ne récompenserait que par des distinctions, si les distinctions que l'honneur établit n'étaient jointes à un

---

1. La Fontaine, *Fables*, Paris, GF-Flammarion, 1995, I, 5, p. 77-78.

luxe qui donne nécessairement des besoins : le prince y récompense donc par des honneurs qui mènent à la fortune. Mais, dans une république, où la vertu règne, motif qui se suffit à lui-même, et qui exclut tous les autres, l'État ne récompense que par des témoignages de cette vertu.

C'est une règle générale, que les grandes récompenses, dans une monarchie et dans une république, sont un signe de leur décadence ; parce qu'elles prouvent que leurs principes sont corrompus ; que, d'un côté, l'idée de l'honneur n'y a plus tant de force ; que, de l'autre, la qualité de citoyen s'est affaiblie.

Les plus mauvais empereurs romains ont été ceux qui ont le plus donné ; par exemple, Caligula, Claude, Néron, Othon, Vitellius, Commode, Héliogabale, et Caracalla. Les meilleurs, comme Auguste, Vespasien, Antonin Pie, Marc Aurèle, et Pertinax, ont été économes. Sous les bons empereurs, l'État reprenait ses principes : le trésor de l'honneur suppléait aux autres trésors [1].

---

1. Montesquieu, *De l'esprit des lois*, éd. cit., V, XVIII, p. 194.

Le *Discours de la servitude volontaire* a pu être surnommé le *Contr'Un* parce qu'il constitue un réquisitoire
contre la tyrannie, contre le pouvoir concentré entre les
mains d'un seul. De fait, au fil des pages s'accumulent
les évocations de Caligula, de Denys de Syracuse, de
Néron, ou encore les dénonciations emphatiques des
exactions perpétrées par les mauvais souverains, pour
former un portrait sans concession d'une figure repous-
soir pour la philosophie politique. Le tyran sacrifie à tous
les vices, « [aux] pilleries, [aux] paillardises, [aux]
cruautés » (p. 110). Les évocations de son appétit sexuel,
de sa cupidité, de sa violence sont récurrentes. Par ce
biais, La Boétie entend aiguiser la lucidité des peuples en
vue de favoriser leur libération. Car si les nations se
laissent abuser par leurs maîtres en particulier lorsque
ceux-ci leur promettent monts et merveilles, le *Discours
de la servitude volontaire* les détrompe. En particulier, si
« le ressort et le secret de la domination, le soutien et le
fondement de la tyrannie » (p. 145) correspond au fait
que les courtisans se laissent séduire par l'espoir de parti-
ciper à l'opulence et au pouvoir du tyran, il devient absolument capital de révéler que leur calcul d'utilité est
illusoire. La Boétie s'acquitte de cette tâche de démystification en montrant, *premièrement*, que le tyran prend
toujours plus qu'il n'accorde, *secondement*, qu'il ne saurait jamais être digne de confiance. Le *Discours de la servitude volontaire* dessine ainsi en creux un portrait de
l'amitié véritable et du bon gouvernant.

LA BIENVEILLANCE DU TYRAN
POUR LES COURTISANS EST UN LEURRE

Pour un courtisan, le fait de se soumettre au tyran procède d'un calcul, d'un raisonnement utilitaire où le courtisan estime que les avantages qu'il peut espérer retirer de sa soumission contrebalanceront finalement le sacrifice qu'il aura consenti de sa liberté. Et, de fait, on ne saurait rejeter le caractère au moins vraisemblable d'un tel calcul. Les marquis et les comtes, sous les monarques de France, n'étaient-ils pas mieux lotis que les paysans ? Les proches de Néron n'étaient-ils pas mieux protégés de ses terribles appétits que les plébéiens ? Par extension, même si c'est à un degré moindre, on peut encore estimer que les vassaux des courtisans seront toujours en meilleure posture que les membres du bas peuple – il semble être plus prudent de servir un puissant que de le contredire ou d'être opprimé par lui. Ainsi, « l'on en vient là, par les faveurs ou sous-faveurs, les gains ou regains qu'on a avec les tyrans, qu'il se trouve enfin quasi autant de gens auxquels la tyrannie semble être profitable, comme de ceux à qui la liberté serait agréable » (p. 147). Une telle apparence mérite par excellence le nom d'« illusion », car elle est aussi inévitable que trompeuse. Pour la déconstruire, La Boétie puise tout d'abord, dans les fables et dans l'histoire, une analyse de la cupidité du tyran, indiquant que celui-ci ne saurait jamais se montrer véritablement bienveillant, y compris envers ses plus proches complices.

• Ésope : le tyran est constant dans le mal

Ésope (VIIᵉ-VIᵉ siècle av. J.-C.) est le plus fameux fabuliste de l'Antiquité grecque. On le considère parfois comme l'inventeur du genre de l'apologue, consistant à assortir un récit et une brève réflexion morale. Le récit, mettant souvent en scène des animaux, a alors la charge d'amener ou d'illustrer ladite morale. Dans le *Discours de la servitude volontaire*, La Boétie mentionne la fable « Le Renard et le Lion » pour montrer qu'il est « malaisé de trouver en un tyran un amour assuré » (p. 154). Cette fable, qui ne se trouve que brièvement résumée par La Boétie, possède chez Ésope quelques détails remarquables. En effet, le vieux lion tapi en sa tanière s'y distingue par sa ruse. Il amadoue les animaux venus lui rendre visite en leur laissant supposer que ses intentions sont devenues bonnes, qu'il ne souhaite pas dévorer ses hôtes. Le lion est ainsi particulièrement adapté à la représentation de la tyrannie. En effet, les courtisans, à l'instar des animaux crédules, se laissent prendre dans les rets du tyran en pensant qu'il leur témoignera ses bienfaits, qu'il ne se comportera pas avec eux comme avec ses anciennes victimes.

> Un lion devenu vieux, hors d'état désormais de se procurer sa pâture par la force, estima qu'il fallait jouer de finesse. Il s'installa donc dans une caverne et s'y coucha, feignant d'être malade : ainsi, tous les animaux qui venaient lui rendre visite étaient pris et dévorés. Beaucoup avaient déjà péri quand se présenta le renard, qui l'avait percé à jour : s'arrêtant à bonne distance de la caverne, il prit des nouvelles du lion. « Ça va mal, répondit le lion, qui lui demanda pourquoi il n'entrait pas. – Je l'aurais fait, sans doute, rétorqua le renard, si je ne voyais beaucoup de traces à l'entrée, mais aucune à la sortie. »
>
> De même, à certains indices, les hommes sensés prévoient le danger, et l'évitent [1].

• Xénophon : le tyran ne peut être bienveillant, car il vit dans la crainte

Auteur de nombreux traités, historien et philosophe, Xénophon (v. 430-v. 355 av. J.-C.) a été disciple de Socrate et nous a laissé des récits de ses enseignements.

---

1. Ésope, *Fables*, trad. D. Loayza, Paris, GF-Flammarion, 1995, 142, p. 151.

Sa vie mouvementée l'a conduit à observer de nom breuses monarchies : il a servi auprès du prince perse Cyrus le Jeune puis auprès du roi de Sparte Agésilas II. Suivant l'inspiration socratique, il estime que la question politique et éthique de la justice est le problème majeur de la philosophie. Dans le court traité *Hiéron*, il imagine un dialogue entre le poète grec Simonide et Hiéron, un tyran de Syracuse. Au cours de ce dialogue, Hiéron se lamente auprès de Simonide et lui révèle les diverses infortunes qui s'attachent à l'existence du tyran. Bien qu'on ignore en grande partie les liens historiques entre Platon et Xénophon, on ne peut manquer d'être frappé de la proximité entre cette perspective et celle de l'autre grand héritier de Socrate, que ce soit dans le dialogue *Gorgias*, où Socrate soutient que la vie des victimes du tyran est préférable à celle du tyran lui-même, ou dans le livre X de *La République*, lorsque le personnage de Socrate, dans le mythe d'Er, dresse la liste des malheurs liés au destin de tyran. La perspective de La Boétie, dans la reprise qu'il fait de *Hiéron*, est légèrement distincte. Il déclare que « Xénophon, historien grave et du premier rang entre les Grecs, a fait un livre auquel il fait parler Simonide avec Hiéron, tyran de Syracuse, des misères du tyran. [...] Que plût à Dieu que les tyrans qui ont jamais été l'eussent mis devant les yeux et s'en fussent servi de miroir ! » (p. 134-135). Le point essentiel pour La Boétie est que le tyran vit en permanence dans la crainte, qu'il ne peut placer sa confiance en personne étant donné sa position suprême, de sorte qu'il se dispose toujours lui-même à trahir ses subordonnés pour affirmer son pou-voir. La perspective de La Boétie n'est donc pas de réflé-chir au malheur du tyran, mais de déduire de la misère relative de ce dernier la nécessité des maux des courtisans.

> [Les tyrans] connaissent aussi bien que les particuliers les hommes vaillants, habiles, justes ; mais au lieu de les admirer, ils en ont peur : les braves pourraient tenter un coup de main

en faveur de la liberté, les habiles ourdir un complot ; quant aux justes, le peuple pourrait vouloir les prendre pour maîtres. Et lorsque, cédant à la peur, ils ont supprimé de tels hommes, que leur reste-t-il à employer, que des scélérats, des débauchés, des gens serviles ? Les scélérats ont leur confiance, parce qu'ils redoutent, comme les tyrans, que les États, redevenus libres, ne les réduisent au devoir, les débauchés, à cause de la licence actuelle dont ils jouissent, les gens serviles parce qu'ils ne demandent pas, eux non plus, à être libres [1]. [...]

Je veux, Simonide, poursuivit Hiéron, exposer aussi à tes yeux les plaisirs que je goûtais au temps où j'étais simple particulier, et dont je sens la privation depuis que je suis tyran. Je m'entretenais avec les camarades de mon âge, content d'eux comme ils l'étaient de moi ; je m'entretenais avec moi-même, quand je souhaitais la tranquillité ; je passais le temps à festoyer, souvent jusqu'à oublier tous les chagrins de la vie, souvent jusqu'à absorber mon esprit dans les chants, les festins et les chœurs, souvent jusqu'au moment où l'envie de dormir nous saisissait tous ensemble, mes camarades et moi. Maintenant j'ai perdu ceux qui se plaisaient avec moi, depuis que mes camarades, d'amis qu'ils étaient, sont devenus mes esclaves, et je suis privé du charme de leur commerce, parce que je ne vois en eux aucune bienveillance à mon égard ; je me garde de l'ivresse et du sommeil comme d'un piège. Or craindre la foule et craindre la solitude, redouter d'aller sans gardes et redouter ses gardes mêmes, ne pas vouloir autour de soi des gens sans armes et s'inquiéter de les voir armés, n'est-ce pas une terrible condition [2] ?

• La Fontaine : les courtisans, complices et victimes

Les affinités entre les *Fables* de La Fontaine et le *Discours de la servitude volontaire* de La Boétie sont nombreuses. On a déjà relevé la similitude de structure entre

1. Xénophon, *Hiéron ou de la tyrannie*, in *Œuvres complètes*, t. I, trad. P. Chambry, Paris, GF-Flammarion, 1967, V, p. 409.
2. *Ibid.*, VI, p. 410.

l'opposition du Loup et du Chien et l'opposition du courtisan et de l'homme libre chez La Boétie. La fable « La Génisse, la Chèvre et la Brebis en société avec le Lion » apporte un éclairage supplémentaire sur la condition des courtisans, qui résonne à son tour avec l'entreprise de démystification de La Boétie. L'intérêt de cette fable ne réside pas uniquement, en effet, dans la chute, où le lion use de sa force pour berner celles qui se sont crues, un temps, ses alliées. Le point le plus remarquable dans ce récit, bref et incisif, est que trois bêtes normalement herbivores et à la placidité proverbiale (génisse, chèvre et brebis), en s'associant avec le lion, se comportent bien vite en chasseurs, allant jusqu'à mettre à mort un cerf. La morale implicite est double. D'un côté, on repense à la phrase liminaire de la fable « Le Loup et l'Agneau », « La raison du plus fort est toujours la meilleure ». De l'autre, on comprend plus subtilement que l'acte par lequel les courtisans se laissent duper ne fait pas que les laisser à la merci du souverain ; cet acte les conduit à se retourner contre leurs semblables, à faire le jeu d'une puissance dont tous sont également victimes. La menace finale du lion – il étranglera quiconque s'opposera à lui – témoigne du fait que le sort des complices et celui du cerf ne sauraient, à terme, être différents.

> La Génisse, la Chèvre et leur sœur la Brebis,
> Avec un fier Lion, Seigneur du voisinage,
> Firent société, dit-on, au temps jadis,
> Et mirent en commun le gain et le dommage.
> Dans les lacs de la Chèvre un Cerf se trouva pris.
> Vers ses associés aussitôt elle envoie.
> Eux venus, le Lion par ses ongles compta,
> Et dit : « Nous sommes quatre à partager la proie ;
> Puis en autant de parts le Cerf il dépeça ;
> Prit pour lui la première en qualité de Sire :
> Elle doit être à moi, dit-il ; et la raison,
> C'est que je m'appelle Lion :
> À cela l'on n'a rien à dire.

La seconde, par droit, me doit échoir encor :
Ce droit, vous le savez, c'est le droit du plus fort.
Comme le plus vaillant, je prétends la troisième.
Si quelqu'une de vous touche à la quatrième
Je l'étranglerai tout d'abord » [1].

- Montesquieu : les courtisans donnent plus
  qu'ils ne reçoivent

On a vu plus haut (voir « Montesquieu : le tyran cor-rompt avant tout par l'argent », p. 196) que, selon Mon-tesquieu, la tyrannie se distingue de la monarchie par le système de récompenses et de présents qu'elle ne peut manquer de mettre en place. Le tyran ne peut se consti-tuer une cour de fidèles mus par le désir de l'honneur, car les courtisans d'un despote ne peuvent jamais désirer que l'argent et les avantages matériels. Pourquoi en est-il ainsi ? Les courtisans sont les doubles spéculaires du tyran lui-même, leurs désirs sont calqués sur les siens. Or, cet état possède une conséquence funeste pour les « tyranneaux ». Le fait que leurs aspirations miment celles du tyran produit une forme de concurrence ou de rivalité entre les vassaux et leur maître. Le terme inévi-table de cette contradiction est que les tyrans ne peuvent manquer de reprendre ce qu'ils accordent, ou du moins de prendre plus qu'ils ne donnent. La Boétie le notait par une phrase lapidaire : « les tyrans, plus ils pillent, plus ils exigent » (p. 114). Montesquieu le rejoint dans *De l'esprit des lois* en relevant que le système des récom-penses, dans une tyrannie, a en réalité bien moins d'importance que le système des dons que les courtisans doivent eux-mêmes consentir. Loin donc que les avan-tages matériels puissent compenser la perte de liberté, les courtisans se trouveront toujours floués.

C'est un usage, dans les pays despotiques, que l'on n'aborde qui que ce soit au-dessus de soi sans lui faire un

---

1. La Fontaine, *Fables*, éd. cit., I, VI, p. 79.

présent, pas même les rois. L'empereur du Mogol ne reçoit point les requêtes de ses sujets qu'il n'en ait reçu quelque chose. Ces princes vont jusqu'à corrompre leurs propres grâces.

Cela doit être ainsi dans un gouvernement où personne n'est citoyen ; dans un gouvernement où l'on est plein de l'idée que le supérieur ne doit rien à l'inférieur ; dans un gouvernement où les hommes ne se croient liés que par les châtiments que les uns exercent sur les autres ; dans un gouvernement où il y a peu d'affaires, et où il est rare que l'on ait besoin de se présenter devant un grand, de lui faire des demandes, et encore moins des plaintes.

Dans une république, les présents sont une chose odieuse, parce que la vertu n'en a pas besoin. Dans une monarchie, l'honneur est un motif plus fort que les présents. Mais, dans l'État despotique, où il n'y a ni honneur ni vertu, on ne peut être déterminé à agir que par l'espérance des commodités de la vie [1].

L'AMITIÉ AVEC LES TYRANS EST IMPOSSIBLE

Ainsi, les tyrans prennent plus qu'ils ne donnent et leurs complices sont aussi bien leurs victimes ; ils sont incapables d'accorder leur confiance à personne et ne paraissent eux-mêmes fiables qu'en contrefaisant leurs intentions. La logique même de la domination interdit qu'il en soit autrement. L'*hybris* s'attache irrésistiblement à la tyrannie, si bien que le despote ne peut manquer de se retourner contre la plupart de ses sujets. Tout raisonnement utilitaire par lequel on pense acheter sa sécurité ou des avantages matériels durables en se soumettant au tyran est donc hautement risqué, sinon hautement vicié. En vue d'achever de le montrer, La Boétie insiste sur le fait qu'il ne saurait y avoir la *moindre* exception à ces principes. L'âme du tyran est si dénaturée et pervertie qu'il ne saurait pas même avoir un ami, qu'il est incapable de la moindre fidélité, l'amour familial y compris.

1. Montesquieu, *De l'esprit des lois*, éd. cit., V, XVII, p. 193.

Être aimé du tyran est impossible, ou c'est une malédiction car une telle faveur a toujours une limite. La Boétie évoque ici la femme de Caracalla, que celui-ci menaçait quand elle lui déplaisait, ou Sénèque, que Néron poussa au suicide quand l'empereur se détacha de son ancien précepteur. Il prolonge ainsi la tradition antique des réflexions sur l'amitié, selon laquelle la justice est une condition de tout attachement sincère.

• Platon : la bande de brigands

La République de Platon (v. 428-v. 348 av. J.-C.) est certainement le traité politique le plus célèbre de toute l'Antiquité. Sous-titré « De la justice », il prend la forme d'un long récit où Socrate raconte les discussions qu'il mena, un soir de descente aux flambeaux, avec divers interlocuteurs, dont les frères de Platon en personne, Glaucon et Adimante. Dans le livre I de ce maître ouvrage, Socrate affronte pendant un temps l'ironie acide d'un interlocuteur malveillant, le sophiste Thrasymaque. Ce dernier soutient que les plus forts ont toujours intérêt à mépriser les règles communes de justice, pour accaparer tous les biens à leur profit. Même s'il leur faut pour cela présenter comme juste ce qui les arrange ! Contre Thrasymaque, Socrate rétorque que l'injustice est toujours désavantageuse, y compris pour celui qui se montre injuste (tyran, oligarque, brigand). Son argument principal consiste à souligner le fait que même une bande de brigands, c'est-à-dire une association de malfaiteurs injustes, se trouve incapable de réaliser ses larcins si ne subsiste entre ses membres un minimum de justice. Qu'on ne se méprenne pas ici. Le but de Socrate n'est pas de montrer qu'amitié et confiance sont en dernier lieu possibles entre coquins ; son dessein est plutôt de mettre au jour qu'on ne peut s'entendre et développer de relation qu'à proportion du degré de justice que l'on est prêt à témoigner.

SOCRATE. – Crois-tu qu'une cité, une armée, une bande de brigands ou de voleurs, ou tout groupe engagé ensemble dans une activité injuste, pourrait réussir si ses membres étaient injustes les uns envers les autres ?

THRASYMAQUE. – Non, certes.

– Et s'ils évitaient d'être injustes, ne réussiraient-ils pas mieux ?

– Tout à fait.

– Ce sont en effet des dissensions, Thrasymaque, que l'injustice engendre parmi eux, et aussi sans doute des haines et des conflits, alors que la justice engendre la concorde et l'amitié, n'est-ce pas ?

– Admettons, dit-il, je ne veux pas de différend avec toi.

– Mais tu es vraiment accommodant, excellent homme. Mais dis-moi encore une chose : si c'est l'œuvre propre de l'injustice que de susciter la haine partout où elle surgit, que ce soit chez les hommes libres ou chez les esclaves, ne les conduira-t-elle pas à se haïr les uns les autres, à s'engager dans des conflits, et ne les rendra-t-elle pas incapables de s'engager les uns les autres dans une entreprise commune ?

– Si, certainement.

– Et si l'injustice se produit entre deux personnes ? Ne seront-elles pas en conflit, ne se haïront-elles pas, ne deviendront-elles pas hostiles l'une à l'égard de l'autre, comme elles le sont à l'égard des justes ?

– Elles le seront, dit-il.

– Et dans le cas, homme merveilleux, où l'injustice se produit dans un seul individu, est-ce qu'elle ne perdra pas sa propre puissance, ou alors la conservera-t-elle sans affaiblissement ?

– Elle demeurera sans aucun affaiblissement.

– Est-ce donc alors qu'elle apparaît détentrice d'une telle puissance que, quelle que soit l'entité où elle surgisse – ville, nation, armée, un groupe quelconque –, elle ait pour premier résultat de la rendre incapable d'agir en accord avec elle-même, en raison de la dissension et de la discorde qu'elle entraîne, et ensuite de la rendre ennemie d'elle-même et de tout un chacun qui est son opposé et qui est juste ? N'est-ce pas le cas ?

– Si, tout à fait [1].

---

1. Platon, *La République*, trad. G. Leroux, Paris, GF-Flammarion, 2002, 351c-352a, p. 113-114.

- ● Aristote : la tyrannie rend l'amitié impossible

Si les lecteurs de Platon ont parfois jugé qu'il estimait possible une forme d'amitié entre complices, Aristote défend une position dénuée de la moindre ambiguïté, et qui constitue ainsi la principale source de la conclusion du *Discours de la servitude volontaire*. Dans le livre III de l'*Éthique à Nicomaque*, il distingue trois formes d'amitié. La première est fondée sur le plaisir commun, la deuxième sur l'utilité, la troisième sur le bien. La première forme d'amitié est la moins étroite, la plus prompte à se délier, puisqu'elle prend fin quand deux personnes n'ont plus plaisir à se fréquenter. La deuxième forme, fondée sur la recherche de l'utilité commune, peut naître à l'occasion d'associations professionnelles, ou lorsque l'on entreprend une quelconque activité commune. Elle possède là encore un caractère contingent et peut cesser assez aisément. La troisième forme d'amitié, la plus parfaite, correspond au sentiment qui se développe lorsque chacun trouve sa joie non seulement dans le plaisir et l'utilité personnels, mais aussi et surtout dans le bien de l'autre. Elle comprend une part de mystère et ne saurait être expliquée, mais le désir du bien constitue pour elle une condition *sine qua non*, et elle ne peut naître qu'entre des hommes se traitant en égaux. Par conséquent, cette dernière forme d'amitié ne peut lier que des hommes bons et vertueux : les filous, les intéressés, les tyrans en sont exclus, car ils n'aiment que leur avantage égoïste, tout en étant incapables de traiter leurs semblables comme des égaux. Ainsi, de la réflexion éthique sur l'amitié découlent des conséquences politiques concernant les régimes capables ou non d'en accueillir la forme parfaite.

> Toute association semble impliquer quelque chose de juste, mais aussi de l'amitié. En tout cas, l'on traite expressément comme amis ses compagnons d'équipage ou ses compagnons d'armes, et il en va encore ainsi de ceux qui nous sont unis dans les autres formes d'association [1]. [...]

---

1. Aristote, *Éthique à Nicomaque*, trad. R. Bodéüs, Paris, GF-Flammarion, 2004, VIII, 1159b 25, p. 432-433.

La déviation de la royauté, c'est la tyrannie. Les deux régimes sont en effet des monarchies, mais ils présentent une différence énorme, puisque le tyran n'a en vue que son intérêt personnel, alors que le roi ne considère que celui des sujets qu'il gouverne. [...] Une royauté cependant peut se changer en tyrannie [1]. [...]

Sous une tyrannie [...], il n'y a pas ou peu d'amitié, car les personnes qui n'ont rien en commun – c'est ici le cas du gouvernant et du gouverné – n'ont pas non plus entre elles d'amitié. Elles n'ont pas non plus en effet de rapports de justice.

C'est comme dans les rapports d'un artisan avec son outil, ceux de l'âme avec le corps et ceux du maître avec l'esclave. On prend soin en effet de tout cela dès lors qu'on s'en sert, mais il ne peut y avoir d'amitié envers les objets inanimés, ni de rapport de justice, et il n'y en a pas non plus envers un cheval ou un bœuf, ni envers un esclave en tant qu'esclave, parce qu'il n'a rien en commun avec son utilisateur. L'esclave est en effet un outil animé et l'outil, un esclave sans âme.

Ainsi donc, en tant qu'esclave, il n'est pas en mesure de susciter une amitié, mais seulement en tant qu'homme. Il semble en effet que chaque homme puisse avoir un rapport de justice avec quiconque a la capacité de s'engager comme lui sous la même loi et la même convention. [...]

Donc, c'est à peu de choses que se réduisent, sous les tyrannies, l'amitié des parties et l'expression de la justice. Et c'est dans les démocraties qu'elles ont la place la plus grande, parce qu'il y a là beaucoup d'intérêts communs à des personnes qui sont égales [2].

• Racine : l'ingratitude des tyrans

Néron est un personnage clé du *Discours de la servitude volontaire*. Avatar proverbial de la tyrannie, il est cité par La Boétie pour illustrer de façon hyperbolique les vices des mauvais gouvernants : « Je ne vois pas maintenant personne qui, oyant parler de Néron, ne tremble

---

1. *Ibid.*, 1160b, p. 436.
2. *Ibid.*, 1161a 30, p. 440-441.

même au surnom de ce vilain monstre, de cette orde [1] et sale peste du monde » (p. 138). Néron règne de 54 à 68 ap. J.-C. La Boétie le mentionne dans un premier temps pour ses techniques de corruption (p. 138), mais il l'invoque à nouveau surtout pour mettre en lumière la violente infidélité des tyrans (p. 166-167). Suivant en cela le récit de l'historien antique Tacite, La Boétie rappelle que Néron accède au trône après que sa mère, Agrippine, a assassiné son époux Claude. Celui-ci avait pourtant fait de Néron, son fils adoptif, le futur empereur pour complaire à sa récente épouse. Également inspiré par Tacite, le grand dramaturge Jean Racine (1639-1699) donne une description de mauvais augure des craintes d'Agrippine, au moment où celle-ci pressent que son influence sur son fils diminue. Néron doit tout à Agrippine ; seulement voilà, le sentiment de la dette, pour un homme qui désire tout posséder, est insupportable. Dans la pièce de Racine, la trahison de Néron envers sa mère surviendra quand il fera assassiner son demi-frère Britannicus, son rival en amour, afin d'épouser Junie contre l'avis de sa mère. Le lecteur frissonne en songeant (l'épisode ne fait pas partie de la pièce de Racine) que Néron ira jusqu'à faire assassiner sa propre mère en 59 ap. J.-C., pour se débarrasser de celle qui l'a fait César.

ALBINE

Quoi ! tandis que Néron s'abandonne au sommeil,
Faut-il que vous veniez attendre son réveil ?
Qu'errant dans le palais sans suite et sans escorte,
La mère de César veille seule à sa porte ?
Madame, retournez, dans votre appartement.

AGRIPPINE

Albine, il ne faut pas s'éloigner un moment.
Je veux l'attendre ici. Les chagrins qu'il me cause
M'occuperont assez tout le temps qu'il repose.

---

1. *Orde* : ordure, personnage répugnant.

Tout ce que j'ai prédit n'est que trop assuré :
Contre Britannicus Néron s'est déclaré ;
L'impatient Néron cesse de se contraindre ;
Las de se faire aimer, il veut se faire craindre.
Britannicus le gêne, Albine ; et chaque jour
Je sens que je deviens importune à mon tour.

ALBINE

Quoi ? vous à qui Néron doit le jour qu'il respire,
Qui l'avez appelé de si loin à l'Empire ?
Vous qui déshéritant le fils de Claudius [1],
Avez nommé César l'heureux Domitius [2] ?
Tout lui parle, Madame, en faveur d'Agrippine :
Il vous doit son amour.

AGRIPPINE

Il me le doit, Albine :
Mais tout, s'il est ingrat, lui parle contre moi [3].

PAR-DELÀ LA TYRANNIE

Le *Discours de la servitude volontaire*, comme l'indique
le sous-titre que ses premiers lecteurs lui ont donné,
« Contr'Un », se situe dans un registre principalement
critique. Soucieux de proposer une critique systématique
de l'asservissement des peuples et une genèse de la
volonté de soumission, La Boétie choisit de ne pas développer les principes qui pourraient régir un État juste.
De ce fait, certains lecteurs du *Contr'Un* ont vu en
La Boétie un précurseur de l'anarchisme. Cette lecture
est erronée à plusieurs titres. La Boétie a laissé peu de
textes. Mais dans le *Mémoire touchant l'édit de janvier*

1. Britannicus, fils de Claude et de Messaline, qui était l'épouse de
Claude avant Agrippine, était destiné à devenir empereur avant
qu'Agrippine ne convainque l'empereur Claude d'adopter Néron.

2. Néron avait pour nom de naissance « Lucius Domitius ».

3. Racine, *Britannicus*, in *Théâtre I*, Paris, GF-Flammarion, 1964,
acte I, scène 1, p. 309.

1562 [1], La Boétie montre clairement qu'il ne souhaite pas la fin de la monarchie en France, pas plus que la disparition pure et simple de toute forme de gouvernement. En outre, comme on l'a relevé plus haut (voir « Gandhi : il est toujours possible de désobéir sans violence », p. 172), La Boétie distingue le fait de « servir » et le fait d'« obéir » (p. 110), suggérant ainsi que l'obéissance au bon gouvernement demeure moralement obligatoire. Le texte nous laisse ainsi la tâche de nous figurer quelle forme pourrait revêtir une société idéale, ou du moins un État aussi juste que possible, un État qui admettrait la liberté comme un droit naturel et favoriserait le fait de « nous entreconnaître tous pour compagnons ou plutôt pour frères » (p 118). Cette tâche trouve à se préciser lorsque l'on compare le texte de La Boétie à certains textes de ses contemporains, tel François Rabelais, soucieux de suggérer des principes positifs pour l'amélioration des sociétés.

• Rabelais : le bon prince

François Rabelais (1483 ou 1494-1553), prêtre, médecin et écrivain, est l'une des figures majeures de la Renaissance, un libre penseur et un humaniste. Dans ses œuvres principales, *Gargantua* et *Pantagruel*, il suit les pérégrinations héroïco-comiques d'une famille de géants. Gargantua comme Pantagruel, par leurs joyeux faits d'armes, leurs banquets et leurs beuveries, leur irrévérence envers l'Église ou la Sorbonne, offrent un regard satirique et truculent sur la société du XVIe siècle. Mais le ton volontiers léger de Rabelais ne doit pas masquer l'ambition souvent politique de son propos. Les guerres de Gargantua contre le mauvais roi Picrochole ne sont pas simplement prétexte à faire le récit croustillant de la façon dont le bon géant rosse ses malheureux adversaires ; elles sont

---

1. Texte reproduit dans *De la servitude volontaire*, Paris, Gallimard, 1993, p. 268-303.

aussi une occasion de donner au lecteur à réfléchir sur le comportement des bons souverains, sur les finalités de la guerre et sur le fait que la justice suppose la recherche de la liberté et de l'égalité, non la volonté d'accroître son pouvoir au terme du conflit. La déclaration de Gargantua, après sa victoire finale sur Picrochole, par laquelle le géant rappelle la mansuétude de son père Grandgousier envers ses ennemis vaincus, revêt ainsi le statut d'un manifeste politique.

« Nos pères, aïeux et ancêtres de toute mémoire, ont été de ce sens et de cette nature : que, des batailles par eux consommées, ils ont, pour signe mémorial des triomphes et victoires, plus volontiers érigé trophées et monuments sur les cœurs des vaincus par grâce que, sur les terres par eux conquises, par architecture. Car ils estimaient plus la vive souvenance des humains acquise par libéralité que la muette inscription des arcs, colonnes, et pyramides, sujette aux calamités de l'air, et à l'envie de chacun. Vous pouvez vous souvenir assez de la mansuétude dont ils usèrent envers les Bretons à la journée de Saint Aubin du Cormier, et à la démolition du Parthenay. Vous avez entendu et, entendant, admirez le bon traitement qu'ils firent aux barbares de Spagnola, qui avaient pillé, dépeuplé et saccagé les fins maritimes d'Olone et Thalmondoys.

« Tout ce ciel a été rempli des louanges et gratulations que vous-mêmes et vos pères fîtes lorsqu'Alpharbal roi de Canarre, non assouvi de ses fortunes, envahit furieusement le pays d'Onys exerçant la piraterie en toutes les îles d'Armorique et régions confines. Il fut en juste bataille pris et vaincu par mon père : que Dieu l'ait en sa garde et protection. Mais quoi ? Alors que les autres rois et empereurs, voire ceux qui se font nommer catholiques, l'eussent misérablement traité, durement emprisonné, et rançonné extrêmement, il le traita courtoisement, amiablement, le logea avec soi en son palais, et par incroyable débonnaireté le renvoya en sauf-conduit, chargé de dons, chargé de grâces, chargé de tous les offices d'amitié. Qu'en est-il advenu ? Lui, retourné en ses terres, fit assembler tous les princes et états de son royaume, leur exposa l'humanité qu'il avait en nous connue, et les pria de délibérer en façon que le monde y eut exemple : comme il y avait eu en nous gracieuseté honnête : aussi il y eut d'eux honnêteté gracieuse. Là fut décrété par consentement unanime que l'on offrirait entièrement les terres, domaines et royaumes, à en faire selon notre arbitre » [1].

1. Rabelais, *Gargantua*, Paris, GF-Flammarion, 1993, p. 209-210, orthographe et syntaxe partiellement modernisées, par nos soins (R. E.).

— *La servitude volontaire :
prolongements modernes
et contemporains*

L'influence du *Discours de la servitude volontaire*
s'étend dans des directions si nombreuses au sein de la
philosophie moderne et contemporaine qu'il est difficile
de pleinement la mesurer. L'aspect le plus remarquable
de la postérité du texte est la façon dont elle déborde le
domaine de la philosophie politique pure, pour se diffuser dans les champs de la philosophie morale (Kant), de
la psychologie (Freud, Nietzsche), de la psychanalyse
existentielle (Beauvoir, Sartre), de la sociologie (Bourdieu), etc. Cet aspect provient certainement du fait que
La Boétie a légué aux siècles qui l'ont suivi moins une
somme de thèses qu'un concept et surtout un problème.
D'un côté, la servitude était déjà une notion ancienne, et
le fait de la reconnaître comme un mal n'avait rien d'original. En revanche, le fait de mettre en lumière le caractère paradoxal de la *volonté* ou du *désir* de servitude, ce
fut là, de la part de La Boétie, une démarche inédite.
La Boétie s'est ainsi montré résolument novateur, en tant
qu'il ne s'est pas contenté d'aborder la servitude d'un
point de vue axiologique, pas plus qu'il ne s'est contenté
d'en offrir une genèse historique, en référence aux processus d'asservissement des peuples par la guerre et les
conquêtes. Son but a bel et bien été plutôt de refuser
et d'exclure un mode d'analyse simpliste, assimilant la
soumission à un processus mécanique – les peuples ne se
soumettent pas à la manière dont les roseaux plient sous
un vent trop violent ! Ce faisant, il en appelle implicitement, pour ceux qui voudraient le suivre, à une analyse

qui tienne compte du caractère ultimement insondable de la servitude : celle-ci, loin d'être la pure et simple privation de la liberté, procède d'un choix. La liberté humaine est susceptible d'aboutir à sa propre auto-négation, et c'est ce paradoxe même qu'il convient d'approfondir sous tous rapports.

APPROCHES MORALES DE LA SERVILITÉ

Quoique l'originalité de La Boétie, comme nous venons de le faire remarquer, consiste à ne pas simplement déplorer la servitude, à ne pas s'en tenir à un registre axiologique, le *Discours de la servitude volontaire* n'interdit pas toute forme d'approche morale de la servitude. Il demeure compatible avec ce que l'on peut nommer une « genèse morale » de la soumission. L'optique théorique de la genèse n'est pas en effet celle de l'évaluation du bien et du mal ; il ne s'agit pas, dans une perspective génétique, de proclamer que la soumission est un mal, il s'agit plutôt de comprendre de quels autres vices ou de quels autres types d'attitude morale la soumission *découle*, à quel titre elle s'inscrit dans des *processus moraux* plus larges. En d'autres termes, l'une des voies de la postérité du texte a consisté, pour les penseurs de la soumission, à honorer l'invitation de La Boétie lui-même, lorsqu'il proclamait : « Cherchons donc par conjecture, si nous en pouvons trouver, comment s'est ainsi si avant enracinée cette opiniâtre volonté de servir » (p. 117). C'est dans cette perspective que l'on peut lire deux célèbres textes de Kant et de Hegel, où le premier associe l'état de tutelle à la paresse et à la lâcheté, tandis que le second fait découler la soumission du processus même de formation de la conscience de soi.

- Kant : paresse et lâcheté, sources de l'état
  de tutelle

Les premiers paragraphes de l'essai intitulé *Qu'est-ce que les Lumières ?* forment l'une des pages les plus célèbres de l'histoire de la philosophie. Kant y propose de résumer l'esprit du grand courant des Lumières à l'aide d'un impératif, « aie le courage de te servir de ton propre entendement ! », autrement dit, « ose penser par toi-même ! ». Une société civile dont les membres se trouvent dirigés en toutes leurs pensées et leurs croyances par des prêtres, des démagogues, ou des idéologies de quelque sorte que ce soit est pour Kant semblable à une société d'enfants. L'état des citoyens y est semblable à l'état de minorité, lorsque la jeunesse fait que l'on se trouve incapable de se conduire soi-même, d'user en toutes choses de son intelligence propre. L'analogie kantienne entre la minorité des individus et la minorité politique des sociétés offre ainsi une perspective inédite sur la volonté de soumission. Car, que la soumission constitue une étape indispensable dans l'éducation de chacun, on ne saurait le nier. Kant dit ailleurs que l'homme est un animal qui « a besoin d'un maître [1] » car il tend à commencer par faire un mauvais usage de sa liberté. Le problème est que la soumission n'a de sens que *temporairement*, en vue de préparer la majorité, afin d'offrir à la liberté tous les moyens de jouir pleinement d'elle-même. Les causes qui maintiennent les peuples dans l'état de tutelle sont donc analogues aux causes qui font que certains adolescents refusent de devenir eux-mêmes adultes : il s'agit de la paresse et de la lâcheté, car la liberté consistant à penser par soi-même requiert des efforts (en vue de ne pas sombrer simplement dans le caprice ou l'extravagance) et du courage (au moins celui de s'opposer virtuellement à ce que l'on nous aura enseigné).

---

1. Kant, *Idée d'une histoire universelle au point de vue cosmopolitique*, trad. S. Piobetta in *La Philosophie de l'histoire*, Paris, Aubier-Montaigne, 1947, VI, p. 67.

Les Lumières, c'est la sortie de l'homme hors de l'état de tutelle dont il est lui-même responsable. L'état de tutelle est l'incapacité de se servir de son entendement sans la conduite d'un autre. On est soi-même responsable de cet état de tutelle quand la cause tient non pas à une insuffisance de l'entendement mais à une insuffisance de la résolution et du courage de s'en servir sans la conduite d'un autre. *Sapere aude* ! Aie le courage de te servir de ton propre entendement ! Voilà la devise des Lumières.

Paresse et lâcheté sont les causes qui font qu'un si grand nombre d'hommes, après que la nature les eut affranchis depuis longtemps d'une conduite étrangère (*naturaliter maiorennes*), restent cependant volontiers toute leur vie dans un état de tutelle ; et qui font qu'il est si facile à d'autres de se poser comme leurs tuteurs. Il est si commode d'être sous tutelle. Si j'ai un livre qui a de l'entendement à ma place, un directeur de conscience qui a de la conscience à ma place, un médecin qui juge à ma place de mon régime alimentaire, etc., je n'ai alors pas moi-même à fournir d'efforts. Il ne m'est pas nécessaire de penser dès lors que je peux payer ; d'autres assumeront bien à ma place cette fastidieuse besogne. Et si la plus grande partie, et de loin, des hommes (et parmi eux le beau sexe tout entier) tient ce pas qui affranchit de la tutelle pour très dangereux et de surcroît très pénible, c'est que s'y emploient ces tuteurs qui, dans leur extrême bienveillance, se chargent de les surveiller. Après avoir d'abord abêti leur bétail et avoir empêché avec sollicitude ces créatures paisibles d'oser faire un pas sans la roulette d'enfants où ils les avaient emprisonnés, ils leur montrent ensuite le danger qui les menace s'ils essaient de marcher seuls. Or ce danger n'est sans doute pas si grand, car après quelques chutes ils finiraient bien par apprendre à marcher ; un tel exemple rend pourtant timide et dissuade d'ordinaire toute tentative ultérieure [1].

• Hegel : nécessité de l'obéissance, contingence de la servilité

Georg Wilhelm Friedrich Hegel, le plus grand représentant du courant philosophique nommé « l'idéalisme

---

1. Kant, *Qu'est-ce que les Lumières ?*, trad. J.-F. Poirier et F. Proust, Paris, GF-Flammarion, 2006, p. 43-44.

allemand », prolonge à son tour la réflexion de La Boétie, d'une façon assez proche de celle de Kant. Non content d'estimer que la soumission est une étape nécessaire dans l'éducation de l'individu, afin que celui-ci apprenne à maîtriser ses penchants et ses capacités de réflexion, il ajoute que la soumission est également indispensable dans la formation des peuples et des civilisations. La servitude ne saurait être tenue pour mauvaise sous toutes ses formes, car elle rejoint le besoin de former l'homme par la discipline et la contrainte. Elle n'est condamnable ou vicieuse que dans deux cas, correspondant chacun à une étape d'un certain processus. Le premier cas est celui où la servitude survient de façon purement formelle, sans qu'elle soit employée pour habituer un homme ou un peuple à obéir à des principes rationnels ; le second cas est celui où la servitude persiste alors même qu'elle a rempli son office négatif et doit dorénavant laisser place à l'autodétermination. Reste que la nature de la servitude se révèle profondément dialectique : loin de signifier pour Hegel la négation de la liberté, la soumission produit sa propre auto-suppression et engendre elle-même son autre, de sorte que « la servitude et la tyrannie sont [...] dans l'histoire des peuples, quelque chose de *relativement* justifié [1] ».

L'habitude de l'obéissance, cela est un moment nécessaire dans la formation de chaque homme. Faute d'avoir fait l'expérience de cette discipline qui brise le vouloir capricieux, personne ne devient libre, raisonnable et apte à commander. Aussi, pour devenir libres, pour acquérir la capacité de se gouverner, tous les peuples ont-ils dû préalablement passer par la sévère discipline de la soumission à un maître. Ainsi était-il, par exemple, nécessaire que, après que *Solon* [2] eût

---

1. Ce texte peut être prolongé par le texte, plus difficile, intitulé « Autonomie et non-autonomie de la conscience de soi : domination et servitude », in Hegel, *Phénoménologie de l'esprit*, trad. J.-P. Lefebvre, Paris, GF-Flammarion, 2012, p. 195-205.

2. Solon est un grand homme d'État d'Athènes, ayant vécu entre le VIIe et le VIe siècle av. J.-C. Considéré comme l'un des Sept Sages de la Grèce, on estime qu'il a contribué à instaurer la démocratie à Athènes par son apport à la législation de la cité.

donné aux Athéniens des lois démocratiques, libres, *Pisistrate*[1] se procurât une puissance lui permettant de contraindre les Athéniens à obéir à ces lois. Ce n'est que lorsque cette obéissance eut pris racine que la domination des *Pisistratides* devint superflue. Ainsi, *Rome*, elle aussi, dut vivre le sévère gouvernement des Rois, avant que ne pût naître, par le brisement de l'égoïsme naturel, cette admirable vertu romaine de l'amour patriotique prêt à tous les sacrifices. La servitude et la tyrannie sont, ainsi, dans l'histoire des peuples, quelque chose de *relativement* justifié. À ceux qui demeurent esclaves, n'est faite aucune injustice absolue ; car celui qui ne possède pas le courage de risquer sa vie pour la conquête de sa liberté, celui-là mérite d'être esclave ; et si, par contre, un peuple ne fait pas que s'imaginer qu'il veut être libre, mais a effectivement la volonté énergique de la liberté, aucune puissance humaine ne pourra le retenir dans la position servile d'être gouverné en étant simplement passif[2].

APPROCHES PSYCHOLOGIQUES DE LA DISPOSITION À OBÉIR

La servitude volontaire demeure, chez La Boétie, une notion politique renvoyant à la condition des peuples soumis à un tyran ou à la « domination de plusieurs » (p. 107). L'un des apports de la modernité à la réflexion de La Boétie a consisté à élargir le champ de la notion en l'appliquant à toutes les formes consenties de soumission. Le procédé se révèle d'une étonnante fécondité ! Car les trois conjectures de La Boétie (l'habitude, l'imagination et la corruption) pour expliquer la servitude sociale volontaire constituent des leviers bienvenus pour

---

1. Né vers 600, mort en 527 av. J.-C., Pisistrate s'empara du pouvoir à Athènes en 561 av. J.-C. Il instaura la tyrannie des Pisistratides ; on estime que son règne favorisa paradoxalement l'avènement de la démocratie, dans la mesure où il eut pour effet d'affaiblir l'ancienne oligarchie terrienne.

2. Hegel, *Encyclopédie des sciences philosophiques*, t. III. *Philosophie de l'esprit*, trad. B. Bourgeois, Paris, © Librairie philosophique J. Vrin, 1998, Add. § 435, p. 535. http://www.vrin.fr

analyser la disposition subjective à se soumettre à un autre individu, quelle qu'en soit la forme. Et ces formes ne manquent pas – que ce soit intellectuellement, lorsque l'on pare autrui d'une indépassable aura ; moralement, lorsque l'on développe des réflexes de culpabilité ou un sentiment de dette envers autrui ; ou encore sexuellement, lorsque l'on se jette dans des conduites de masochisme. Du point de vue psychologique, la servitude volontaire possède de nombreux analogues. Il appartenait à deux des plus grands connaisseurs de la psychè humaine, Nietzsche et Freud, de faire la lumière sur ce point. Le premier traque dans tous les types de vie humaine un « besoin d'obéir » protéiforme ; le second situe dans le mode de vie primitif de l'humanité en hordes nomades la racine de la disposition à se soumettre lorsque l'on devient membre d'un collectif massif, telle une foule.

• Nietzsche : le besoin d'obéir

Nietzsche (1844-1900) est un philosophe, musicien et poète allemand inclassable sous tous rapports. Son projet philosophique peut être compris comme un effort pour soumettre tous les systèmes moraux humains, toutes les formes humaines d'évaluation, à une formidable enquête généalogique. Quoique, vers la fin de son œuvre philosophique, il ait peu usé du terme « psychologie » pour décrire sa démarche, il n'est pas erroné de l'employer pour décrire l'enquête de Nietzsche et sa réflexion sur le besoin d'obéir. Dans *Humain, trop humain*, alors proche du philosophe allemand Paul Rée (1849-1901), il déclare que « dans l'état présent de la philosophie [...], l'observation psychologique devient nécessaire. L'aspect cruel de la table de dissection psychologique, de ses couteaux et de ses pinces, ne peut être épargné à l'humanité. Car c'est là le domaine de cette science qui recherche l'origine et

l'histoire des sentiments dits moraux[1] ». Le besoin
d'obéir trouve ses racines dans les temps les plus reculés
de l'histoire humaine, et s'explique par le fait que les
hommes ont toujours coexisté en « troupeaux », selon un
mode de vie grégaire. Le besoin d'obéir n'est rien d'autre
que la nécessité de se couler dans les mœurs de la communauté, d'imiter ou de reproduire des normes d'action
déjà existantes afin de perpétuer la forme du troupeau.
L'élément le plus remarquable de ce besoin d'obéir est
qu'il se trouve si profondément ancré dans l'espèce
humaine qu'il constitue comme une force, une tendance
cherchant impérativement à se décharger, quelle qu'en
soit la manière, directe ou indirecte. Il n'est pas jusqu'à
la loi morale kantienne que Nietzsche n'interprète dans
cette perspective : sous couvert de nous commander de
suivre une exigence rationnelle pure, cette loi ne fait selon
lui que donner satisfaction à notre besoin fondamental
d'obéir.

> Dans la mesure où de tout temps, depuis aussi longtemps
> qu'il y a des hommes, il y a eu aussi des troupeaux humains
> (des groupes familiaux, des communautés, des lignées, des
> peuples, des États, des Églises) et toujours une très grande
> quantité d'hommes qui obéissent, en comparaison du petit
> nombre d'hommes qui commandent, – eu égard, donc, au
> fait que c'est jusqu'à présent l'obéissance qui a été le mieux
> et le plus longuement exercée et élevée, on peut raisonnable-
> ment présupposer qu'en moyenne, le besoin en est désormais
> inné chez tout un chacun, sous les espèces d'une *sorte de
> conscience formelle* qui ordonne : « tu dois inconditionnelle-
> ment faire telle ou telle chose, inconditionnellement ne pas
> faire telle ou telle chose », bref « tu dois ». Ce besoin cherche
> à s'assouvir et à remplir sa forme d'un contenu ; ce faisant,
> il saisit suivant sa vigueur, son impatience et sa tension, sans
> grand discernement, comme un appétit grossier, et accepte
> tout ce que lui hurle dans les oreilles la première source de

---

1. Nietzsche, *Humain, trop humain*, trad. A.-M. Desrousseaux et
H. Albert revue par A. Kremer-Marietti, Paris, Le Livre de poche,
1995, § 37, p. 67-68.

commandement venue – parents, professeurs, lois, préjugés de classe, opinion publique. La singulière limitation de l'évolution humaine, ses hésitations, ses longueurs, ses fréquents retours en arrière et sa tendance à tourner en rond tiennent à ce que l'instinct grégaire d'obéissance est ce qui se transmet le mieux en héritage, et ce aux dépens de l'art de commander [1].

- **Freud : les sources psychiques de la soumission collective**

Sigmund Freud (1856-1939), médecin neurologue autrichien, est le fondateur de la psychanalyse, et l'un des principaux théoriciens de l'inconscient psychique. Les conduites de soumission intéressent Freud d'un bout à l'autre de son œuvre, que ce soit dans les névroses obsessionnelles associées à des conduites d'autopunition, dans les fantasmes sexuels d'auto-réification, ou dans les conduites collectives de soumission à une figure tutélaire. Dans *Le Moi et le Ça*, Freud estime que la constitution du « surmoi », c'est-à-dire du pôle de la loi et de l'idéal dans la personnalité, provient de la soumission initiale de l'individu aux commandements parentaux ; lorsque l'autorité des éducateurs se trouve ultérieurement remise en question, l'individu se trouve inconsciemment livré à un conflits d'affects, qu'il tend à résoudre par un sentiment de culpabilité, ou en conservant une image idéalisée de l'éducateur détrôné, que ce soit sous la forme d'une figure religieuse à laquelle il se soumet par projection, ou sous la forme d'une absolutisation de certaines règles morales. Selon Freud, dans le texte cité ici, les tendances à reproduire les conduites initiales de soumission expliquent encore que les individus puissent être si aisément galvanisés par des orateurs, lorsqu'ils se rassemblent en foule et retrouvent ainsi une situation semblable à celle de la horde primitive. En effet, dans

---

1. Nietzsche, *Par-delà bien et mal*, trad. P. Wotling, Paris, GF-Flammarion, 2000, § 199, p. 154-155.

Totem et Tabou (1913), Freud a imaginé que les hommes ont dû passer une part importante de leur histoire primitive à vivre dans de petites hordes généralement menées par un mâle physiquement dominant. La conduite de soumission effective, d'abord liée à la force du mâle, devait souvent laisser place à des conduites inconscientes de culpabilité, après que ce mâle se trouvait démis de son autorité au terme d'un meurtre perpétré par ses fils. Dans notre promptitude à nous soumettre à divers maîtres, nous sommes encore les héritiers de ces comportements ancestraux.

En 1912, j'ai adopté la supposition de Ch. Darwin selon laquelle la forme originaire de la société humaine serait celle d'une horde soumise à la domination sans limite d'un mâle puissant. J'ai essayé d'exposer que les destins de cette horde ont laissé des traces indestructibles dans l'histoire héréditaire de l'humanité et spécialement que le développement du totémisme, qui inclut des commencements de religion, de moralité, d'organisation sociale, se rattache au meurtre du père en une communauté de frères. [...]
Les foules humaines nous montrent, une fois de plus, l'image familière d'un individu isolé, surpuissant au sein d'une bande de compagnons égaux, image également contenue dans notre représentation de la horde originaire. La psychologie de cette foule, telle que nous la connaissons d'après les descriptions souvent mentionnées – disparition de la personnalité individuelle consciente, orientation des pensées et des sentiments dans les directions identiques, prédominance de l'affectivité et du psychisme inconscient, tendance à la réalisation immédiate des desseins qui surgissent –, tout cela correspond à un état de régression à une activité psychique primitive, telle qu'on pourrait justement l'assigner à la horde originaire [...].
Nous devons en conclure que la psychologie de la foule est la plus ancienne psychologie de l'homme [...].
Au seuil de l'histoire de l'humanité était le *surhomme* que Nietzsche n'attendait que de l'avenir. Aujourd'hui encore les individus en foule ont besoin de l'illusion d'être aimés de manière égale et juste par le meneur, mais le meneur, lui, n'a besoin d'aimer personne d'autre, il a le droit d'être de la

nature des maîtres, absolument narcissique, mais sûr de lui et ne dépendant que de lui [1].

APPROCHE SOCIOLOGIQUE, APPROCHE EXISTENTIELLE

Au moment d'expliquer la volonté de servitude, on a vu que La Boétie convoque des explications dont la nature est psychologique avant l'heure. Il évoque la puissance de la coutume, les effets mentaux de la censure, l'appât des avantages matériels, l'impressionnabilité de l'imagination, etc. Ce faisant, l'analyse de La Boétie connaît deux limites (qui ne sont d'ailleurs pas nécessairement des défauts !). D'un côté, elle se soucie peu des origines institutionnelles de la volonté de soumission ; d'un autre, elle ne questionne pas le lien de cette volonté avec les déterminations invariantes de la condition humaine. Les processus de perversion de la nature humaine que La Boétie nous découvre sont logés dans l'intériorité d'une seule âme, et sont rapportés à des circonstances externes contingentes. Par contraste, le souci de certains contemporains aura été de reconduire la volonté de soumission à des causes institutionnelles ou structurellement sociales (Bourdieu), ou à des causes dépassant la contingence des circonstances et issues des traits les plus constitutifs de l'existence humaine (Sartre et Beauvoir).

• Bourdieu : l'*habitus* rend les dominés complices de la domination

Pierre Bourdieu (1930-2002) est l'un des sociologues français les plus importants du XXe siècle. Son œuvre est

---

1. S. Freud, *Psychologie des foules et analyse du moi*, trad. P. Cotet, A. Bourguignon *et alii*, in *Essais de psychanalyse*, Paris, © Payot & Rivages, 2001 (rééd. 2012), p. 211-214.

largement consacrée à la question de la domination et aux mécanismes de reproduction de celle-ci. On peut considérer que les deux principaux leviers de son approche de la domination sont les concepts de « violence symbolique » et d'« *habitus* ». Tout d'abord, la violence conduisant à l'oppression n'est pas nécessairement physique ; certains dispositifs de représentation, certains systèmes linguistiques de catégorisation, certaines distributions des valeurs esthétiques, certaines répartitions des individus dans l'espace produisent des formes de violence qui ne se traduisent pas par des blessures physiques. Il y a pourtant bien violence, dans la mesure où ces dispositifs et systèmes engendrent, chez les individus qui les intègrent, des tendances au mépris de soi, ou des tendances à accepter sans broncher une situation inégalitaire. Les rapports entre hommes et femmes mettent ainsi en jeu une violence qui est largement symbolique : l'attribution d'espaces différenciés (dans la maison, l'entreprise, les lieux publics), en conjonction avec des réseaux métaphoriques colportant des sous-entendus chargés sur les valeurs respectives du masculin et du féminin, sont autant de formes de violence issues de la forme de la société elle-même. En second lieu, le concept d'*habitus* renvoie aux dispositions à réagir d'une certaine manière, y compris physiquement et verbalement, contractées par les individus au sein d'un certain contexte institutionnel. La soumission des individus à un système provient très largement de la puissance de l'*habitus*, car elle se dépose par ce biais jusque dans les attitudes corporelles et les manières de parler de soi ou de penser à soi. Il n'est encore qu'à songer aux postures corporelles des hommes et des femmes, si ancrées chez les individus qu'ils ne voient plus les formes de domination auxquelles elles font écho et qu'elles accompagnent en leur donnant une traduction palpable. Bourdieu est un héritier de La Boétie, dans la mesure où il montre que, à travers l'*habitus*, « les dominés [...] peuvent contribuer à leur propre domination » ; il le rejoint encore en incriminant les habitudes qui ont conduit à cet état de fait ; il enrichit cependant la perspective du *Discours de la servitude volontaire* en reconduisant les habitudes aux structures sociales parfois inaperçues qui les commandent.

Les dominés appliquent des catégories construites du point de vue des dominants aux relations de domination, les faisant apparaître comme naturelles. Ce qui peut conduire à une sorte d'auto-dépréciation, voire d'auto-dénigrement systématiques, visibles notamment, on l'a vu, dans la représentation que les femmes kabyles se font de leur sexe comme une chose déficiente, laide, voire repoussante (ou, dans nos univers, dans la vision que nombre de femmes ont de leur corps comme non conforme aux canons esthétiques imposés par la mode), et, plus généralement, dans leur adhésion à une image dévalorisante de la femme. La violence symbolique s'institue par l'intermédiaire de l'adhésion que le dominé ne peut pas ne pas accorder au dominant (donc à la domination) lorsqu'il ne dispose, pour le penser et pour se penser ou, mieux, pour penser sa relation avec lui, que d'instruments de connaissance qu'il a en commun avec lui et qui, n'étant que la forme incorporée de la relation de domination, font apparaître cette relation comme naturelle ; ou, en d'autres termes, lorsque les schèmes qu'il met en œuvre pour se percevoir et s'apprécier, ou pour apercevoir et apprécier les dominants (élevé/bas, masculin/féminin, blanc/noir, etc.), sont le produit de l'incorporation des classements, ainsi naturalisés, dont son être social est le produit [1]. [...]

Les passions de l'habitus dominé (du point de vue du genre, de l'ethnie, de la culture ou de la langue), relation sociale somatisée, loi sociale convertie en loi incorporée, ne sont pas de celles que l'on peut suspendre par un simple effort de la volonté, fondé sur une prise de conscience libératrice. S'il est tout à fait illusoire de croire que la violence symbolique peut être vaincue par les seules armes de la conscience et de la volonté, c'est que les effets et les conditions de son efficacité sont durablement inscrits au plus intime des corps sous forme de dispositions [2]. [...]

---

1. P. Bourdieu, *La Domination masculine*, Paris, © Seuil, 1998, p. 55-56.
2. *Ibid.*, p. 60-61.

En fait, contre la tentation, en apparence généreuse, à laquelle ont tant sacrifié les mouvements subversifs, de donner une représentation idéalisée des opprimés et des stigmatisés au nom de la sympathie, de la solidarité ou de l'indignation morale et de passer sous silence les effets mêmes de la domination, notamment les plus négatifs, il faut prendre le risque de paraître justifier l'ordre établi en portant au jour les propriétés par lesquelles les dominés (femmes, ouvriers, etc.) tels que la domination les a faits peuvent contribuer à leur propre domination [1].

- • Beauvoir et Sartre : l'angoisse devant la liberté, à l'origine de la servitude volontaire

Jean-Paul Sartre (1905-1980) et Simone de Beauvoir (1908-1986) sont parmi les philosophes français du XXᵉ siècle les plus importants, tous deux intellectuels engagés, et figures de proue du courant existentialiste. Dès leur rencontre pendant leurs études de philosophie, ils lient un pacte de transparence et de liberté en toutes choses et se proclament un « amour nécessaire ». Pour Sartre, dans *L'existentialisme est un humanisme*, l'existentialisme possède une affinité certaine avec l'athéisme. Sartre considère que rien ne fixe ou ne pré-détermine la destination de l'homme, rien ne confère *a priori* de sens éternel à sa vie. L'essence de l'être humain n'est pas donnée, car chacun n'est rien que la somme des actes enchaînés en son existence ; l'on doit donc admettre que l'homme est condamné à être libre : « la liberté humaine précède l'essence de l'homme […], l'essence de l'homme est en suspens dans sa liberté [2] ». Cette situation de liberté absolue rend chacun absolument, indépassablement responsable de ce qui lui advient. En conséquence, la liberté est génératrice d'une profonde angoisse [3].

---

1. *Ibid.*, p. 154-155.
2. J.-P. Sartre, *L'Être et le Néant*, Paris, © Gallimard, 1943, p. 60.
3. *Ibid.*, p. 64 : « C'est dans l'angoisse que l'homme prend conscience de sa liberté. »

Avoir à se choisir, affronter la béance de l'écart entre le soi présent et le soi possible, c'est là une expérience proprement vertigineuse. Il peut donc être tentant de s'inventer un destin, une divinité tutélaire, ou de se donner un maître, une identité réifiante, pour se masquer à soi-même la dimension angoissante de la liberté. Simone de Beauvoir le montre de façon magistrale dans *Le Deuxième Sexe*, un ouvrage révolutionnaire où elle propose une réflexion systématique sur l'origine des inégalités entre hommes et femmes, et où elle interprète certaines conduites de soumission féminines comme des conduites d'évitement de l'angoisse existentielle.

À côté de la prétention de tout individu à s'affirmer comme sujet, qui est une prétention éthique, il y a aussi en lui la tentation de fuir sa liberté et de se constituer en chose : c'est un chemin néfaste car passif, aliéné, perdu, il est alors la proie de volontés étrangères, coupé de sa transcendance, frustré de toute valeur. Mais c'est un chemin facile : on évite ainsi l'angoisse et la tension de l'existence authentiquement assumée [1].

J'ai déjà rappelé qu'à côté de l'authentique revendication du sujet qui se veut souveraine liberté, il y a chez l'existant un désir inauthentique de démission et de fuite ; ce sont les délices de la passivité que parents et éducateurs, livres et mythes, femmes et hommes font miroiter aux yeux de la petite fille ; dans sa toute petite enfance, on lui apprend déjà à les goûter ; la tentation se fait de plus en plus insidieuse ; et elle y cède d'autant plus fatalement que l'élan de sa transcendance se heurte à de plus sévères résistances [2].

Dans la dernière partie de *L'Être et le Néant*, Sartre réaffirme un corrélat fondamental de la notion de servitude volontaire : si la soumission provient du consentement, alors rien ne la rend nécessaire et insurmontable, elle n'est jamais que ce que l'on s'inflige à soi-même, et aucune mauvaise foi ne saurait jamais l'occulter.

1. S. de Beauvoir, *Le Deuxième Sexe*, Paris, © Gallimard, 1976, t. I, p. 23-24.
2. *Ibid.*, t. II, p. 52.

Il est [...] insensé de songer à se plaindre, puisque rien d'étranger n'a décidé de ce que nous ressentons, de ce que nous vivons ou de ce que nous sommes. [...] Ce qui m'arrive m'arrive par moi et je ne saurais ni m'en affecter ni me révolter ni m'y résigner. D'ailleurs, tout ce qui m'arrive est *mien* ; il faut entendre par là, tout d'abord, que je suis toujours à la hauteur de ce qui m'arrive, en tant qu'homme, car ce qui arrive à un homme par d'autres hommes et par lui-même ne saurait être qu'humain. Les plus atroces situations de la guerre, les pires tortures ne créent pas d'état de choses inhumain : il n'y a pas de situation inhumaine ; c'est seulement par la peur, la fuite et le recours aux conduites magiques que je *déciderai* de l'inhumain ; mais cette décision est humaine et j'en porterai l'entière responsabilité. Mais la situation est *mienne* en outre parce qu'elle est l'image de mon libre choix de moi-même et tout ce qu'elle me présente est *mien* en ce que cela me représente et me symbolise. N'est-ce pas moi qui décide du coefficient d'adversité des choses et jusque de leur imprévisibilité en décidant de moi-même ? Ainsi n'y a-t-il pas d'*accidents* dans une vie ; un événement social qui éclate soudain et m'entraîne ne vient pas du dehors ; si je suis mobilisé dans une guerre, cette guerre est *ma* guerre, elle est à mon image et je la mérite. Je la mérite d'abord parce que je pouvais toujours m'y soustraire, par le suicide ou la désertion : ces possibles ultimes sont ceux qui doivent toujours nous être présents lorsqu'il s'agit d'envisager une situation. Faute de m'y être soustrait, je l'ai *choisie* ; ce peut être par veulerie, par lâcheté devant l'opinion publique, parce que je préfère certaines valeurs à celle du refus même de faire la guerre (l'estime de mes proches, l'honneur de ma famille, etc.). De toute façon, il s'agit d'un choix [1].

Raphaël EHRSAM

---

1. J.-P. Sartre, *L'Être et le Néant*, éd. cit., © Gallimard, p. 612-613.

CHRONOLOGIE

1530 : naissance à Sarlat d'Étienne de La Boétie, fils de Philippe de Calvimont et d'Antoine de La Boétie, lieutenant du sénéchal du Périgord.

1532 : Rabelais, *Pantagruel*.

1533 : Niccolò Gaddi, un Florentin proche des Médicis, est nommé évêque de Sarlat. Fondation du collège de Guyenne à Bordeaux. Naissance de Montaigne.

1534 : Rabelais, *Gargantua*. Affaire des Placards (octobre), qui provoque le durcissement de la répression de la Réforme en France. Jean Calvin quitte la France.

1536 : Calvin, *Christianae religionis institutio*. Mort d'Érasme à Bâle.

1540 : orphelin de père et de mère, La Boétie est élevé par son oncle Étienne.

1541 : arrivée de l'évêque Niccolò Gaddi à Sarlat (décembre).

1546 : Rabelais, *Le Tiers Livre*. Étienne Dolet est exécuté à Paris.

1547 : mort de François Ier (mars) ; Henri II lui succède.

1548 : soulèvement de la Guyenne, de la Saintonge et de l'Angoumois contre la gabelle. Le gouverneur de Bordeaux, Tristan de Moneins, est massacré par la foule (août). À l'automne, répression du soulèvement de la Guyenne par le connétable Anne de Montmorency, qui occupe Bordeaux. La ville perd son parlement, qu'elle ne retrouvera qu'en 1551.

1548-1549 : La Boétie suit les cours de droit de l'Université d'Orléans ; Anne du Bourg figure peut-être parmi ses maîtres. Première rédaction possible du *Discours de la servitude volontaire*.

1550 : premiers troubles religieux en Guyenne.

1553 : La Boétie reçoit sa licence de droit de l'Université d'Orléans. Guillaume de Lur, seigneur de Longa, quitte le

Parlement de Bordeaux pour celui de Paris ; il cède sa charge à La Boétie.

1554 : Dernière date possible de rédaction du *Discours de la servitude volontaire*. La Boétie épouse Marguerite de Carle. Pierre Eyquem, père de Montaigne, est élu maire de Bordeaux.

1555 : épidémie de peste à Bordeaux.

1555-1557 : dates probables de la traduction par La Boétie de *La Ménagerie* de Xénophon et des *Règles de mariage* de Plutarque.

1557 : Montaigne, qui était conseiller à la cour des aides à Périgueux, est reversé au Parlement de Bordeaux lorsque la cour des aides ferme. Rencontre entre Montaigne et La Boétie à Bordeaux.

1559 : mort du roi Henri II (juillet). François II lui succède. Apogée du pouvoir de la famille de Guise. Exécution d'Anne du Bourg (décembre).

1560 : répression sanglante de la conjuration d'Amboise par le duc de Guise, qui devient lieutenant général du royaume (mars). Mort de François II (décembre). Avènement de Charles IX. La Boétie, en mission auprès du conseil royal à Paris en décembre, rencontre Michel de L'Hospital, chancelier de France, qui défend une politique de conciliation opposée à celle des Guise.

1561 : La Boétie accompagne Charles de Coucy, lieutenant général de Guyenne, en mission de pacification dans l'Agenais (septembre à décembre).

1562 : édit de Saint-Germain-en-Laye (janvier). Massacre de Vassy (mars). Rédaction probable du *Mémoire sur l'édit de janvier 1562*. La Boétie fait partie du guet mis en place pour protéger Bordeaux contre les troubles (décembre).

1563 : nouvelle mission de La Boétie avec Charles de Coucy dans l'Agenais (été). Mort de La Boétie à Germignan (août).

1571 : Montaigne édite les œuvres de La Boétie à Paris, chez Frédéric Morel ; elles ne comprennent pas le *Discours*, que Montaigne envisage de placer au centre du premier livre de ses *Essais*.

1574 : un fragment tronqué du *Discours* est publié, en latin (dans une traduction peut-être due à François Hotman) puis en français, dans *Le Réveille-matin des Français et de leurs voisins*, un recueil de pamphlets protestants composé par Eusèbe Philadelphe Cosmopolite.

1577 : le *Discours*, cette fois complet, est imprimé dans le troisième volume d'un autre recueil protestant dû à Simon Goulart, les *Mémoires de l'État de France sous Charles Neuvième*.

1579 : Montaigne obtient le privilège pour la première édition des *Essais* (mai). Deux jours plus tard, les *Mémoires de l'État de France*, qui comprennent le *Discours*, sont brûlés en place publique à Bordeaux.

1580 : parution du premier volume des *Essais* de Montaigne, qui ne comprend pas le *Discours*. Il est remplacé par vingt-neuf sonnets français de La Boétie dont Montaigne n'avait pas de copie au moment d'éditer les œuvres.

1588 : cinquième édition des *Essais*, qui comportent toujours les vingt-neuf sonnets. Mais sur son exemplaire, dit « exemplaire de Bordeaux », Montaigne biffe les sonnets.

1592 : mort de Montaigne.

1595 : nouvelle édition des *Essais*. Nulle pièce de La Boétie n'y figure plus.

BIBLIOGRAPHIE

Nous ne reprenons pas ici les indications sur les éditions anciennes des œuvres de La Boétie, ni sur les études anciennes, qui sont données dans l'Introduction de S. Goyard-Fabre. Nous ne reprenons pas non plus, dans la rubrique « Articles », les travaux qui composent les recueils ou les numéros de revue cités dans la rubrique précédente. L'ensemble des références est donné dans l'ordre chronologique.

ÉDITIONS MODERNES DES ŒUVRES DE LA BOÉTIE

Œuvres politiques. Discours de la servitude volontaire (texte intégral) et *Mémoire sur l'édit de janvier 1562* (extraits), éd. F. Hincker, Paris, Éditions sociales, 1963.

Discours de la servitude volontaire, texte établi par P. Léonard, éd. M. Abensour, Paris, Payot, 1976.

Mémoire sur la pacification des troubles, éd. M. Smith, Genève, Droz, 1983.

De la servitude volontaire ou Contr'Un, éd. M. Smith, Genève, Droz, 1987, rééd. avec des notes additionnelles de M. Magnien, Genève, Droz, 2001.

Œuvres complètes d'Étienne de La Boétie, éd. L. Desgraves, Bordeaux, William Blake, 1991, 2 vol.

Discours de la servitude volontaire, éd. F. Bayard, Paris, Imprimerie nationale, 1992.

De la servitude volontaire ou Contr'Un, suivi du *Mémoire touchant l'édit de janvier 1562*, éd. N. Gontarbert, Paris, Gallimard, coll. « Tel », 1993.

Discours de la servitude volontaire, éd. A. et L. Tournon, suivi de : *Les Paradoxes de la servitude volontaire*, études de Ph. Audegean, T. Dagron, L. Gerbier, F. Lillo, O. Remaud, L. Tournon, Paris, Vrin, 2002 ; rééd. sans les études, avec une préface de T. Dagron, Paris, Vrin, 2014.

ÉTUDES SUR LA BOÉTIE ET SUR LE DISCOURS DE LA SERVITUDE VOLONTAIRE

MONOGRAPHIES ET RECUEILS D'ARTICLES

Anne-Marie Cocula, *Étienne de La Boétie*, Bordeaux, Éditions Sud-Ouest, 1995.

Jean-Michel Delacomptée, *Et qu'un seul soit l'ami. La Boétie*, Paris, Gallimard, 1995.

Michel Magnien, *Étienne de La Boétie*, Paris/Rome, Memini, coll. « Bibliographie des écrivains français », 1997.

Michel Magnien (éd.), « La Boétie », numéro spécial des *Montaigne Studies*, vol. XI, n° 1-2, 1999.

Marcel Tetel (éd.), *Étienne de La Boétie. Sage révolutionnaire et poète périgourdin*. Actes du colloque international de Duke University (26-28 mars 1999), Paris, H. Champion, 2004.

Nicola Panichi, *Plutarchus redivivus ? La Boétie et sa réception en Europe* (1re éd. Naples, 1999, 2e éd. Rome, 2008), trad. (sur la 2e éd.) J.-Cl. Arnould, Paris, H. Champion, 2008.

Renzo Ragghianti, *Rétablir un texte. Le « Discours de la servitude volontaire » de La Boétie*, Florence, Olschki, 2010.

Stéphan Geonget et Laurent Gerbier (éd.), *Amitié & compagnie. Autour du « Discours de la servitude volontaire » de La Boétie*, Paris, Classiques Garnier, coll. « Cahiers La Boétie », 1, 2012.

Laurent Gerbier et Olivier Guerrier (éd.), *Les Figures de la coutume. Autour du « Discours de la servitude volontaire »*, Paris, Classiques Garnier, coll. « Cahiers La Boétie », 2, 2012.

Laurent Gerbier (éd.), *Lectures politiques de La Boétie*, Paris, Classiques Garnier, coll. « Cahiers La Boétie », 3, 2013.

Déborah Knop et Jean Balsamo, *De la servitude volontaire. Rhétorique et politique en France sous les derniers Valois*, Rouen, Presses universitaires de Rouen et du Havre, 2014.

Laurent Gerbier et Olivier Guerrier (éd.), *Nature et naturel. Autour du « Discours de la servitude volontaire »*, Paris, Classiques Garnier, coll. « Cahiers La Boétie », 4, 2014.

Olivier Guerrier, Michaël Boulet et Mathilde Thorel, *La Boétie. De la servitude volontaire ou Contr'Un*, Neuilly, Atlande, 2015.

ARTICLES

Jean Lafond, « Le *Discours de la servitude volontaire* de La Boétie et la rhétorique de la déclamation », dans Pierre-Georges

Castex (éd.), *Mélanges sur la littérature de la Renaissance à la mémoire de V.-L. Saulnier*, Genève, Droz, 1984, p. 735-745.

Jean-Pierre Cavaillé, « Langage, tyrannie et liberté dans le *Discours* d'Étienne de La Boétie », *Revue des sciences philosophiques et théologiques*, vol. LXXII, n° 1, 1988, p. 3-30.

Guy Palayret, « L'énigme et le détour. Le pouvoir dans le *Discours de la servitude volontaire* de La Boétie », dans Jean-Christophe Goddard et Bernard Mabille (éd.), *Le Pouvoir*, Paris, Vrin, 1994, p. 88-108.

Michel Simonin, « Œuvres complètes ou plus que complètes ? Montaigne éditeur de La Boétie », *Montaigne Studies*, vol. VII, n° 1-2, 1995, p. 5-34.

Jean-Raymond Fanlo, « Les digressions nécessaires d'Étienne de La Boétie », *Bulletin de la Société des amis de Montaigne*, 8ᵉ série, n° 7-8, 1997, p. 63-79.

Sébastien Charles, « La Boétie, le peuple et les "gens de bien" », *Nouvelle Revue du seizième siècle*, XVII, 1999, p. 269-286.

Emmanuel Buron, « Le *Discours de la servitude volontaire* et son double », *Studi francesi*, vol. XLV/3, n° 135, 2001, p. 498-532.

Renzo Ragghianti, « Le *Discours de la servitude volontaire* et Étienne de La Boétie : d'une énigme à l'autre », *Rinascimento*, 2ᵉ série, vol. XLIII, 2003, p. 507-552.

André Tournon, « "Singuliers en leurs fantasies" », dans Jean Céard, Christine Gomez-Géraud, Michel Magnien et François Rouget (éd.), *Cité des hommes, cité de Dieu. Mélanges sur la littérature de la Renaissance offerts en hommage à Daniel Ménager*, Genève, Droz, 2003, p. 111-122.

Michel Magnien, « Pour une attribution définitive du *Mémoire* à Étienne de La Boétie », dans *Cité des hommes, cité de Dieu, op. cit.*, p. 133-142.

Olivier Guerrier, « Aux origines du *Discours de la servitude volontaire*. Autour d'un mot de Plutarque », dans Olivier Guerrier (éd.), *Moralia et œuvres morales à la Renaissance*, Paris, H. Champion, 2008, p. 237-251.

Dennis Lenders, « La satire latine adressée par La Boétie à Montaigne », *Bibliothèque d'humanisme et Renaissance*, vol. LXXIV, n° 3, Genève, Droz, 2012, p. 479-503.

Alain Legros, « Dix-huit volumes de la bibliothèque de La Boétie légués à Montaigne et signalés par lui comme tels », *Montaigne Studies*, vol. XXV, n° 1-2, 2013, p. 177-188.

Laurent Gerbier, « Un "sujet vulgaire et tracassé" ? Notes pour une lecture philosophique du *Discours de la servitude volontaire* de La Boétie », *Seizième Siècle*, n° 11, 2015, p. 329-346.

TABLE

Discours
de la servitude volontaire

Mise en page par Meta-systems
59100 Roubaix

Imprimé par MAURY IMPRIMEUR
à Malesherbes (Loiret)
en juin 2016
N°d'impression : 209724